障害者に関するさまざまなマーク

障害者に関するさまざまなマークがあります。私たちのふだんの暮らしのなかで見かけたことがあるものも多いでしょう。適切なかかわりができるように、各マークの意味を理解しておきましょう。

障害者手帳

身体障害者手帳、療育手帳、精神障害者保健福祉手帳などがあります。これらの手帳を提示することで、各種の福祉サービスを利用することができます（手帳の名称、色、形等は、都道府県により異なります）。

身体障害者手帳

療育手帳

精神障害者保健福祉手帳

障害や疾病のある人の生活を支える介護福祉士

地域には，さまざまな障害や疾病のある人が暮らしています。介護福祉士の仕事は，その1人ひとりの生活を支援することです。そのために必要な知識と技術を学んでいきましょう。

視覚障害のある人
歩行介助

聴覚障害のある人
筆談によるコミュニケーション

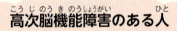

高次脳機能障害のある人
日課の確認

車いすを使用している人
車いす調整のための生活情報の共有

難病（筋ジストロフィー）のある人
レクリエーション活動の支援

呼吸器機能障害の
ある人

生活を維持するための
機器の確認

発達障害の
ある人

移動支援のための
情報共有

精神障害の
ある人

生活を整えるための
食事や服薬の確認

介護福祉士のかかわる人たちは
幅広いんだね…

発声が
困難な人

文字盤によるコミュニケーション

学生

障害や疾病のある人の暮らしを支える機器

障害や疾病のある人の暮らしを支えるさまざまな機器があります。介護福祉士には，身のまわりにあるものを利用して，1人ひとりに合った「道具」を工夫する視点も求められます。

音声時計・触読式時計

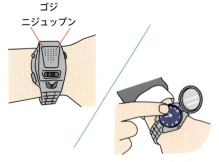

音声または文字盤を触ることで時刻を知ることができる

フラッシュランプ

チャイムの代わりに，ランプの点滅により来客を知ることができる

スイッチ

まぶたや口など，身体機能にあわせて操作できる

筆記用具

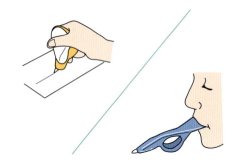

身体機能にあわせて選択することで，文字や絵をかくことができる

タイマー

残りの時間が赤く表示され，視覚的に理解することができる

読書スタンド

寝たままの姿勢で，新聞や本を読むことができる

生活支援技術 III

最新 介護福祉士養成講座 8

編集　介護福祉士養成講座編集委員会

第2版

中央法規

『最新 介護福祉士養成講座』初版刊行にあたって

　1987（昭和62）年に「社会福祉士及び介護福祉士法」が制定され、介護福祉職の国家資格である介護福祉士が誕生してから30年以上が経ちました。2018（平成30）年11月末現在、資格取得者（登録者）は162万3974人に達し、施設・在宅を問わず地域における介護の中核をになう存在として厚い信頼をえています。

　近年では、世界に類を見ないスピードで進む高齢化に対応する日本の介護サービスは国際的にも注目を集めており、アジアをはじめとする海外諸国から知識と技術を学びに来る学生が増えています。

　もともと介護福祉士が生まれた背景には、戦後の高度経済成長にともなう日本社会の構造的な変化がありました。資格誕生から今日にいたるまでのあいだも社会は絶えず変化を続けており、介護福祉士に求められる役割と期待はますます大きくなっています。そのような背景のもと、今後さらに複雑化・多様化・高度化していく介護ニーズに対応できる介護福祉士を育成するために、2018（平成30）年に10年ぶりに養成カリキュラムの見直しが行われました。

　当編集委員会は、資格制度が誕生した当初から、介護福祉士養成のためのテキスト『介護福祉士養成講座』を刊行してきました。福祉関係八法の改正、社会福祉法や介護保険法の施行など、時代の動きに対応して、適宜記述内容の見直しや全面改訂を行ってきました。そして今般、本講座を新たなカリキュラムに対応した内容に刷新するべく『最新 介護福祉士養成講座』として刊行することになりました。

　『最新 介護福祉士養成講座』の特徴としては、次の事項があげられます。
① 介護福祉士養成のための標準的なテキストとして国の示したカリキュラムに対応
② 現場に出たあとでも立ち返ることができ、専門性の向上に役立つ
③ 講座全体として科目同士の関連性も見える
④ 平易な表現や読みがなにより、日本人学生と外国人留学生がともに学べる
⑤ オールカラー（11巻、15巻）、ＡＲ（拡張現実：6巻、7巻、15巻）の採用などビジュアル面への配慮

　本講座が新しい時代にふさわしい介護福祉士の養成に役立ち、さらには本講座を学んだ方々が広く介護福祉の世界をリードする人材へと成長されることを願ってやみません。

2019（平成31）年3月
介護福祉士養成講座編集委員会

はじめに

　『生活支援技術Ⅲ』は、①障害や疾病のある人について、医学的・心理的側面から理解すること、②生活上の困りごとを理解すること、③障害や疾病のある人への生活支援において介護福祉士が果たすべき役割を理解することを目的としています。全体を通して、養成カリキュラムで示されている、「移動の介護」「身じたくの介護」「食事の介護」「入浴・清潔保持の介護」「排泄の介護」「家事の介護」「睡眠の介護」等について、各障害・疾病別に学ぶ構成になっています。

　本書では、身体障害、知的障害、精神障害、高次脳機能障害、発達障害に加え、難病のなかでも介護福祉士がかかわる可能性の高い疾病を取り上げています。ここで学ぶ内容は、領域「こころとからだのしくみ」の科目で学ぶ内容を根拠として展開していますが、とくに、各障害・疾病の詳しい原因や症状、治療、制度的な位置づけについては、『障害の理解』（第14巻）で学び、具体的な支援内容・支援方法については、おもに本書で学ぶことを想定し、編集しています。

　各節の構成としては、まず、障害や疾病の概要を学びます。障害や疾病に関する基礎的な知識は、利用者の状態の変化の把握や多職種連携において欠かすことができない大切な要素であるためです。次に、障害や疾病によって、どのような生活上の困りごとが生じるのか、その困りごとに対して、介護福祉士としてどのようなかかわりができるのかを学びます。そして、利用者の状態、家族とのかかわり、介護福祉士の役割、多職種連携等のイメージがわくように、最後に事例を紹介しています。

　本巻での学びを通じて、障害や疾病のある人のさまざまな暮らし、さまざまな思いを理解し、尊厳の保持や自立支援をふまえた介護実践につなげていただければ幸いです。

　内容面に関しては最善を尽くしていますが、ご活用いただくなかでお気づきになった点は、ぜひご意見をお寄せください。いただいた声を参考にして、改訂を重ねていきたいと考えています。

編集委員一同

最新 介護福祉士養成講座8　生活支援技術Ⅲ　第2版

目次

『最新 介護福祉士養成講座』初版刊行にあたって

はじめに

第1章　利用者の状態・状況に応じた生活支援技術とは

1　障害や疾病とともに生活する人を支える … 2
2　介護福祉士の行う「生活支援」… 3
3　多職種連携のなかでの介護福祉士の役割 … 6

第2章　障害に応じた生活支援技術Ⅰ

第1節　肢体不自由に応じた介護 … 12

1　肢体不自由の理解 … 12
2　生活上の困りごと（観察の視点）… 15
3　支援の展開 … 20
4　事例で学ぶ──肢体不自由に応じた生活支援の実際 … 28

第2節　視覚障害に応じた介護 … 31

1　視覚障害の理解 … 31
2　生活上の困りごと（観察の視点）… 33
3　支援の展開 … 36
4　事例で学ぶ──視覚障害に応じた生活支援の実際 … 44

第3節　聴覚・言語障害に応じた介護 … 46

1　聴覚障害の理解 … 46
2　生活上の困りごと（観察の視点）──聴覚障害 … 50
3　支援の展開──聴覚障害 … 51
4　事例で学ぶ──聴覚障害に応じた生活支援の実際 … 54
5　言語障害の理解 … 56
6　生活上の困りごと（観察の視点）──言語障害 … 57
7　支援の展開──言語障害 … 58
8　事例で学ぶ──言語障害に応じた生活支援の実際 … 60

第 4 節 重複障害〈盲ろう〉に応じた介護 ……………………………………………… 63

1 重複障害とは … 63
2 盲ろう重複障害の理解 … 64
3 生活上の困りごと（観察の視点）… 66
4 支援の展開 … 66
5 事例で学ぶ──盲ろう重複障害に応じた生活支援の実際 … 72

第 5 節 【内部障害】心臓機能障害に応じた介護 ……………………………………… 75

1 心臓機能障害の理解 … 75
2 生活上の困りごと（観察の視点）… 81
3 支援の展開 … 87
4 事例で学ぶ──心臓機能障害に応じた生活支援の実際 … 89

第 6 節 【内部障害】呼吸器機能障害に応じた介護 …………………………………… 91

1 呼吸器機能障害の理解 … 91
2 生活上の困りごと（観察の視点）… 97
3 支援の展開 … 100
4 事例で学ぶ──呼吸器機能障害に応じた生活支援の実際 … 105

第 7 節 【内部障害】腎臓機能障害に応じた介護 ……………………………………… 108

1 腎臓機能障害の理解 … 108
2 生活上の困りごと（観察の視点）… 114
3 支援の展開 … 116
4 事例で学ぶ──腎臓機能障害に応じた生活支援の実際 … 119

第 8 節 【内部障害】膀胱・直腸機能障害に応じた介護 ……………………………… 121

1 膀胱・直腸機能障害の理解 … 121
2 生活上の困りごと（観察の視点）… 127
3 支援の展開 … 128
4 事例で学ぶ──膀胱・直腸機能障害に応じた生活支援の実際 … 132

第 9 節 【内部障害】小腸機能障害に応じた介護 ……………………………………… 134

1 小腸機能障害の理解 … 134
2 生活上の困りごと（観察の視点）… 140
3 支援の展開 … 142
4 事例で学ぶ──小腸機能障害に応じた生活支援の実際 … 143

第10節 【内部障害】HIVによる免疫機能障害に応じた介護 ……… 146
- 1 HIV感染症の理解 … 147
- 2 生活上の困りごと（観察の視点）… 150
- 3 支援の展開 … 152
- 4 事例で学ぶ──HIV感染症に応じた生活支援の実際 … 155

第11節 【内部障害】肝臓機能障害に応じた介護 …………………… 158
- 1 肝臓機能障害の理解 … 158
- 2 生活上の困りごと（観察の視点）… 161
- 3 支援の展開 … 165
- 4 事例で学ぶ──肝臓機能障害に応じた生活支援の実際 … 167

第12節 重症心身障害に応じた介護 ……………………………… 170
- 1 重症心身障害の理解 … 170
- 2 生活上の困りごと（観察の視点）… 173
- 3 支援の展開 … 175
- 4 事例で学ぶ──重症心身障害に応じた生活支援の実際 … 180

- 演習2-1 肢体不自由のある人の理解① … 184
- 演習2-2 肢体不自由のある人の理解② … 184
- 演習2-3 視覚障害のある人の理解 … 185
- 演習2-4 聴覚・言語障害のある人の理解 … 185
- 演習2-5 盲ろう重複障害のある人の理解 … 186
- 演習2-6 人工ペースメーカーを使用している人への支援 … 186
- 演習2-7 呼吸器機能障害のある人の理解 … 186
- 演習2-8 腎臓機能障害・肝臓機能障害のある人の理解 … 187
- 演習2-9 膀胱・直腸・小腸機能障害のある人の理解 … 187
- 演習2-10 標準予防策（スタンダード・プリコーション）の理解 … 187

第3章 障害に応じた生活支援技術Ⅱ

第1節 知的障害に応じた介護 …………………………………… 190
- 1 知的障害の理解 … 190
- 2 生活上の困りごと（観察の視点）… 192
- 3 支援の展開 … 195
- 4 事例で学ぶ──知的障害に応じた生活支援の実際 … 196

最新 介護福祉士養成講座8　生活支援技術Ⅲ　第2版

第2節　精神障害に応じた介護 …198

1　統合失調症の理解 … 198
2　生活上の困りごと（観察の視点）――統合失調症 … 200
3　支援の展開――統合失調症 … 202
4　事例で学ぶ――統合失調症に応じた生活支援の実際 … 206
5　気分障害の理解 … 209
6　生活上の困りごと（観察の視点）――気分障害 … 211
7　支援の展開――気分障害 … 213
8　事例で学ぶ――気分障害（うつ病）に応じた生活支援の実際 … 216

第3節　高次脳機能障害に応じた介護 …219

1　高次脳機能障害の理解 … 219
2　生活上の困りごと（観察の視点）… 222
3　支援の展開 … 225
4　事例で学ぶ――高次脳機能障害に応じた生活支援の実際 … 229

第4節　発達障害に応じた介護 …232

1　発達障害の理解 … 233
2　生活上の困りごと（観察の視点）… 237
3　支援の展開 … 243
4　事例で学ぶ――発達障害に応じた生活支援の実際 … 246

第5節　【難病】筋萎縮性側索硬化症（ALS）に応じた介護 …249

1　筋萎縮性側索硬化症（ALS）の理解 … 249
2　生活上の困りごと（観察の視点）… 252
3　支援の展開 … 253
4　事例で学ぶ――筋萎縮性側索硬化症（ALS）に応じた生活支援の実際 … 259

第6節　【難病】パーキンソン病に応じた介護 …262

1　パーキンソン病の理解 … 262
2　生活上の困りごと（観察の視点）… 267
3　支援の展開 … 269
4　事例で学ぶ――パーキンソン病に応じた生活支援の実際 … 274

第7節　【難病】悪性関節リウマチに応じた介護 …277

1　悪性関節リウマチ（MRA）の理解 … 277
2　支援の実際――悪性関節リウマチ … 279
3　関節リウマチ（RA）の理解 … 280
4　生活上の困りごと（観察の視点）――関節リウマチ … 282

	5	支援の展開──関節リウマチ … 284
	6	事例で学ぶ──関節リウマチに応じた生活支援の実際 … 289

第8節 【難病】筋ジストロフィーに応じた介護 293

	1	筋ジストロフィーの理解 … 293
	2	生活上の困りごと（観察の視点）… 296
	3	支援の展開 … 300
	4	事例で学ぶ──筋ジストロフィーに応じた生活支援の実際 … 303
演習3−1		本人や家族の手記による障害のある人の理解 … 307
演習3−2		高次脳機能障害のある人の理解 … 307
演習3−3		発達障害のある人の理解 … 308
演習3−4		パーキンソン病・関節リウマチのある人の理解 … 308
演習3−5		筋ジストロフィーのある人の理解 … 309

索引 311

執筆者一覧

本書では学習の便宜をはかることを目的として、以下のような項目を設けました。
- 学習のポイント … 各節で学ぶべきポイントを明示
- 関連項目 ………… 各節の冒頭で、『最新 介護福祉士養成講座』において内容が関連する他巻の章や節を明示
- 重要語句 ………… 学習上、とくに重要と思われる語句について色文字のゴシック体で明示
- 補足説明 ………… 専門用語や難解な用語・語句をゴシック体で明示するとともに、側注でその用語解説や補足的な説明を掲載
- 演　　習 ………… 節末や章末に、学習内容を整理するふり返りや、理解を深めるためのグループワークなどの演習課題を掲載

第1章

利用者の状態・状況に応じた生活支援技術とは

> **学習のポイント**
> - 障害や疾病とともに生活する人の背景を理解する
> - 「生活支援」を行う意義（目的）を理解する
> - 多職種連携の意義（目的）を理解する

関連項目
- ⑥『生活支援技術Ⅰ』 ▶ 第1章「生活支援の理解」
- ⑨『介護過程』 ▶ 第1章第2節「介護過程における事例検討・事例研究の必要性」
- ⑭『障害の理解』 ▶ 第1章「障害の概念と障害者福祉の基本理念」

1 障害や疾病とともに生活する人を支える

　全国の55歳以上の男女を対象にした「高齢者の健康に関する調査（2017（平成29）年）」（内閣府）によると、介護が必要な状態になった場合に不安なこととして、約5割の人が「家族に肉体的・精神的負担をかける」ことをあげています。また、約2割の人が「理由はないが、漠然と不安を感じる」「人生の楽しみが感じられなくなる」と回答しています。一方で2019（令和元）年の高齢社会白書（内閣府）によると、最期をむかえたい場所として、約5割の人が「自宅」をあげています。また女性は年齢が高くなるほど「自宅」と回答する割合が増える傾向にあります。これらの調査から、人は介護が必要な状態にあっても、最期は住み慣れた自宅でむかえたいと希望している現状がわかります。また、介護が必要な状態になると、人生の楽しみが感じられなくなると考えている人がいることも見えてきます。

　日本の総人口に占める65歳以上の人口の割合（高齢化率）は、2020（令和2）年には28.7％となりました。一方で、在宅の身体障害者に占める65歳以上の人の割合も、1970（昭和45）年には約3割程度であったものが、2016（平成28）年には7割を超えるまで上昇しているという現状もあります（内閣府編『障害者白書 令和3年版』より）。つまり、社会全体の高齢化とともに、地域で暮らす障害者も高齢化が進んでおり、障害や疾病に加えて、加齢にともなう変化への対応も必要となってきています。

　地域には、障害や疾病とともに暮らしている人、治療を終えて退院してきたばかりの人、治療を続けながら生活している人、障害の受容の過程にある人など、さまざまな状態・状況の人が暮らしています。**地域包**

括ケアが推進されるなか、介護福祉士には、そのような人、1人ひとりの生活を支えるための知識と技術が求められます。

2 介護福祉士の行う「生活支援」

1 障害や疾病についての基礎的な知識

　本書は、障害・疾病別に構成しています。まず、障害や疾病の概要を学びます。なぜ障害や疾病に関しての知識が必要かというと、障害や疾病が生活にさまざまな影響を与えるからです。介護福祉士が利用者の望む生活を支援しようとしても、症状を悪化させたりする可能性があるためにどうしても避けなくてはいけないこともあります。そのため、介護福祉士は障害や疾病に関しての基礎的な知識を確認し、利用者の安全と安楽を確保し、症状の変化に気づく視点が必要になります。

　また、「障害や疾病のある人」といっても、程度や状況、受け止め方、訴え方はそれぞれ異なります。それにより、留意点等も異なるものです。利用者の日ごろの状況をよく知る介護福祉士が、利用者の変化に気づくためには、その人をよく知ることが必要になります。

　さらに、介護福祉士は生活支援を行う専門職です。利用者とかかわる際には介護過程の考え方をふまえ、日々の状況を分析し、なぜ今この方法で介護をするのかを考え、実践し、評価していくことが、利用者の生活の継続につながるということを意識する必要があります。また、多職種との連携においても基礎的な知識は重要となります。

　では、それらの基礎的な知識をふまえ、介護福祉士はどのようにかかわればよいのか考えてみましょう。病院では、疾患別に観察項目や治療方法などが決まっており、解決すべき課題の優先順位も、健康になるという目標に向けて標準的なものが示されています。それぞれの課題をクリアすれば、基本的には「治療終了→退院」となります。

　しかし、介護福祉士がかかわる利用者は、多種多様な場で生活をしています。その利用者とかかわる「場（環境）」だけでなく、かかわる「期間」もさまざまで、利用者がかかえている課題も、その優先順位もそれぞれです。単に利用者の希望を優先していては、健康状態に支障が

出ることもあります。家族と生活している場合には、家族の意向も考えなければなりません。

そこで、介護福祉士は利用者の**生活の維持、再構築**のために利用者の情報を多方面から確認して、生活支援技術を展開することが必要になります。

2 利用者とその生活の理解

利用者の「生活」の維持や再構築を支援するのが介護福祉士の役割であり、その役割を果たすためには、まずはその人を知ること、その人の生活を知ることから始める必要があります。利用者や家族が、情報の選択に迷っていたり、情報を誤解していたり、強い思いこみがあったりする場合に、情報を整理したり、別の選択肢を提案したりできることが専門職の役割の1つです。利用者の生活に直接かかわり、からだに触れることのできる介護福祉士は、この気づきが得られる立場にあることが強みでもあります。

「ご飯は毎回、全部いただいています」という利用者の言葉に違和感がある（なんだか少しやせてきたような印象がある……）、「娘が来て、毎回、お風呂に入れてくれます」と言うけれど、皮膚の汚れやにおいが気になる（家族関係は良好なのか……）など、利用者の本音や実態を確認し、生活行為全体の状況を把握できるのが介護福祉士です。その結果、場合によっては、**多職種連携**のなかで、または家族間の調整において利用者の**代弁者**になることも求められます。

介護福祉士は常に「利用者主体」「自立支援」「尊厳の保持」「安全・安楽」の視点をもち生活支援技術を実践していきます。そのことで利用者が安心して生活を楽しむことができるように、意欲がわいてくるように、意図的な問いかけをしていきます。視覚、聴覚などに障害がある人の場合も、内部障害や精神障害のある人の場合も、「障害があるから〇〇ができない人」ではなく、可能性のあることを見いだし、方法を検討し、実際に行動するのが、介護福祉士の提供する「生活支援技術」であるといえます。

介護福祉士として、人とかかわる専門職として、療養のための知識、生活のための知識を深めながら、その人の思いや習慣などをどうしたら大切にできるかを考え続けることが大切です。

また、本書では、障害のある利用者の生活支援技術を学びますが、障害のある利用者を理解するためには、利用者が障害をどのように受け止めているかを知ることも必要になります。これに関しては、「障害の理解」などの他科目の学びが重要になります。

　そのうえで、生じる生活の不便さ、障害に対する思いなど、利用者のこころのあり方を理解し、生活支援技術を提供します。時に立ち止まり、時にはげまし背中を押すなど、利用者のこころのありようを理解したうえでの生活支援技術の提供は、生活支援の専門職である介護福祉士の基本といえます。

3 家族を支える視点

　少子高齢化社会のなかで、家族関係は変化しています。家庭内で介護をになう人が少なくなっており、**老老介護**[1]、**認認介護**[2]という言葉も生まれました。障害や病気により、家族に介護が必要となった場合には、介護に加え、その人のになっていた役割を他の家族が分担する必要が生じることもあります。また、障害のある子どもを支えるためには、とくに家族の力が必要ですが、そのための家族構成も変化しているのが現状です。

　たとえば、重症心身障害のある利用者で、それまでも介護サービス等は利用していましたが、利用者自身の体格が大きく成長したことで、両親は自分たちの力の限界を感じるようになっている事例がありました。両親は、いつまでも、自宅でともに生活していきたいという思いを、改めなくてはいけない時期が近づいていました。そこで、新たに障害者のグループホームを利用することを考えましたが、家族としては今までどおりに生活できないのではないかという不安が先に立ち、なかなか決断できない状態でした。そこで、利用していた介護サービスの介護福祉士が多職種と連携し、今の生活の様子をビデオで撮影してグループホームのスタッフに伝えました。生活の場を共有することは、言葉だけではなかなかむずかしいことです。グループホームでの生活の継続に不安を感じていた両親は、現在の暮らしの様子や自分たちの気持ちを伝えることで、グループホームのスタッフと信頼関係ができ、利用者の生活の継続ができることを実感してくれました。

　介護福祉士が生活支援のなかで行えることには限度があります。情緒

[1] **老老介護**
介護する人も、される人も65歳以上の世帯で行われる介護の状況。

[2] **認認介護**
介護する人にも認知症があり、認知症の人を介護している状態。

的関係、意思決定、財産に関することや諸手続きなど、家族にしかできないこともあります。介護福祉士ができる役割は、利用者や家族を含めた「支援が必要な人」に対して、家族におけるその人の役割をよく理解し、社会的に支援できるものは社会資源の導入を提案し、家族の負担を軽減するとともに、家庭内の役割を再構成するように支援することです。

家族の介護負担を軽減するためには、具体的には、その介護負担は何から生じているのかをアセスメントします。身体的な負担なのか、精神的な負担なのか、経済的な負担なのかなどです。そして、必要な支援をになう専門職と連携して課題解決をはかります。

3 多職種連携のなかでの介護福祉士の役割

1 生活支援の専門職として

地域包括ケアシステムでは、個々人のかかえる課題にあわせて、それぞれの専門職が連携し、必要に応じて生活支援と一体的なサービスを提供することが求められています。そのなかにおいて、介護福祉士は必要な知識と技術を身につけた生活支援の専門職として介護を展開します。介護を展開する際に、生活のなかで利用者の情報をより多く、より詳細に知りうる視点をもっているのが介護福祉士です。

「生活」には、健康上の課題、リハビリテーションの課題、経済的な課題が含まれていることが多くありますが、それらの課題をいち早く知りうる状況にあるのが介護福祉士といえます。介護福祉士は多職種がどのような専門的視点をもっているのか、また、どのような情報を必要としているのかを理解し、適時、適切に連携して、課題を解決することが求められます。

本書で取り上げるような、さまざまな障害に応じた生活支援における具体的な役割については、次のような視点が必要になります。

まず、**生活の維持に必要な支援の視点**です。それぞれの障害に応じた、食事・入浴・排泄・睡眠など生活行為の留意点を確認します。そのためには、障害の特性を知り、どのような行為に対して、どのような支

援が必要なのかを確認して、自立に向けた生活支援を提供します。次に、予防的な視点での介護の提供です。障害のある利用者は、医療と深くかかわっていることが多いため、介護福祉士は、生活のなかで医療職との共通認識としての留意点を確認する必要があります。医療職が利用者に指導していることを、介護福祉士が十分に理解し、それをふまえた生活支援を提供しなければ、利用者は迷い、混乱し、不安をいだくことになります。また、共通認識としての留意点は、健康障害を予測し、予防につなげることに役立ちます。

2 医療情報を生活につなぐ

　病院での治療を終えて、自宅での日常生活を再開するなかで、退院時の指導の記憶が断片的になってしまうことがよくあります。そのようなときに感じる不安に対して、利用者の生活全体を見て、不安を解消することが、介護福祉士の役割であり、そのために、本書で学ぶような障害や疾病の基礎知識や観察の視点、具体的な支援技術が必要となります。

　ある慢性閉塞性肺疾患（chronic obstructive pulmonary disease：COPD）のある利用者は、病院での治療を終えて退院し、在宅酸素療法（home oxygen therapy：HOT）を続けながら自宅で生活することになりました。あるとき、「食事をすると息苦しくなることがある」「病院では、こんなことはなかった……。状態が悪化しているのではないか」と、訪問した介護福祉士に、不安そうに話しました。この利用者は、食べることが好きで、退院したら好きなものをたくさん食べたいと思っていました。しかし、家に帰って生活してみると、食べると息苦しさを感じ、食べることに対して消極的になってしまいました。

　入院生活では、管理栄養士等が考えた食事が出され、食生活は専門的に管理されています。しかし、家に帰ってきた利用者は、好きな食べ物を食べたいときに、好きなだけ食べたことで、息苦しさが増したことが考えられました。介護福祉士が「食事の方法について、指導されたことはありませんか」と聞くと、しばらく考えてから、退院時の指導では「『食事の回数を多くして少しずつ食べましょう』と言われた」と言います。その指導を自宅での生活を再開するなかで忘れてしまっていたということもわかりました。

3 利用者のニーズを多職種につなぐ

　生活するうえでは、「障害や疾病があるから〇〇ができない」と考えがちですが、どのような支援があればそれが可能になるのかを考え、実践するのが介護福祉士です。冒頭の調査からわかるように、介護が必要になると「人生の楽しみが感じられなくなる」と考えている人がいるなど、利用者自身が、障害や疾病があることで「できない」と思いこみ、あきらめていることもあります。

　ある人工透析を受けている利用者は、「よく眠れているし、体調はいいよ」と言いますが、なんだか元気がないように見えました。ゆっくり話を聞いてみると、その人は車の運転が好きで、以前は、妻といっしょに景勝地をドライブすることが楽しみでしたが、人工透析が必要になってからは、外出もひかえている……とのことでした。その理由を聞いてみると、「そりゃあ、病気だから仕方がない……」「先生（医師）には、車を運転していいとも、旅行に行っていいとも言われていないから……」と話します。「病気だから」「障害があるから」、旅行なんてとんでもない、できるだけ安静に過ごさなければならないと、利用者も家族も思いこんでいたことがわかりました。

　このような利用者や家族に出会ったとき、障害や疾病の状況、健康状態と生活状況を正確に把握したうえで、利用者の望む暮らしの実現方法を提案し、背中を押すのも介護福祉士の役割です。この事例では、介護支援専門員（ケアマネジャー）を通して主治医に連絡し、車の運転をしてもよいこと、旅行に行ってもよいこと、その際に注意する点などを直接、伝えてもらいました。

　利用者の障害・疾病に応じて、また、それぞれのライフステージや環境、望む生活や個々の性格に応じて、必要な支援はさまざまです。もちろんそれを介護福祉士だけで支えることはできません。障害や疾病のある人の支援では、とくに多職種との連携が欠かせない技術となります。

　利用者の状態や状況に応じた生活支援技術を実践できることは、利用者の生活の継続や、再構築に向けて必要なことです。ここで学ぶ内容は、基本的なことですが、介護福祉現場で活躍する介護福祉士として、基本があってはじめて応用が可能になります。また、利用者を知らなくては利用者の個別性のある介護は実践できません。この巻での学びは、

利用者を知るための基本事項であることを確認しながら、学びを深めていきましょう。

第1章 利用者の状態・状況に応じた生活支援技術とは

第2章 障害に応じた生活支援技術Ⅰ

- 第 1 節　肢体不自由に応じた介護
- 第 2 節　視覚障害に応じた介護
- 第 3 節　聴覚・言語障害に応じた介護
- 第 4 節　重複障害〈盲ろう〉に応じた介護
- 第 5 節　【内部障害】心臓機能障害に応じた介護
- 第 6 節　【内部障害】呼吸器機能障害に応じた介護
- 第 7 節　【内部障害】腎臓機能障害に応じた介護
- 第 8 節　【内部障害】膀胱・直腸機能障害に応じた介護
- 第 9 節　【内部障害】小腸機能障害に応じた介護
- 第10節　【内部障害】HIVによる免疫機能障害に応じた介護
- 第11節　【内部障害】肝臓機能障害に応じた介護
- 第12節　重症心身障害に応じた介護

第 **1** 節

肢体不自由に応じた介護

> **学習のポイント**
> - 肢体不自由について医学的・心理的側面から理解する
> - 肢体不自由のある人の生活上の困りごとを理解する
> - 肢体不自由のある人への支援において、多職種連携のなかで介護福祉士が果たすべき役割を理解する

関連項目 ⑭『障害の理解』▶ 第2章第2節「肢体不自由（運動機能障害）」

1 肢体不自由の理解

　手足が不自由で支援が必要な状態を**肢体不自由**といいますが、それは、ひとくくりに説明できるものではありません。その状態や必要な支援は利用者ごとに異なります。同じように見える状態でも、その原因や成り立ちは異なりますし、肢体不自由とともに生きる人の受け止め方や具体的な支援の方法も異なります。

　介護福祉職が肢体不自由のある人に対して支援を行う際は、まず、その障害による特性・特徴を正しく知ることが必要です。そのうえで、利用者のライフステージやニーズをふまえ、自立に向けた支援を行うことが望まれます。また、障害について基本的な理解ができていると、他職種との連携にも役立ちます。本節では、「脊髄損傷」「片麻痺」「脳性麻痺」を取り上げ、解説します。

1 脊髄損傷

（1）医学的理解

　脊髄損傷とは、事故や転倒、転落などの外傷によって、中枢神経である脊髄が損傷されることです。損傷した脊髄の部位によって、麻痺のレ

ベルや機能障害の程度が変わります。また、運動機能障害（運動麻痺）だけではなく感覚機能障害（知覚麻痺）もともないます。麻痺は、損傷した脊髄から下の髄節に起こる対麻痺となります。脊髄損傷の麻痺の評価には、**Zancolli分類**❶や**ASIA評価**❷などがあります。麻痺の程度や内容によって必要な支援はさまざまです（詳細は、『障害の理解』（第14巻）第2章第2節を参照）。

（2）心理的理解

多くの場合、ある日突然の事故や転倒、転落により受傷し、健常者の生活から一転して肢体不自由となります。事故後、生命の危機を脱したあとに、肢体不自由が永続的であることを理解し、受容するまでのプロセスには大きな個人差があります。健常者のときに考えていた将来や目標を変更せざるをえないことも多く、新しい生活や将来像、目標に向かうために介護福祉職の支援が必要とされます。人生の転換期を乗り越えてきた（または、乗り越えようとしている）利用者の生き方や考え方に寄り添い理解する力が、介護福祉職には求められます。

2 片麻痺

（1）医学的理解

片麻痺とは、脳出血や脳梗塞などの脳血管疾患によって、脳の神経が障害され、左右どちらかの半身に起こる運動麻痺のことです。中枢性麻痺ともいいます。運動神経は延髄で交叉するため、脳の障害部位とは左右反対側の半身麻痺となります。高次脳機能障害や失語症、感覚障害をともなうこともあります。片麻痺の程度は、**Brunnstrom Stage**❸で表すことができます。また、直接、麻痺の程度を示す評価ではありませんが、**ADL**❹（Activities of Daily Living：日常生活動作）の評価として**FIM**❺（Functional Independence Measure：機能的自立度評価法）という指標もあります。麻痺や残存機能の程度によって、必要な支援は異なります。

（2）心理的理解

脊髄損傷と同様に、ある日突然発症し、健常者の生活から一転して、片麻痺になります。片麻痺になると数週間から半年程度のリハビリテー

---

❶ **Zancolli分類**
頸髄損傷による麻痺の評価。機能する髄節と対応した筋のはたらきがわかる。それによってできる動作を知ることができる。

❷ **ASIA評価**
完全麻痺か不全麻痺か、運動神経と感覚神経がどの髄節まで残存しているかなど麻痺を総合的にとらえることができる。

❸ **Brunnstrom Stage**
片麻痺の運動機能回復の程度を示す。上肢・下肢・手指について評価し、それぞれstageⅠ～Ⅵに分けられる。

❹ **ADL**
日常生活を送るために最低限必要な日常的な動作で、「起居動作」「移乗」「移動」「食事」「更衣」「排泄」「入浴」「整容」動作のこと。高齢者や障害者の身体能力や日常生活レベルをはかるための重要な指標として用いられる。

❺ **FIM**
日常生活動作の評価で、セルフケア、排泄コントロール、移乗、移動、コミュニケーション、社会的認知について全18項目を各1～7点で評価する。最高126点、最低18点である。

ションを行い、自宅などの生活の場に帰ります。状態によっては、さらにリハビリテーションを継続したり、施設への入所を考えることもあります。いずれにしても、発症前のように思うままに外出や仕事を行うことが困難となることが多いです。また、再発の不安もあり、ひきこもりがちになることもあります。今まで築き上げてきた生活や価値観がくずれ、役割意識を失い、精神的に不安定になることもあります。このような心理状態にあっても、できることを見つけ、生きる喜びや楽しさを引き出す力が、介護福祉職には求められます。

3 脳性麻痺

（1）医学的理解

脳性麻痺とは、出生前から新生児の間に生じた脳の損傷により、永続的に運動機能が障害されることです。症状の進行はありません。おもに四肢麻痺があり、知的障害やてんかんと合併することもあります。脳性麻痺は筋緊張の異常をともなっており、痙直型、アテトーゼ型、強直型、混合型などの種類に分けられます。これらの特徴により支援方法も異なります。

（2）心理的理解

脊髄損傷や片麻痺による肢体不自由が、一度獲得した機能の損失であるのに対し、脳性麻痺による肢体不自由は機能獲得前の成長発達段階からの障害である点が、大きな違いです。動作の自立のために支援を受け入れながら成長発達していきます。支援を常に必要とするなかでもできることを見きわめ、主体性をもって生活ができるよう尊厳ある生活を支援をすることが介護福祉職には求められます。

2 生活上の困りごと（観察の視点）

1 食事

　食事の時間や場所、メニュー、だれと食べるかなどは、自由に選択できると食事が楽しくなります。時には節度を越えて食べすぎたり夜中に食べたりすることも自己責任のもとであるかもしれません。しかし、肢体不自由のある利用者は、介助や福祉用具が必要であったり、嚥下状態にあわせた食形態にする必要があったりと、何でも自由に選択して食事を楽しむことが困難となっていることが多々あります。

（1）脊髄損傷

　脊髄損傷のなかでも頸髄損傷は、下肢だけでなく上肢機能も障害される四肢麻痺となります。そのため、箸やフォークを持つことがむずかしく、食事動作に介助が必要となります。食べたいものが目の前に用意さ

表 2 − 1　脊髄損傷のレベルと食事動作の自立度

損傷レベル	食事動作の自立度
C4レベル	肘関節を動かせないため食事は全介助。水分摂取はストローが口に届く場所にあれば可能。
C5レベル	手首を固定する自助具を装着し、その先にフォークをつけて食物を刺して口に運ぶ。
C6レベル	コップを両手ではさむようにして持ち上げ、口に運ぶ。
C7レベル	握力が弱いため柄の太いフォークなどの自助具を持ち食事可能。
C8レベル	手指の巧緻動作※がむずかしいがリハビリテーションにより普通のフォークを持ち食事可能。
T1レベル	手指の巧緻動作がむずかしいがリハビリテーションにより箸を使用し食事可能。

※：指や指先による細やかな操作で、道具を正確にスムーズに使用すること。たとえば、洋服のボタンどめや靴ひも結びなど。箸を使用する動作は、フォークの使用より巧緻性が高い。

れていても、それらを自分の好きな順番で口に運び、自由に食べるということが困難になります。また、テーブルに飲み物が入ったコップが置いてあっても、それを片手で持ち、口に運ぶことができません（**表2-1**）。

（2）片麻痺

　私たちは片手で茶碗を持ち、もう片方の手で箸を使い食事をします。しかし、片麻痺になると片手が使えず、今までの動作ができなくなります。また、麻痺がきき手側であった場合、きき手でない側で箸やフォークを持つことになり、さらに困難さが生じます。そのため、**きき手交換**のような新たな方法の獲得が必要になる場合もあります。

　片麻痺の場合、嚥下機能にも麻痺が生じることがあるため、**誤嚥**[6]にも注意が必要です。また、一般的には高齢者が多いため、食事の際に義歯を使用することもあります。義歯の清潔を保つための手入れや食後の口腔ケアも、片麻痺では困難になります。また、片麻痺の利用者のなかには、高次脳機能障害によって麻痺側の物が見えにくく、意図せず食事を残してしまう場合もあります（**半側空間無視**[7]）。

（3）脳性麻痺

　体幹の筋緊張が弱く座位が保てない場合には、誤嚥のリスクが高まります。姿勢だけではなく、唇や舌、顎などの協調運動が困難で嚥下機能の障害をあわせもつことが多いため、**誤嚥性肺炎**[8]のリスクが高まります。自力で食べ物を口に運ぶ動作が困難な場合には、自助具を使用したり、介助が必要となります。利用者によっては特定の食物による口腔粘膜への刺激に過敏な反応を示すことや、食べ物のかたさなど食感による摂食拒否がある場合もあります。食物アレルギーの有無についても配慮が必要な場合があります。

2 入浴

　1日の終わりに入浴し、リラックスした時間を過ごすことは、だれもが経験のあることでしょう。肢体不自由であっても、入浴による心身への効果は変わりません。しかし、他者の手を借りなければ安全な入浴が行えない場合、リラックス効果はどうなるでしょうか。他者の視線を感

---

[6] **誤嚥**
食べ物や飲み物が食道ではなく、あやまって気管に入ってしまうこと。

[7] **半側空間無視**
p.226参照

[8] **誤嚥性肺炎**
誤嚥によって食べ物が気管や肺に入り、それによって肺炎を引き起こすこと。

じながらの入浴は逆にストレスになることもあるでしょう。相反することですが、他者の手を借りて安全に、しかし他者の視線を気にせず入浴したい、そのような思いが利用者にはあります。

（1）脊髄損傷

　上肢が使える場合には、環境を整えることで１人での入浴も可能です。しかし、C6以上の脊髄損傷では、座位保持や移動、身体を洗うことが困難となり、介助が必要となります。青年期から高齢期にかけての男性に多い中途障害であることから、体格が大きく、介護福祉職１人での入浴介助には限界があることも考えられます。そこで、ベッドから浴室までの移動方法の工夫や浴室内の環境整備が必要となります。入浴用のリフトやシャワーチェアの導入など、利用者・介助者ともに安全に配慮した入浴環境が求められます（図２－５、図２－６参照）。また、羞恥心への配慮も必要です。

（2）片麻痺

　麻痺がない側の上肢では洗いきれない部分（背中や麻痺がない側の上肢など）があるため、介助が必要となります。また、浴槽への出入りの際にはバランスをくずしやすく、転倒や溺水の可能性があります。身体を洗う際に座るシャワーチェアは背もたれつき、手すりつきなど種類があるので、利用者の状況に応じて最適なものを使います（図２－５参照）。陰部はできるだけ利用者自身で洗ってもらい、タオルをかけるなど羞恥心への配慮も必要です。

（3）脳性麻痺

　体幹の筋緊張が低いと座位を保つことがむずかしいため、背もたれや手すりのついたシャワーチェアが必要となります（図２－５参照）。浴槽内では、やはり座位が保てないことから溺水への注意が必要です。利用者自身でできる部分があれば、わずかでも実施することで入浴の達成感があります。また、若い利用者も多く、羞恥心への配慮がとくに必要になります。同性による介護の対応も必要です。

3 排泄

　排泄は、個室でだれの目にもふれられずに行っている行為です。その行為に人の手を借りなければならない気持ちを察しながら支援します。利用者の精神的苦痛に配慮することがプライバシーや尊厳を守ることにつながります。また陰部はプライベートな部分であると同時に、清潔を保たなければ感染症を引き起こすリスクの高い部分でもあります。

（1）脊髄損傷

　膀胱や肛門周囲の神経も麻痺している場合、尿や便がある程度たまっても脳への指令が出ず、尿意や便意を感じることが困難になります。しかし、**自律神経過緊張反射**[9]として頭痛や血圧上昇の変化を尿意や便意と学習することもあります。

　下半身が麻痺している場合は、左右両足の支持性がないか、または低い状態のため、トイレへの移乗や立位動作が困難になります。上半身にも麻痺がある場合には、手すりをにぎることや座位の保持、清潔動作が困難になります。腹筋群も麻痺しているため、腹圧をかけて排泄することも困難となります。カテーテルを挿入して排尿したり、定期的に座薬などによる排便をうながして、排泄のコントロールを行います。

（2）片麻痺

　麻痺がない側の上肢で手すりをにぎり、麻痺がない側の下肢に体重をかけることで立位や方向転換、座位保持が可能であれば、トイレでの排泄が可能となります。片麻痺の程度によっては、立位を保持した状態で利用者自身による下衣の着脱が可能になります。立位での下衣の着脱が困難であれば、見守りや介助が必要となります。

　片麻痺の利用者は高齢者が多く、複合的に疾患を抱えている場合もあります。廃用症候群や筋力低下による失禁や高齢男性に多い前立腺肥大などによる排尿障害もあるため、高齢者特有の疾患についてもアセスメントが必要でしょう。また、利用者自身の障害に対する理解が十分でないために、立位や方向転換の際に転倒事故が発生することもあります。安全な排泄のために、利用者の理解力のアセスメントも必要となります。

---

[9] **自律神経過緊張反射**
脊髄損傷の人にみられることがある自律神経の異常反射。膀胱に尿がたまったり便秘などによって発生する。血圧上昇、頭痛や感覚的な違和感として感じられ、尿意や便意に相当するサインとして生活に応用されている。

（3）脳性麻痺

　車いすからの立ち上がりや方向転換、便座への着座を安全に行うためには手すりが必要となります。体幹の支持性が弱い場合や、筋緊張が強く股関節と膝関節を屈曲した状態に保つことがむずかしい場合には便座での座位保持が困難となります。知的障害を合併している場合は、尿意・便意はあっても言葉で伝達することが困難なため、発するサインを見逃さないことが大切です。また、緊張や疲労によりサインを出せない場合もあります。したがって、日常の様子観察と状態の変化を察する気づきが重要になります。また、主たる介護者（主に両親）からのアセスメントも重要です。

4 外出等

　外出は、**QOL**（Quality of Life：生活の質）を維持・向上させる大きな要素となります。しかし、歩行が困難であるために杖や車いすを使用した移動となるため、環境が整っていない場所への外出は、さまざまな負担や疲労を強いることになります。また、外出先での食事や排泄等にも支援が必要です。そのため、外出をひかえてしまう人はとても多いです。このような利用者のQOLを高めることができるよう、外出等を支援することが介護福祉職には求められています。

⑩QOL
個人が生きるうえで感じる日常生活の充実度や満足度。

（1）脊髄損傷

　青年期以降の利用者が多く、肢体不自由であってもさまざまな手段を使って外出をしています。しかし、歩行困難や食事・排泄に介助を要することから、多くの困りごとに直面します。環境面では、食事の場所に車いすで入店できるか、使用する駅にエレベーターが設置されているか、多機能トイレの場所を事前に確認しておくなどの必要があります。
　また、T1レベル以上の損傷では発汗機能が麻痺して体温調節が困難となるため、とくに暑さ対策が重要となります。

（2）片麻痺

　片麻痺の場合、杖や車いすを使用して移動するため、1人では長距離の移動が困難になります。杖歩行では、通常歩行と比べてゆっくりの動作になります。また、歩行に集中することから、他者と接触し転倒につ

ながることもあり、注意が必要です。外出の予定を立てる際には、余裕をもって計画するとよいでしょう。また、脊髄損傷の場合と同様に、食事や排泄の場所などを事前に確認しておくことで外出先での困難を回避することができます。

介助者への気づかいから、「トイレに行きたい」「水を飲みたい」などと言い出せない場合もありますので、失禁や脱水に注意し、何でも伝えられるような関係を築くことが大切です。

(3) 脳性麻痺

発達段階にある小児や児童にとっては、外出により、多くの刺激を体験することが人間形成に役立ち、感性を育てるよい機会となります。季節ごとの空気のにおいや植物の成長など、気候の変化を感じられるようできるだけ多く外出の機会をつくりたいものです。

食事や排泄では介助を要することから、外出先での食事場所、多機能トイレやおむつ交換の場所について事前に確認しておくことが大切です。

3 支援の展開

1 食事

たとえば、自分の子どもへの食事であれば、栄養バランスの取れたメニューをあなたが考え、食べる順序や量なども、保護者であるあなたの考えるベストなものでよいでしょう。しかし、介護場面ではそうではありません。食事介助を行うのは、あなたの子どもではなく1人の人格をもったサービス利用者であることを忘れてはなりません。介護福祉職は、1人ひとりの利用者が、健やかにおいしく食べることができるよう尊厳を守って接することが求められます。

(1) 脊髄損傷

上肢機能が障害されていても、C5～C8レベル（**表2-1**参照）であれば食事用の装具を装着し、食べ物をフォークに刺すなどして口に運

図2-1 C5レベルの食事用装具

ぶことができます（図2-1）。この場合、介助者は利用者の手首に装具を装着し、利用者がフォークを刺しやすい位置に一口大にカットした食べ物を置くことが求められます。また、フォークで刺せない汁物などは、利用者の希望にあわせて、スプーンや容器を口に運ぶなどの配慮も必要です。C4レベル以上では全介助となりますが、食べたい順番や一口量を確認し、利用者の好みやペースにあわせておいしく食べることができるような配慮が求められます。

麻痺の程度や利用者のニーズによって使いやすい自助具が異なるため、作業療法士や理学療法士との連携も必要に応じて行います。

（2）片麻痺

片麻痺の場合には片手が使えないだけでなく、嚥下機能や**高次脳機能**[11]も障害されていることが考えられるため、事前のアセスメントが重要になります。嚥下機能が障害されている場合にはまず、嚥下のどの過程（先行期→準備期→口腔期→咽頭期→食道期）に困難があるのかを確認します。そして、言語聴覚士や管理栄養士、看護師などと連携して食形態をペースト食に変更したり、水分にとろみをつけることになります。嚥下機能障害を放置すると、誤嚥性肺炎を引き起こすこともあるため注意が必要です。

高次脳機能障害がある場合には、どのような障害があるのかを確認し、半側空間無視であれば、食事をトレイに載せて食事全体を認識できるように工夫します。また、集中して食事ができるように静かな環境を整えることや集中がとぎれた際に適切な声かけを行うことが必要です。

[11] **高次脳機能**
p.219参照

図2-2 食器具の工夫

にぎりやすいよう柄を太くしたフォーク・スプーン　　角度をつけてすくいやすくした皿

図2-3 座位保持用いすの例（脳性麻痺）	図2-4 ピンセット箸の使用例

　片麻痺では高齢の人が多いため、義歯や残歯、口腔内を清潔に保つことにも多くの場合、支援が必要となります。また、できるだけ**残存機能**を生かし自分で食べることができるように、柄の太いスプーンやフォーク、すくいやすいように工夫された皿などの自助具も活用します（図2-2）。

（3）脳性麻痺

　脳性麻痺で筋緊張のコントロールが困難な場合には、嚥下機能や障害レベル、体型にあわせた車いすや座位保持用のいす等で安全で安楽な座位姿勢を確保する必要があります（図2-3）。指先の細かい動作が困

難である場合は、機能レベルに合った箸やスプーンなどの自助具を利用することで、できるだけ自分で食べることを支援します（図2-4）。食材や食感による摂食拒否は、主治医や言語聴覚士など他職種と連携しながら改善に取り組むか、受容して柔軟に対応できるようにします。

全介助の場合、口腔内が空になったタイミングで次の食材を取りこめるよう、食べ物を口に運ぶタイミングを見計らう必要があります。そのため、利用者の咀嚼や嚥下を観察します。

口から食べることが困難である場合には、経管栄養になることもあります。この場合には看護師などの医療職と連携し、衛生管理や医療的ケアの役割・手順を順守して支援することが重要となります。

2 入浴

肢体不自由であっても、入浴でリラックスした心地よい時間を継続できるように、介護福祉職の援助が必要とされます。ただし、入浴には転倒や溺水の危険がともないます。どのような配慮が必要であるか、利用者ごとにアセスメントを行い、福祉用具や福祉機器を活用して、安全に支援することが求められます。事前に手順や物品・環境を確認し、安全に心地よい入浴介助が行えるようにします。入浴介助中には、利用者から決して目を離さず、常に安全を確認します。入浴時は、全身状態を確認できるため、皮膚状態（湿疹や傷、内出血の有無など）の確認も行います。一方で、尊厳やプライバシーに十分に配慮した観察や声かけを行います。

入浴用シャワーチェア（図2-5）は、肢体不自由の状態によって使い分けます。①下肢の不自由さがある頸髄損傷では、移動用のタイヤがついたもの、②歩行はできるが低い位置からの立ち上がりに不自由さがある片麻痺では、高さのある立ち上がりやすいもの、③筋緊張のコントロールに不自由さがある脳性麻痺では、頭部まで支えがあり急にからだが動いてもずり落ちないようにベルトのついたもの、といった具合です。このほかにも、座面の形や背もたれ・手すりの有無などを確認し、利用者の状態にあわせて使い分けます。

図2-5 入浴用シャワーチェア

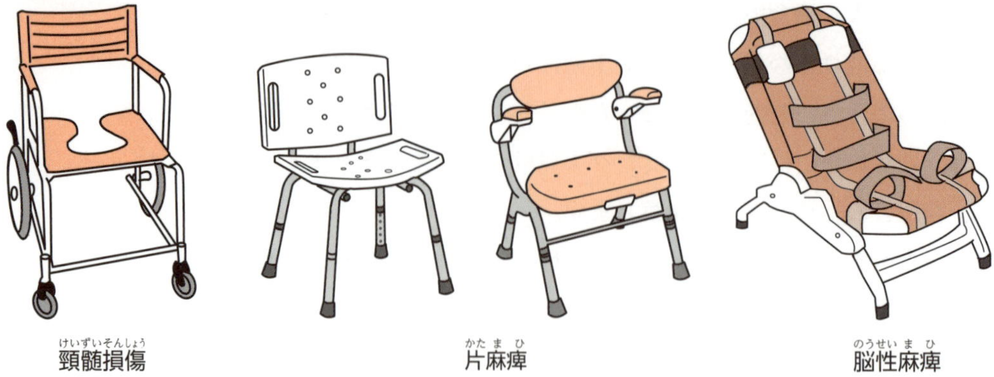

頸髄損傷　　　片麻痺　　　脳性麻痺

図2-6 浴室用リフト

（1）脊髄損傷

　脊髄損傷のレベルによって、支援内容が異なります。C6以上のレベルでは、浴室用リフト（図2-6）など福祉機器の利用や支援を導入するための環境整備や住宅改修が必要となります。障害の程度により、受けられるサービスも異なります。市区町村によって独自の介護サービスを提供している場合もあるので、事前に調べておくとよいでしょう。
　また、訪問介護サービスは、障害福祉サービスでは居宅介護（ホームヘルプサービス）として利用可能であり、同性介護で行われます。

（2）片麻痺

　麻痺のレベルによって、支援内容が異なります。手すりなどにつかまって歩くことができる程度の麻痺であれば、手すりやバスボード、シャワーチェアなどの環境を整えたうえで、見守りや一部介助にて入浴できるでしょう。歩行が困難であったり、座位が保てない、大柄な体格であるなどの場合には、訪問入浴サービスを利用することも考えられます。また、デイサービス（通所介護）でも入浴支援が受けられますので、自宅での入浴が困難な場合には、それらのサービスの利用も検討します。

（3）脳性麻痺

　自宅での入浴は、主たる介護者（両親など）が長い年月をかけてつちかってきた方法で実施している場合も多く、介護福祉職がその支援を代わって行う際には実施方法をよく確認し、利用者にとって慣れた方法を尊重しましょう。必要に応じて、より安全にリラックスした入浴ができるよう助言を行うことも大切です。座位が保てない利用者でも、シャワーチェアを使用すると安全で安楽に身体を洗うことができます。浴槽内はすべりやすく、溺水のリスクも高いため、滑り止めマットを敷き、目を離さず支援することが必要です。

　重度の脳性麻痺の場合には、気管切開をしていたり、人工呼吸器を装着している場合もあるので、利用者個別の入浴方法を事前に確認しておきましょう。

3　排泄

　介護福祉職は利用者の羞恥心に配慮し、利用者の尊厳を守って支援することが求められます。適切なアセスメントにより、利用者に合った福祉用具を活用し、快適な排泄を支援しましょう。

　排泄では、排泄物のほか、陰部や殿部などの皮膚状態を確認し、異常がみられた場合には看護師などと連携して対応できるよう、日ごろから情報を共有しておく必要があります。

（1）脊髄損傷

　排尿・排便をコントロールする部位は、仙髄（S2〜S4）にあるた

め、脊髄損傷者の多くが排泄機能に障害があると考えられます。利用者は急性期や回復期のリハビリテーションにおいて、排泄コントロールの方法を学習しています。排尿方法には、下腹部に腹圧をかける**腹圧排尿**、**間欠導尿**⑫、尿道から膀胱内にカテーテルを入れた**膀胱留置カテーテル**、下腹部に孔を開けてカテーテルを直接膀胱に入れた**膀胱ろう**⑬などがあります。介護福祉職は、その手順や方法を利用者や他職種と共有し、必要に応じて支援を行います。

麻痺のために十分な腹圧がかけられないため、排便コントロールも必要となります。排便をうながすために、下剤や座薬、摘便、浣腸などの手段が用いられます。また、介護福祉職が一定の条件（ケアプランや個別援助計画等に具体的な方法、回数、実施者等が明記され、利用者・家族の了解が得られていること、その他、利用者の状態に応じて、医師の指示のもとに行われる場合など）のもとに腹部のマッサージや腹圧をかけることもあります。

（2）片麻痺

トイレまで移動することができる場合には、できるだけ自立した排泄が行えるよう手すりや扉などトイレ周囲の環境を整えます。立ち上がり時や下衣の上げ下ろしのときに手すりがあることで立位の安定性を高めることができます。また、扉を引き戸にすることで杖歩行や車いすでの出入りが容易になります。

おむつを使用している場合には、便意や尿意を確認し、排泄後はできるだけすみやかに交換し陰部・殿部の清潔を保つように心がけます。

（3）脳性麻痺

座位姿勢を保ち、落ち着いて排泄をするための環境づくりが大切です。便座が大きすぎる場合には子ども用便座をかぶせたり、足が床に着かない場合には足を乗せる台を用意するなどの工夫をします。

コミュニケーションがむずかしい利用者の場合でも、表情や動きの変化をとらえ、排泄のサインを読み取り、陰部・殿部の清潔を保てるように細やかなアセスメントを心がけましょう。また、排泄パターンを知るために排泄時間を記録し、アセスメントを積み重ねていくことも大切です。

---

⑫**間欠導尿**
本人または介助者がカテーテルを挿入し、膀胱内にたまった尿を排出する方法。

⑬**膀胱ろう**
p.125参照

4 外出等

　高齢者、身体障害者等の公共交通機関を利用した移動の円滑化の促進に関する法律（**交通バリアフリー法**[14]）が2000（平成12）年に施行され、現在、多くの駅にはエレベーターや多機能トイレ等が設置され、路線バスでは、ノンステップバスやワンステップバス等が普及しています。また、民間サービスとして介護タクシーの利用も可能であり、外出のための環境は整備されつつあります。その社会資源を活用し外出することでQOLを維持できるように支援することも介護福祉職の重要な役割となります。

[14] **交通バリアフリー法**
2006（平成18）年に「高齢者、障害者等の移動等の円滑化の促進に関する法律」（バリアフリー新法）となった。

（1）脊髄損傷

　脊髄損傷の利用者は、長時間同じ姿勢でいると**起立性低血圧**や**褥瘡**を発生しやすいという障害特性があります。また、体温調節機能も損傷されるため、環境温度の変化にはとくに配慮が必要になります。一定時間ごとに体位を変換し除圧をする、衣服の調整や保温・保冷を行うなどの配慮が必要となります。

　移動に電動車いすを使用している場合には、バッテリーの重量があるため普通型車いすのように階段等で持ち上げることが困難となります。外出経路を事前に確認し、エレベーターや迂回経路を確認する必要があります。

（2）片麻痺

　脳血管障害による片麻痺は、肢体不自由だけではなく、**高次脳機能障害**や**血管性認知症**、**失語症**などを併発していることがあります。外出は、自宅内での生活と比べて刺激が多くストレスから疲労しやすくなります。こまめに休憩を取り、ストレスや疲労を取り除き、安全に配慮した外出プランを立てる必要があります。外出時は平常時よりもこまめに声かけを行い、体調の変化に早めに気づき、対応することが求められます。外出後には、疲労から体調をくずしやすく、発熱する場合もありますので、外出後の観察も重要です。

（3）脳性麻痺

　外出し、外気を浴び季節を感じることや光や音を感じること、他者と

の交流などがよい刺激となります。さまざまな体験ができるように外出の機会を多くもてるよう支援が必要となります。

　不随意運動による四肢の動きが、外出先ではけがにつながることもありますので、安全には十分に配慮します。歩行が可能であっても長距離の移動では車いすを利用する場合も多く、介護者にとっても移動は負担になりやすいものです。移動ルートを検討する際には、坂道や砂利道などの悪路をできるだけ迂回するなどの配慮が必要です。

　脳性麻痺の利用者の主たる介護者は両親であることが多いため、保護者の意向や希望も確認し、尊重することも必要です。

4 事例で学ぶ——肢体不自由に応じた生活支援の実際

事例

　Aさん（85歳、女性）は、夫（85歳）と2人で自宅で暮らしています。10年前に脳梗塞で左上下肢麻痺となりました。回復期病院でリハビリテーションを受け、住宅改修を行い、現在は、自宅での生活を継続しています。寝室のベッドから車いすへの移乗は手すりを使って自分で行っています。リビング、トイレなどへは車いすで移動します。夫も高齢で、腰椎圧迫骨折の既往もあります。日常の家事は、訪問介護（ホームヘルプサービス）を利用しています。週に2回通所介護（デイサービス）を利用し、入浴介助を受けています。

　最近、訪問介護の際にAさんから「トイレが間に合わず失敗することがある」という話を聞いた介護福祉士は、次のような支援内容を検討しました。

Aさんと夫に確認すること
　まず、Aさんと夫に次の点を確認しました。
① 尿失禁の頻度や時間帯
② 最近、むずかしくなってきたトイレ動作やトイレ関連動作
③ 現在の状況（失禁が増えてきたこと）についての思い

介護福祉士の対応
　Aさんと夫の話をふまえて、次のように対応しました。
① 夫から、最近、時々尿臭がしていて、失敗しても着替えずにいる

ようだという話があったため、訪問介護の時間を増やし、トイレ誘導や着替えの介助を行ったほうがよいのではないかと考えた。
② 布パンツを使用しているAさんに、パッドを使用するという選択もあることを伝えた。

多職種連携のポイント

これらの状況を確認したあと、介護福祉士は訪問介護事業所に戻り、サービス提供責任者に支援の実施内容と観察状況を報告しました。その際に、最近トイレ動作の機能低下がみられ、失禁の回数が増えていることから、トイレ介助のために身体介護のサービスを増やすことと、布パンツにパッドをあてることについて、介護支援専門員(ケアマネジャー)に確認したい旨を伝えました。

Aさんの担当介護支援専門員からは、近日中に訪問し、パッドの使用についてAさんの気持ちを確認することと、必要であれば、トイレ介助のための身体介護のサービスを増やすことが可能であることを確認しました。

後日、介護支援専門員から連絡があり、通所介護の日以外の週5日は午前と午後の各1回ずつ、トイレ介助のサービスを増やすことになりました。また、パッドを使用することで、衣類まで汚してしまう回数が減り、尿臭もなくなりました。

Aさんの事例では、このように排泄の問題を解決し、清潔を保ちながら住み慣れた自宅で生活を続けることが可能になりました。排泄は、プライベートな部分であり介助の導入がむずかしい場合もあります。利用者の自尊心を尊重し、状態によっては、ポータブルトイレを設置することや、通所介護の回数を増やすことも考えられます。介護福祉士が、利用できるサービスをより多く知っていることで、利用者の選択肢が増え、よりよい生活につながります。また、他職種と連携することで利用者の選択肢はさらに増え、自立を目指した質の高い生活を維持することができるでしょう。

図2-7 Aさんのアセスメント内容

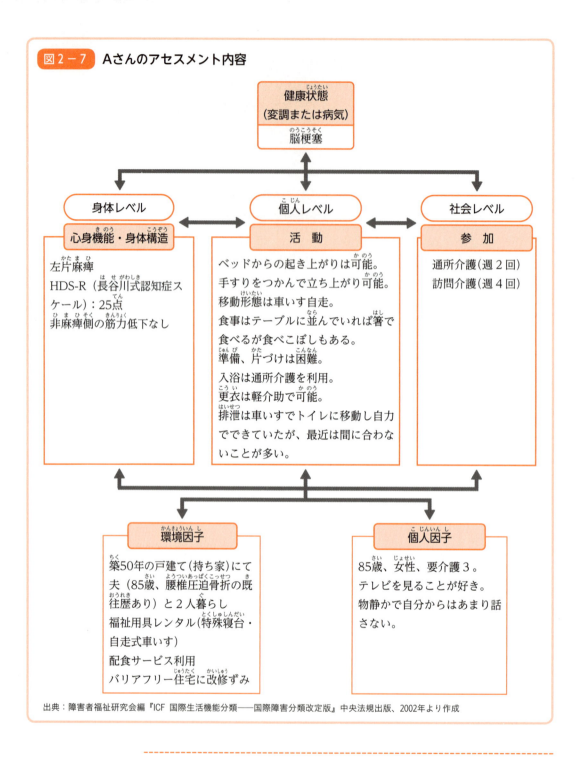

出典：障害者福祉研究会編『ICF 国際生活機能分類――国際障害分類改定版』中央法規出版、2002年より作成

◆ 参考文献
- 吉尾雅春・横田一彦編『標準理学療法学 専門分野 運動療法学 各論 第2版』医学書院、2006年
- 江草安彦監、岡田喜篤・末光茂・鈴木康之責任編集『重症心身障害療育マニュアル 第2版』医歯薬出版、2005年
- 高橋純・藤田和弘編著『障害児の発達とポジショニング指導』ぶどう社、1986年

第 2 節

視覚障害に応じた介護

学習のポイント
- 視覚障害について医学的・心理的側面から理解する
- 視覚障害のある人の生活上の困りごとを理解する
- 視覚障害のある人への支援において、多職種連携のなかで介護福祉士が果たすべき役割を理解する

関連項目
⑤『コミュニケーション技術』▶ 第3章第2節「さまざまなコミュニケーション障害のある人への支援」
⑭『障害の理解』▶ 第2章第3節「視覚障害」

1 視覚障害の理解

　一口に視覚障害といってもまったく見えない人、見えにくい人など見え方はさまざまです。また、見え方にも視力の障害だけではなく、**視野**がせまい人、**夜盲**❶により夜の外出ができない人、物がゆがんで見える人、まぶしさを感じる人、**中心暗点**❷により読書ができない人などもいます。

　たとえば、視覚障害のある人から「5円玉の穴から見ているようで、視野がせまくて困っている」と相談されたら、立ち止まり、顔を上下左右に向けて対象物を見ることで視野が広がることを伝えたり、「戸外に出るとまぶしく見えにくくて困っている」と相談されたら、補装具の**遮光眼鏡**❸を市町村の福祉事務所に申請し、眼科医に処方してもらう手続きをすすめるなどのアドバイスをしたりすることが求められます。

　視覚障害のある人は見えない、または見えにくいために、さまざまな不便さを感じています。その不便さは、実際には1人ひとり異なりますが、本節では、視覚障害により、不便さや困難を感じたり、制約を受けることとして、次の4点を取り上げます。

① 移動（歩行）：（とくに、中途視覚障害のある人の場合）1人での歩

---

❶**夜盲**
網膜色素変性症で、光を感じとることができなくなり、暗いところでは、物が見えにくくなる。

❷**中心暗点**
視神経萎縮の人にみられる症状で、視野の真ん中が見えない状態をいう。

❸**遮光眼鏡**
紫外線をカットするレンズを使用した眼鏡。白内障初期、白内障術後、網膜色素変性症、加齢黄斑変性、緑内障による視野狭窄、その他視神経疾患などまぶしさにより見えにくさを感じる人に有効。

行が困難になり、買い物等の外出が困難になります。
② コミュニケーション（読み書きを含む）：新聞や書物、郵便物等の文字を読むことや書くことが困難になります。
③ 日常生活（身じたく、家事など）：（とくに、中途視覚障害のある人の場合）1人で身じたくや調理等を行うことが困難になります。
④ 就労：（とくに、中途視覚障害のある人の場合）職場まで行くことがむずかしくなり、それまでしていた仕事の継続が困難になります。

1 先天性視覚障害の理解

先天性の視覚障害のある人の場合は、心理面では、比較的不安も少なく、多くの人が明るく、楽しい会話をするなど、視覚障害のない人と変わらない生活を送っています。教育面では、一般的に**特別支援学校**❹（盲学校）において、**特別支援教育**（普通教育および職業教育等）を受け、日常生活上の不便さを克服しています。

また、視覚障害のある人のなかには、見えにくい状態（**弱視：ロービジョン**❺）の人もいて、**保有視覚**❻を活用しながら、日常生活を送っています。ただ、見えにくいといっても人により状況はさまざまで、見え方も視力のレベルも異なります。

2 中途視覚障害の理解

先天性の視覚障害のある人と中途で視覚障害を受けた人とは、見えなくなったことへの精神的なショックが大きく異なります。

人生の中途で視覚障害を負い、まったく見えなくなったことを想像してみてください。きっと、「なぜ自分が」と悩み、なげき苦しみ、生活が荒れてしまうこともあるでしょう。また、家にひきこもり1歩も外へ出ない生活も予想されます。**中途視覚障害**のある人の多くはこうした経験をもっています。

しかし、いつまでもこうした生活をしていてはならないといった気持ちの変化がみられることも事実です。入所施設で日常生活訓練・指導を受けることで、社会復帰（現職復帰）する人もいます。また、日常生活訓練・指導を受けたあとに、あん摩マッサージ指圧師、はり師、きゅう師の職業に結びつけた技能訓練を受ける人もいます。さらに、自宅に戻

---

❹**特別支援学校**
2006（平成18）年の学校教育法改正により、2007（平成19）年4月より、盲・聾・養護学校は「特別支援学校」に一本化された。この名称の変更は、障害の種類によらず1人ひとりの特別な教育的ニーズに応えていくもので、学校ごとに主として教育を行う障害種がある。

❺**弱視（ロービジョン）**
世界保健機関（WHO）では、両眼に矯正眼鏡を装着して視力測定し、視力0.05以上0.3未満の状態と定義している。なお、ロービジョンにより、日常生活上の読み書き、行動等のさまざまな面で困難が生じる。

❻**保有視覚**
視力の低下や視野がせまくなっても保有している視覚（視力や視野等）のこと。視野がせまくなり5円玉の穴から見ているような状態であっても顔を前後左右に動かすことで、視野が広がる。したがって、視力や視野のあるうちに訓練を受けることが大切である。しかし、保有視覚のあることで訓練を受けない視覚障害者がいることも事実である。

り、住み慣れた地域のなかで生き生きと生活している人もいます。

一方、専門家の訪問を受けて、住み慣れた自宅で希望する訓練・指導を受けることもできます。たとえば、好物のてんぷらを揚げる方法を習得することや自宅から近所のスーパーまでの移動訓練・指導を受けることなども可能です。

糖尿病により、<u>糖尿病性網膜症</u>と<u>糖尿病性腎症</u>❼を合併し、人工透析を余儀なくされている人もいます。そうした人には、専門家の訪問による音声パソコン訓練・指導や<u>ガイドヘルプ</u>による医療機関への受診などの要望もあります。

> ❼ 糖尿病性腎症
> 糖尿病の合併症の1つ。段階的に進行する。早期発見と適切な治療が重要である。2019（令和元）年の日本透析医学会「我が国の慢性透析療法の現状（2019年12月31日現在）」によれば、腎症が透析導入の原疾患の第1位（39.1％）となっている。

2 生活上の困りごと（観察の視点）

視覚障害のある人は、日常生活でどのような不便さを感じているのでしょうか。

視覚障害のある人の生活を見たことがなければ、「調理などはできないだろう」「食事は、だれかにつくってもらっているのだろう」など、「視覚障害のある人は調理はできない」と思いこんでいるかもしれません。実際には、視覚障害があっても自分で買い物をして、料理をつくっている人はたくさんいます。

一方、移動の場面では、「近くまでは行くことができるが、目的地が見つけられない」ことや「電柱、道路標識、路上駐車、放置自転車などにぶつかる」「電車を利用する際に、ホームからの転落が怖い」などの困難を感じています。とくに、電車の乗降に関しては、転落の危険と恐怖を考えれば、駅員や乗降客に<u>援助依頼</u>❽することが必要です。最近は多くの駅で、ホームドアや可動式ホーム柵が採用されていますが、100％安全とはいえません。

介護福祉職は、視覚障害のある人が具体的に何に対して、どのような不便さを感じているのかをアセスメントし、具体的にどのような支援が必要なのか、ニーズを聴き出すなかで、解決策をいっしょに考える姿勢が大切です。まずは視覚障害のある人1人ひとりの生活上の不便さを日常的なかかわりを通して、じっくり時間をかけて聴くことが必要です。そのかかわりによって、信頼関係が築かれます。

> ❽ 援助依頼
> 周囲の人にみずから声をかけて誘導を依頼し、援助を受けること。または周囲の人から必要な情報を得て移動すること。安全に移動するためにも、声のかけ方やタイミング等、視覚障害のある人の単独歩行には欠かせない技術の1つである。

（1）移動（歩行）

　介護福祉職は視覚障害のある人の自宅に出向いた際に、部屋の中がどのような状態になっているのかを確認します。1人暮らしでは、自分のまわりに物を置くことが多くなります。一方、家族といっしょに生活している場合は、家族が廊下や床に物を置くことがあり、危険です。この場合は、家族に対して、廊下や床に物を置かないように注意をうながす必要があります。

　視覚障害のある人へのアセスメントでは、まず「今いる場所からは、トイレの位置はどちらですか。指さしてください」とお願いします。次に、「この場所からトイレまでは、どのように行ったらよいですか」と質問します。視覚障害のある人の説明を聞き、きちんと頭のなかに地図（**メンタルマップ**❾）が描かれていることを確認します。そのうえで、「いっしょに行ってみましょう」と移動を開始します。そのときは、「私が隣にいますので……」「後ろにいますので……」などと声をかけて、安心して移動してもらうことが大切です。

　移動する前に、視覚障害のある人に壁を伝って歩く方法を説明します。この伝い歩きは、伝う側の手の爪の部分を壁に触れさせ、それに沿って平行ラインを保ちながら歩く方法です。同様に、洗面所や台所、玄関までの移動方法を確認することも必要です。

　この段階になれば、少しずつですが、視覚障害のある人自身がこれからの生活をどうするのかを考えるようになります。そこで、視覚障害のある人に、自宅の外の情報を提供することも検討します。たとえば、「ご自分の移動範囲を広げるためにも自宅から近所のスーパーマーケットまでの経路を覚えませんか。歩行訓練・指導を受けることもできますよ」とはたらきかけてみます。また、**訓練形態**❿には自宅訪問と施設入所があることを伝えます。

　「訓練を受けてみようかな……」という微妙なこころの動きを敏感に察知し、専門機関につなげることが介護福祉職の役割です。その結果、視覚障害のある人は自立した生活を行うための第一歩を踏み出すことができます。

（2）コミュニケーション

　視覚障害のある人とのかかわりで大切な点は、**インフォームドコンセント**⓫の視点をもつことです。たとえば、介護福祉職が視覚障害のある

---

❾ **メンタルマップ**
心的地図ともいわれる。視覚障害のある人は、どんな手がかりを使って目的地にたどり着けるのかをイメージしながら歩く。触地図なども利用するが、実際の環境を頭の中に入れながら歩くことが大切である。

❿ **訓練形態**
施設等での訓練は、入所、通所、訪問の3つの訓練形態で実施されている。移動の確保がされていない場合は、入所か訪問訓練のどちらかを選択することになる。

⓫ **インフォームドコンセント**
利用者への各種情報の提供および利用者と介護福祉職とのお互いの合意に基づく支援のこと。そのうえで、利用者に選択する自由があり、自己決定することが大切となる。

人に用具や機器等の説明をする場合、言語による説明だけでは不十分であり、実際に機器に触れてもらうことが必要です。

たとえば、「本体の右隅のボタンが電源のスイッチです」と説明するだけではなく、確認動作として、直接、本体に触れた視覚障害のある人が「ここがスイッチなのですね。わかりました」と言いながら納得することが大切です。介護福祉職には、専門職として、利用者にわかりやすい言葉で、ていねいにサービスの過程と成果を示して、説明する責任（説明義務、**アカウンタビリティ**）を果たすことが求められています。

（3）日常生活（身じたく、家事）

視覚障害のある人にとっては、機器等を有効に活用できることが、生活を豊かにしていくことにつながります。人生の中途で視覚障害を負い、希望を見失っていた人が、調理等の支援をきっかけに今の自分を客観的に受け入れ、自信の回復と自己実現に向かっていくこともあります。介護福祉職も視覚障害のある人とともに成長していけるでしょう。

視覚障害のある人がどのようなことに困っているのか知るためには、ゆっくりと話を聴くことが大切です。つまり、話を聴きながら必要に応じて情報を提供することで、視覚障害のある人が自分なりに問題解決につなげることになります。すべてに手を差しのべることだけが支援ではなく、まずはしっかりと話を聴いて必要な情報を提供することが大切です。

身近な例では、食事の際に汁等が飛んで、衣服に汚れがついても気づかずにいることがあります。またワイシャツのえりや袖口の汚れが目立っていることを知らずにいることもあります。そのようなときは、洗濯機に入れる前に専用の液体洗剤や固形石けんで手洗いするとよいことを伝えれば問題は解決します。

食事などでもレトルト食品や冷凍食品を有効活用することで調理時間の短縮ができます。そうした情報を提供することも大切な支援です。

いずれにしても、視覚障害のある人がどのようなことに困っているかを知るためには、積極的に話を聴きながら信頼関係を築き、困りごとを引きだします。

(4) 就労

　中途視覚障害のある人の場合は、職場に通勤することもままならない状況におちいります。つまり、視覚障害により今までの仕事を継続することがむずかしくなります。介護福祉職が就労に関する相談等のかかわりをもつ時期は、障害を負ってから一定程度の時間を経ていることが考えられます。具体的には、退院後、専門施設等で生活支援に関してのノウハウを学んで自宅に戻ったタイミングです。また、高齢者の場合は、退院後に自宅に戻り生活面での対応が必要となるタイミングです。

　そこで、視覚障害のある人の話を聴きながら地域の障害者支援施設に配置されている**就労支援員**[12]につなぐことが介護福祉職として大切な役割になります。また、障害者の身近な地域において、障害者の職業生活における自立を図るため、雇用、保健、福祉、教育等の関係機関と連携し、就業面と生活面の一体的な相談・支援を行う「障害者就業・生活支援センター（通称：なかぽつ）」が2021（令和3）年4月現在、全国に336センター設置されており、就労や生活に関する相談等ができます。1人で背負うのではなく、とくに就労に関しては、地域の**社会資源**[13]につなげる視点が求められます。

[12] **就労支援員**
就労をめざす人に対して職場実習や就職活動の支援を行うほか、実習先や就職先の開拓、職場定着のために就職後の訪問や相談などの支援も行う。

[13] **社会資源**
地域のニーズに適合した地域にあるさまざまな資源で、人的資源（個人、集団）、物的資源（資金）、施設資源（施設、機関）、設備資源、その他（法律、知識、技能）がある。

3　支援の展開

　住み慣れた地域で障害のある人もない人も区別なく生活していくことが本来の姿であるという**ノーマライゼーション**の考え方が定着し、多くの視覚障害のある人は地域で生活しています。介護福祉職は、視覚障害のある人の自立支援にあたり、本人のニーズを把握し、満足が得られるサービスを提供することが課題となります。

　ここでは、支援の具体的な方法について、視覚障害による4つの不便さ（pp.31-32参照）を取り上げて解説します。

(1) 移動（歩行）の支援

　中途視覚障害のある人が1人で移動（歩行）する場合は、どうしても危険がともないます。しかし、単独歩行ができることは、その人の**QOL**（Quality of Life：生活の質）において、とても大切な要素です。たとえば、通勤や通学が可能になれば就労・就学の機会を得られます。

| 図2-8 | 誘導の合図 |

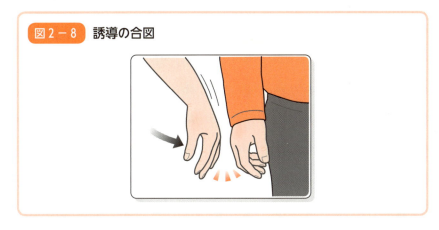

| 図2-9 | 誘導時の基本姿勢 |

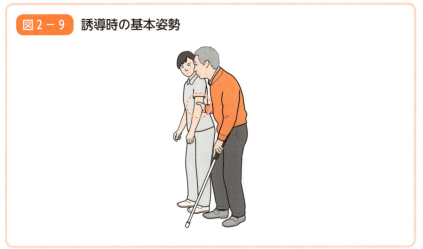

1 歩行誘導の基本姿勢

　介護者は、「お待たせしました。それでは出かけましょうか」と声をかけます。視覚障害のある人が白杖[14]を使っている場合は、白杖と反対側の手の甲に触れて合図をします（図2-8）。

　次に、介護者の腕を伝いながら肘の少し上をにぎってもらいます（図2-9）。なかには手をとって肘の少し上まで誘導しなければ確実ににぎることができない人もいます。また、介護者の肘に腕をからめる方法や肩に手をかける方法などを希望する人もいます。

　外出に慣れていない視覚障害のある人は、不安や緊張から腕を強くにぎる傾向があります。「歩く速度はこのくらいでいいですか？」などと声をかけることで、不安や緊張は軽減されます。

　歩く速度は、視覚障害のある人のペースに合わせ、常に2人分の幅を意識して歩きます。傾斜、曲がり角、段差など道路の状況が変わるとき

[14]白杖
白杖には、折りたたみ式、スライド式、直杖等の種類がある。市町村は視覚障害のある人から申請があった場合は、購入、借り受けまたは修理に要する費用を支給することができる。

図2-10 階段を上る（上りはじめ）

図2-11 階段を上る（踊り場・最上段）

は、その直前で「路面が少し傾斜しています」と説明することが必要です。

2 階段の上り方
① 階段の上り口に正面から向かいます。
② 階段の直前で止まり、「階段です。これから上ります」と説明します。
③ 次に、「横並びになりましょう」と声をかけ、白杖およびつま先で階段の側面を確認してもらいます（確認したかどうかを見とどけます。必要に応じて手すりの利用もうながします）。
④ 介護者は「先に1段上ります」と説明し、階段の1段目に上がります（図2-10）。
⑤ 安全のために重心を前方にかけながら、2段目のステップに足をかけてリズムよく上っていきます。
⑥ 介護者は最上段の着地は、できるだけ大きく歩幅を取り、両足をそろえて止まります（図2-11）。
⑦ 上りきったら「階段は終わりです」と伝えます。

3 階段の下り方
① 階段の下り口に正面から向かいます。
② 階段の直前で止まり、「階段です。これから下ります」と説明します。
③ 次に、「横並びになりましょう」と声をかけ、白杖およびつま先で階段の縁を確認してもらいます（確認したかどうかを見とどけます。

図2-12 階段を下りる（下りはじめ）

図2-13 階段を下りる（踊り場、最下段）

必要に応じて手すりの利用もうながします）。
④ 介護者は「先に1段下ります」と説明し、階段を1段下がります（図2-12）。
⑤ 安全のために重心を後方にかけながら、2段目のステップに足をかけてリズムよく下りていきます。
⑥ 介護者は最下段の着地は、できるだけ大きく歩幅を取り、両足をそろえて止まります（図2-13）。
⑦ 下りきったら「階段は終わりです」と伝えます。

階段の昇降は高齢者や体力の低下している人には負担が大きいものです。ゆっくり上り下りすることや、必要に応じて負担がないようにエレベーターを利用する判断が必要となります。また、階段に手すりがある場合には、視覚障害のある人が安心できるので、できるだけ利用することをうながしましょう。

（2）コミュニケーションの支援

コミュニケーション（読み書き）の支援では、**音声パソコン**[15]の活用があります。介護福祉職は、視覚障害のある人から、「音声パソコンについて教えてほしい」と相談を受けることがあります。実際に、音声パソコン訓練の見学と相談を経て、施設に入所し、訓練を受けることになった例もあります。

視覚障害のある人向けに、「スクリーンリーダー」という音声化ソフトが販売されています。このソフトは、キーボードをタッチすると、音

[15] 音声パソコン
市販のパソコンに音声によるガイド機能のある視覚障害のある人向けのソフト（以下、音声化ソフト）をインストールしたもの。視覚障害のある人は、マウスによる操作が困難なので、音声化ソフトが画面を読み上げる声により、キーボードでパソコンを操作する。

写真2−1　拡大文字表示

声でキーに振られた文字や数字、記号等を読み上げ、音訓（たとえば、新聞のしん　あたらしい　新聞のぶん　きく　しんぶん）で確認することができます。入力すると漢字仮名交じりの文章を書くことができます。また、書かれた文章をアナウンサーのようにスムーズに読み上げることが可能です。さらに、弱視の人にも簡単なキー操作で表示文字を拡大することができます（**写真2−1**）。

その他、視覚障害のある人が簡単な操作で、利用できるソフトが多数あります。たとえば、ワープロソフト、住所録ソフト、メールソフト、インターネットソフト、新聞記事を読むことができるソフト等が販売されています。また、無料で音声パソコン用に活用できるソフト類も多数あります。こうした各種ソフト類は、障害者の日常生活及び社会生活を総合的に支援するための法律（**障害者総合支援法**）では、市町村地域生活支援事業のなかの**日常生活用具給付等事業**[16]の対象になるため、市町村への問い合わせを提案してみましょう。

なお、点字に関する情報提供は、中途視覚障害のある人の場合は、音声パソコンの習得後に、点字を学ぶことの意義などを話すほうが受け入れられやすいものと思われます。

[16] **日常生活用具給付等事業**
障害者が日常生活を自立した状態で円滑に過ごすために必要な機器の購入を、公費で助成する制度であり、各市町村の決定で支給するものである。

（3）日常生活（身じたく、家事）の支援

中途視覚障害のある人の場合は、見えていた期間や社会生活の経験があることから身じたくや家事などにはそれほど大きな課題はありません。しかし、先天性の視覚障害のある人の場合は、日常生活の基本的な動作を習得するには時間がかかります。

たとえば、かつて盲学校（現・特別支援学校）で全盲の生徒の箸の持ち方を調べたところ、正しい持ち方ができている生徒はほとんどいませんでした。もちろん箸を使ってはさんで食べられるのであれば、それでよいのではないかという議論の余地はあります。また、箸の持ち方は、生活習慣なので正しい持ち方を確認してもらっても直すことは困難です。根気と継続的な訓練・指導が必要です。

日常生活の支援における留意点としては、介護福祉職は、ちょっとしたアドバイスをしながら視覚障害のある人に選択してもらうとよいでしょう。日常生活に必要な用具等の情報も把握しておきます。なお、専

門的な技術を身につけたいという希望があれば、施設等に相談します。

1 買い物の支援

　地域で生活するためには近隣との関係づくりが大切です。まずは、あいさつから始めます。また、生活するためには、ふだん買い物をするエリアにどんなお店があるのかを知る必要があります。

　買い物の支援の留意点として、介護福祉職は、視覚障害のある人を商店のスタッフに紹介し、スムーズに買い物ができるように支援します。のちに、視覚障害のある人が1人で買い物に行ったときに声をかけてもらったり、必要な商品をそろえてもらったりといったかかわりにつながります。

　また、スーパーマーケットでは、視覚障害のある人が1人で行った場合は、どこにどのような商品が陳列されているのかわかりません。サービスカウンターを確認しておき、購入したい商品があれば、事情を説明し、買い物の援助を依頼することで、効率的な買い物ができます。

2 調理の支援

　調理は、視覚障害のある人がみずから行います。調理の支援は必要に応じて、**居宅介護（ホームヘルプサービス）**を活用します。手のかかる調理はホームヘルパーに依頼し、調理したものは、小分けして冷凍保存するなどしておくことで、毎食の調理時間を短縮することもできます。半調理品やレトルト食品、冷凍食品等も有効に活用し、調理時間を短縮することができるのは大きなメリットです。

　また、視覚障害のある人の自宅に出むいた際などに、なにげない会話から調理等に関する情報の提供や地域の視覚障害のある人の調理グループ等の紹介をすることも大切な支援の1つです。料理のレパートリーを増やすためにも情報交換が重要です。

　さらに、視覚障害のある人のなかには、火事の心配をしている人が多く、火を扱うことにためらいを感じている人もいます。最近では、オール電化住宅も普及し、電化製品も進化してきています。**電磁調理器（IH調理器）**は、やけどの心配はあるものの火事の危険が少ないことがメリットです。日常生活用具給付等事業の参考例としてもあげられており、市町村により異なりますが、比較的低価格で購入することができます。

　視覚障害のある人のなかには、電磁調理器を活用することで、好物のてんぷらを揚げることができたと喜んでいる人もいます。**電気フライヤー**（図2-14）は、便利なバスケットつきで、簡単に揚げ物ができて

図2-14 電気フライヤー

油切りもできます。バスケットはふたを閉じたまま下げられるリフト機能つきで、食材を入れる際の油はねもありません。手入れや油の処理も楽にできます。こうした機器等を介護福祉職が視覚障害のある人といっしょに使ってみることは、本人が実体験を通して自信をえることにもつながります。

いずれにしても、視覚障害のある人の生活支援のための環境整備には、視覚障害のある人の希望や状況をふまえ、必要な情報を提供することが大切です。また、介護福祉職は、実際に機器を使ってみる体験を通して、工夫すれば視覚障害のある人にも活用できる機器であることを学ぶことができます。単に言葉で伝えるだけではなく、体験により実際に使えることを知る喜びにもなります。

周囲の人が注意すべきこともあります。たとえば、視覚障害のある人が調理をするにあたって、調理に必要な道具や調味料類は、どこに何があるのかが頭の中に整理されています。したがって、調理に必要な道具や調味料などを使ったら同じ場所に戻すことが大切です。

その他、転倒やけがの予防のためには、床や畳の上には物を置かないこと、顔や頭の位置には物がはみださないように環境を整えることも必要です。

3 食事の支援

視覚障害のある人が食事をする際にテーブルの上の料理の位置関係がわかりにくいことがあります。そのようなときに役立つ説明の方法に**クロック・ポジション**⑰があります。図2-15のように、テーブルに配置

---

⑰ **クロック・ポジション**
自分と物との位置関係を把握するために、視覚障害のある人が簡単に記憶できるように配慮したもので、時計の文字盤の位置を用いて説明するもの。

図2-15 クロック・ポジション

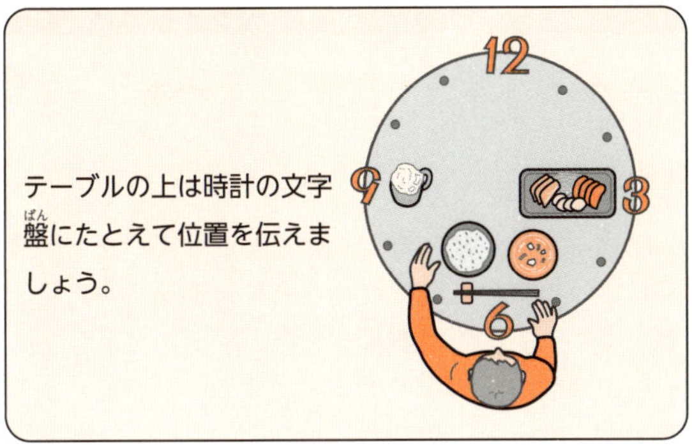

テーブルの上は時計の文字盤にたとえて位置を伝えましょう。

されている料理の位置関係を時計の文字盤に見立てて、どのように置かれているか説明します。手前側を「6時」、向かい側を「12時」として、視覚障害のある人に食器に軽く触れてもらいながら「5時の位置に豆腐とわかめのみそ汁、7時の位置にごはん、3時の位置にまぐろのお刺身、9時の位置に温かいお茶があります」などと説明します。

(4) 就労に関する支援

中途視覚障害のある人の場合は、それまでの仕事が困難になることが予想されます。ただ、それまでの仕事を簡単に辞めるのではなく、藁をもつかむ思いで悩み苦しんでいる視覚障害のある人の支援として、会社の人事担当者ともよく話し合いをしながら、その人のできることを会社にも理解してもらい、職業訓練の期間を確保してもらうことも必要です。

あん摩マッサージ指圧師、はり師、きゅう師の職業に結びつけた技能訓練を受ける希望があれば、生活訓練を受けたあとに3年間の職業訓練コースで資格を取得することになります。また、資格取得後に、健康支援室のような部門での継続雇用を交渉することなども考えられます。

こうしたことは、専門の機関や福祉施設の担当者等のネットワーク力を活用して話し合いを継続していくことが大切です。また、視覚障害のある人の雇用問題に関するグループ等の協力をえることも大切です。このような力を得て、継続した雇用を確保している視覚障害のある人はたくさんいます。

4 事例で学ぶ──視覚障害に応じた生活支援の実際

事例

Bさん（50歳代、女性）は、夫と2人で暮らしています。2人の子どもはすでに自立しています。35歳ごろから徐々に夜盲や視力低下が生じ、また、視野もせまくなり、**網膜色素変性症**[18]と診断されました。診断後は定期的に大学病院の眼科を受診しています。最近、Bさんは少しずつ日常生活に不便を感じはじめ、主治医や医療ソーシャルワーカーに相談しました。

医療ソーシャルワーカーからの紹介で、介護福祉士がBさんに話を聴いたところ、夜盲や視力低下、視野狭窄も進んできたので、保有視覚があるうちに、①てんぷらを揚げる方法を学びたい、②近所のスーパーに買い物に行きたいので白杖の使い方を教えてほしい、と相談がありました。

介護福祉士は、市の福祉課に連絡し、障害者相談支援事業所につなげてもらうことができました。その後、自宅訪問により、Bさんはてんぷらを揚げる方法や近所のスーパーに行く方法を習得し、1人で買い物もできるようになりました。

実際に、介護福祉士から報告を受けた市の担当者は、Bさんの自宅に出向いてアセスメントを行い、支援の内容を調整しました。

Bさんの困りごとは具体的であり、自宅で週3回の訓練を受け、約3か月で技術を習得することができました。てんぷらは、電気フライヤーを使って揚げる方法を学びました。また、白杖の基本的な使い方を学び、保有視覚等も活用して、1人で近所のスーパーへの移動や買い物もできるようになりました。

> [18] **網膜色素変性症**
> 夜盲をともないながら徐々に視野が狭くなり、失明にいたることがある。

介護福祉士は、ほかの事業所や社会福祉士、精神保健福祉士等の専門職、行政などとも関係を築きながら連携することが求められます。こうした連携により、利用者主体の地域生活支援活動が展開されることにつながっていきます。また、障害者みずからが地域の社会資源となり、社会活動に積極的にかかわるような地域生活支援に発展していくことが、**共生社会**（他者を受容し、他者に共感し、他者と協働し、ともに生きる社会）の実現につながっていきます。

◆ 参考文献
- 芝田裕一『視覚障害児・者の理解と支援』北大路書房、2007年
- 高橋広編『ロービジョンケアの実際——視覚障害者のQOL向上のために』医学書院、2002年

第3節

聴覚・言語障害に応じた介護

学習のポイント

- 聴覚・言語障害について医学的・心理的側面から理解する
- 聴覚・言語障害のある人の生活上の困りごとを理解する
- 聴覚・言語障害のある人への支援において、多職種連携のなかで介護福祉士が果たすべき役割を理解する

関連項目

⑤『コミュニケーション技術』　▶第3章第2節「さまざまなコミュニケーション障害のある人への支援」

⑭『障害の理解』　▶第2章第4節「聴覚・言語障害」

1 聴覚障害の理解

（1）聞こえのしくみ

　私たちは、さまざまな音を耳にし、まわりの人たちと話をしています。テレビの音、車の音、話し声、音楽など、たくさんの音に囲まれて生活しています。私たちは生活のなかで音を聞きその意味を理解し、それを生活にいかして暮らしています。

　聞こえの機能において何らかの原因によって、「聞こえない」あるいは「十分に聞こえない」状態を聴覚障害といいます。

　聞こえる人は、とくに意識しなくても耳に届く音を聞いて、その情報から何事かを判断して過ごしています。また、言葉を自由に使って思考を深めたり、社会生活のなかで人間関係を深めたりしています。聞こえに障害のある場合、音による情報の入手が困難なため、日常生活を送るうえでさまざまな不利益を受けることになります。さらに、聞こえの障害は、外見からは、なかなか見分けることができないため、その困難さが一般的に伝わりにくい状態にあります。

　人間の耳は、大きく分けて**外耳**、**中耳**、**内耳**の3つの部分から成り立っています。外から入った音は鼓膜を振動させ、その振動は半規管、

第3節 聴覚・言語障害に応じた介護

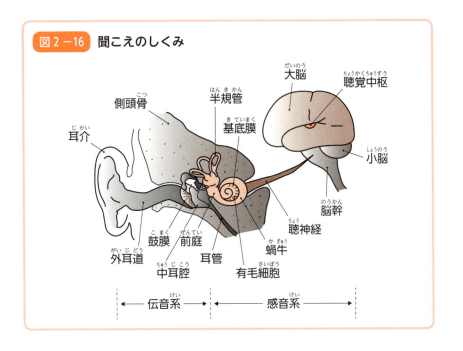

図2-16 聞こえのしくみ

前庭、蝸牛を経て聴神経に伝わります。聴神経が音の振動を電気信号に変えることにより、脳が音として感じることになります（図2-16）。

（2）聞こえの障害（難聴）の種類

難聴には、障害部位によって表2-2のような種類があります。

表2-2 難聴の種類

伝音性難聴	外耳から中耳にかけての伝音系（耳介、外耳道、鼓膜、中耳腔）に障害がある難聴
感音性難聴	内耳から脳中枢にかけての感音系（半規管、前庭、蝸牛、聴神経）に障害がある難聴
混合性難聴	伝音系と感音系の両方に障害がある難聴

（3）音の大きさ

音の大きさと聞こえの関係を図2-17に示しました。

聞こえの程度は、「聴力レベル」という目盛りで測ります。dB（デシベル）がその単位となります。

聞こえに問題がない人であれば0～20dB程度の音が聞き取れるので、ささやき声も静かな会話も聞くことができるのです。

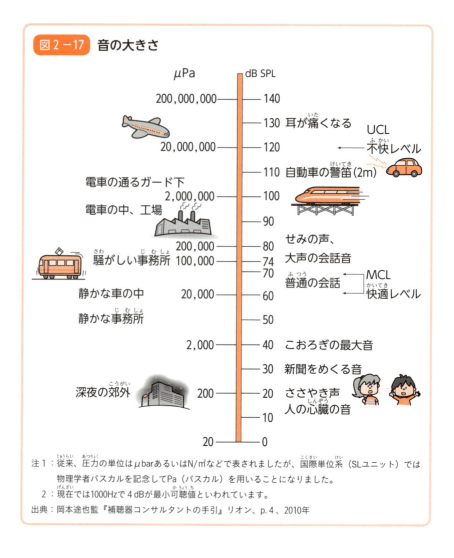

図2-17 音の大きさ

注1：従来、圧力の単位はμbarあるいはN/m²などで表されましたが、国際単位系（SIユニット）では物理学者パスカルを記念してPa（パスカル）を用いることになりました。
　2：現在では1000Hzで4dBが最小可聴値といわれています。
出典：岡本途也監『補聴器コンサルタントの手引』リオン、p.4、2010年

（4）聴覚障害者の数と分類

　会話が困難な難聴の人は、人口の0.1〜0.3％いるといわれています。聴覚・言語障害のある人は約34万1000人います（厚生労働省「平成28年生活のしづらさなどに関する調査（全国在宅障害児・者等実態調査）」（2016年）より）。

　聴覚障害のある人を、**表2-3**のように分類することがあります。しかし、聴覚障害といっても原因、聞こえなくなった時期、療育環境、聞こえの程度などは人によってさまざまです。したがって、聴覚障害のある人を**表2-3**のどれかに分類することは、実際には困難です。聴覚障害者を分類することよりも、本人の考え方、感じ方、思いなどを大切にすることが重要です。

表2−3 聴覚障害者の分類

ろう者	ほとんど聞こえない人。おもに手話を使ってコミュニケーションをはかっている。
中途失聴者	音声言語を獲得したあとに聞こえなくなった人。聞こえないまたは聞きづらいが、発声はできる人もいる。
難聴者	聞こえの障害はあるものの聴力がある人。補聴器を使って会話ができる人から、わずかしか音が入らない人もいる。
盲ろう者	視覚の障害に加え、聴覚にも障害がある人。見え方、聞こえ方は、人によってさまざまである。

（5）補聴器の使用上の留意点

補聴器は、ほとんどがアナログ型からデジタル型になってきました。近年では、手術で埋めこむ人工内耳も普及しています。補聴器を使用している場合は、次の点を確認します。

① 補聴器の電池が切れていないか。
② 耳栓がぴったり耳に入っているか。
③ 水に濡れていないか。

また、補聴器の管理については、耳鼻咽喉科の医師や補聴器専門店との連携が必要です。

補聴器を使用している人に、急に大きな声で呼びかけたり、近くで大きな音を出したりするとびっくりしてしまいます。びっくりするだけでなく、耳が痛く感じてしまうこともあります。

介護福祉職も補聴器を実際につけて試してみるとよいでしょう。補聴器を通した音がどのように聞こえるのか、どのように扱うのかを一通り経験しておくことは聴覚障害のある人への理解の一歩となります。

また、補聴器のトラブルで多いのは、電池が切れて聞こえなくなることや**ハウリング**❶です。電池切れの場合は、補聴器をかけてみて聞こえるかどうか介護者が確かめます。ハウリングは耳栓がぴったり耳に入っていないと起こるので、もう一度、耳にしっかり入れるように伝えます。それでも鳴るようでしたら専門店へ持って行くように伝えます。その他、まれにコードが切断していることもあるので注意が必要です。

❶ハウリング
イヤホンから漏れた音が補聴器のマイクに入り、ピーピーと音がすること。

2 生活上の困りごと（観察の視点）──聴覚障害

社会のしくみは聞こえる人を中心に構築されてきました。そのため、聴覚障害のある人の社会参加をさまたげるさまざまな壁があります。とくに聴覚障害のある人にとって、コミュニケーション手段の違いが大きな壁になっています。

聞こえる人が、手話や指文字など聴覚障害のある人のコミュニケーション手段を獲得することによって、聴覚障害のある人と対面して直接会話をすることが可能となります。そのことが聴覚障害のある人の日常生活を支え、社会参加を促進することになります。

各自治体では、独自に**手話言語条例**や**情報・コミュニケーション条例**を制定しています。これらの条例は、障害のある人もない人も分けへだてられることがない**共生社会**の実現をめざしています。このことを実現するために、条例では手話の普及や情報アクセスへの保障をかかげています。聴覚障害のある人にとって、情報アクセスやコミュニケーション保障が、重要な課題となっているのです。

表 2-4　おもなコミュニケーション手段

口話	口から発せられる音声により意思を伝え合う手段。初対面の場合は、聞き取りにくいことがある。
読話	口の動きを聴覚障害者が見て読み取る方法。「たまご」「たばこ」のように口の形が同じ場合は、読み取ることがむずかしい。
手話	手や指、顔の表情を使ってあらわす視覚的な言語で、自分の気持ちや意思を伝える。
指文字	五十音を指の形であらわす。カタカナや手話ではあらわしにくいときに補助的に使って伝える。
筆談	紙などに筆記用具を使って文字を書き、内容を伝える。
空書	空間や手のひら、机の上、壁などに指で文字を書いて伝える。
要約筆記	講演会や会議などの場で話し手が話す要点をOHP（オーバー・ヘッド・プロジェクター）やOHC（オーバー・ヘッド・カメラ）を使って文字で伝える。パソコン要約筆記もある。

3 支援の展開──聴覚障害

（1）聴覚障害のある人について理解する

補聴器を使用していない軽度の難聴の人もいます。

聴覚障害のある人は、耳が聞こえない、聞こえづらいために、テレビを見ていても内容が理解しづらいです。また、正確に発音できないため相手に自分の意思を伝えにくいなどの不便を感じています。

聴覚障害のある人にとって「社会の一員」であるという連帯感がもてるような安心した集団としての雰囲気がまず必要です。介護福祉職には、聞こえにくいということを正しく理解し、適切な支援を行うことが求められます。

話しかけるときは、次の点に留意します。

① 特別な話し方はせず、ごく自然に話しかける。
② 特別ゆっくり話さない。どうしても相手が理解できないときは、くり返すか、短くわかりやすい言葉に変えて話す。
③ 話し手が光に向かう位置に立ち、口の動きや表情が相手によく見えるようにする。
④ 複数の人が同時に話をする場では、発言者が手をあげて1人ずつ順に発言する。

（2）家族へのかかわり

1 聴覚障害に対する理解を支援する

介護福祉職にとって聴覚障害のある人の家族を支えることも大事な役割です。どのように本人を支援したらよいのかわからない家族が多いのが現状です。

家族には、聴覚障害のある人は音声による情報が入りにくいことをまず理解してもらうことが大切です。

テレビを見ていても、「なぜみんなが笑っているのか」がわかりません。そのため、多くの人は疎外感を感じています。物事の結果だけを知らせるのではなく、その時々の状況を説明するなどして、家族の一員として過ごせるように家族に伝えましょう。

ふだんから、筆談をする、身振り・手振りをつかう、表情をつけるなどのコミュニケーション手段を聴覚障害のある人と家族がお互いに確認

し合い、日常的に情報を保障していけるように具体的な方法を知らせて支援することが重要です。

2 経験を増やせるようはたらきかける

聴力を失うことであまり外に出ていかなくなる場合があります。聞こえないために「トンチンカンなことを言ってしまった」「大声で話してしまいその場の雰囲気を壊してしまった」など失敗をくり返すことで自信を失い、外に出ることがいやになる場合があります。

そのようなときは、同じ障害のある仲間と交流の機会をもつことが大切です。同じ悩みをかかえている人の存在やさまざまなコミュニケーション方法を知ることで、自分も同じようにがんばってみようとする意欲をもつことができるからです。また、手話サークル等に参加することによって、「聞こえない生活」をしていくうえでの知恵が生まれることもあります。

家族には、このようなことをていねいに伝え、聴覚障害のある人の経験の幅を広げられるよう、外出やサークル活動等への参加についてサポートを依頼します。

3 補聴器を適切に使用できるように支援する

補聴器を使用している人に「補聴器をつけたのだから聞こえるでしょう」「補聴器をはずさないできちんとつけて使わなければだめでしょう」などと言ってしまいがちです。とくに家族では、そのような場面が多くなります。

初めて補聴器を使用するときは、不安です。補聴器を使用して聞こえることに慣れるには、それなりの時間が必要です。すぐに聞こえると思って使い始めたにもかかわらず、実際には思ったほど聞こえないということで補聴器を使用することをあきらめてしまう人が多くいます。

補聴器に限らず、機器を使いこなすためには、ある程度の時間と慣れが必要です。補聴器を正しく使えるように、家族へのアドバイスも含めて気長に支援していくことが大切です。

（3）福祉制度の活用

聴覚障害のある人にとって最も身近な相談機関は、各自治体の障害福祉を担当する部署です。一度、地域の担当部署を訪ねて、聴覚障害のある人にどのような支援を行っているのかを確かめてみるのもよいでしょう。

第 3 節　聴覚・言語障害に応じた介護

表 2-5　生活を支えるさまざまな情報機器

聴覚障害者用屋内信号装置	電話やファクシミリ（FAX）、ドアチャイム、赤ちゃんの泣き声、防犯ベル、ガス漏れ警報器など家庭内のさまざまな生活上の音をセンサーで受信して光で知らせる。振動するものもある。
振動式目覚まし時計	振動機能が付いた目覚まし時計。枕や腕を振動させて知らせる。
テレホンエイド	電話の受話器に付けて音を大きくするもの。持ち運びができるので外出先でも使用できる。
テレビエイド	テレビやビデオの音を補聴器に伝える機械。音を直接伝えるので雑音がない。
コミュニケーションエイド	意思伝達装置。おもに発語が困難な人が使用する。
アイ・ドラゴン 4（目で聴くテレビ）	聴覚障害のある人のための専用の放送として「目で聴くテレビ」がある。手話や字幕を通して情報を得ることができる。 災害時にはいち早く、手話や字幕で情報発信する。利用には、専用の放送受信装置（アイ・ドラゴン 4）を購入して受信料を払う必要がある。
磁気誘導ループ	教室や会議室等の床下等に埋設した配線を通して、補聴器に付いている機能を利用して発声者の声だけを伝えることができる。
FM補聴システム	FM電波を通して、距離が離れていても話し手の音声を聞き手の補聴器に直接届けることができる。
デジタル補聴援助システム	話し手が使用する「送信機（ワイヤレスマイクロホン）」と聞き手が使用する「受信機」でのデジタル無線方式による補聴システム。よりクリアに聞こえる。
OHP（オーバー・ヘッド・プロジェクター）	専用のシートに書いた文字等が光源を通してスクリーンに映し出される。教室や会議室等で使われる。
OHC（オーバー・ヘッド・カメラ）	写真、立体物、プリント等をそのままプロジェクターやモニターに映すことができる。
ファクシミリ（FAX）	電話回線を利用して、紙に書いた静止画像を送受信するための通信設備。音声だけでは伝えにくい情報の伝達には威力を発揮する。
メール SNS（ソーシャル・ネットワーキング・サービス）	パソコン、携帯電話、スマートフォン、タブレット端末等を使って情報交換をする。大変便利であるが、取り扱いが苦手な人にとっては有効な手段になっていないのが現状である。
UD手書き	タブレット端末の画面上で筆談ができる。
UDトーク	音声認識機能により、音声をリアルタイムに文字表示することができる。

第 2 章　障害に応じた生活支援技術 I

❷**遠隔手話サービス**
聴覚障害者と聞こえる人との間で、インターネットの画面を通じて通訳オペレータが手話通訳を行うサービス。

❸**電話リレーサービス**
聴覚障害者が手話や文字で、通訳オペレータを通し、聞こえる人と電話ができるサービス。

（4）情報機器等の活用

視覚を使ったものとして、ファクシミリ（FAX）のほか、最近では、タブレット端末やパソコン、スマートフォンを利用した**遠隔手話サービス**❷や**電話リレーサービス**❸も実施されています。

電話リレーサービスは、2021（令和3）年7月1日より法律に基づく公共インフラとして運用が始まりました。24時間365日、電話で双方向をつなぐことができ、警察や消防車・救急車などへの緊急通報にも利用できるようになりました。

4 事例で学ぶ——聴覚障害に応じた生活支援の実際

事例

Cさん（73歳、男性）は、先天性の聴覚障害があります。近所に弟が住んでいますが、1人で暮らしています。主なコミュニケーション手段は手話です。筆談は苦手ですが、必要に応じて筆談も行ってきました。聾学校を卒業後、食品会社に勤務しました。定年退職してからは仕事はしていません。現在、食事の準備と掃除をしてもらうために週2回、ホームヘルパーの訪問を利用しています。

Cさんとホームヘルパーは、簡単なサインと筆談でコミュニケーションをとっています。しかし、時々ホームヘルパーとのやりとりがうまくいかず、Cさんはイライラすることがあります。また、最近、「朝なかなか起きられない」「立ちくらみがする」など体調不良を訴えています。

Cさんに確認したこと
① 会話の状況
　ホームヘルパーの言っていること（伝えていること）が理解できているか。
② 最近の体調の変化
　・体重の変化
　・病院での検査の有無

ホームヘルパーの対応
① Cさんとは簡単なサインと筆談でやりとりしていますが、十分に内容が伝わっていませんでした。そこで、生活に必要な言葉を絵

カードにして伝えることにしました。
② 最近、病院に行っていなかったため、血圧などの検査はしたことがありませんでした。そこで、市で行われている「国民健康保険特定健康診査」の受診をすすめました。Cさんはこれまで、筆談が面倒で検査を受けていませんでした。

専門職との連携をはかる
① 聴覚障害のある人は、情報を視覚的にとらえています。Cさんのおもなコミュニケーション手段は手話ですが、ホームヘルパーがすぐに手話を覚えることは困難です。しかし、介護を通じてくり返し使う言葉については、絵カードだけでなく、できれば手話の単語を覚えたいものです。また、ホームヘルパーと少しでも手話で会話できれば安心感をもつことができます。
② Cさんは言いたいことが伝わらず時々イライラするようです。手話通訳者と十分話をすることで、精神的に落ち着くことが期待できます。市町村には、**手話通訳者**❹を派遣する制度がありますので、その活用について提案してみてもよいでしょう。
③ 「国民健康保険特定健康診査」の受診をすすめるなど、体調管理は介護福祉職のとても大切な役割です。Cさん自身は、筆談が面倒で、これまで受診してきませんでした。手話通訳者を利用したことがなかったことも原因の1つかもしれません。手話通訳者を介してコミュニケーションをはかれるよう環境を整備することも大切です。
　また、体調不良を訴えていることから、必要に応じて手話通訳者をともなった訪問看護につなげることも検討が必要です。
④ 困りごとなどを解決するために、自治体にはろうあ者相談員がいます。また、都道府県の聴覚障害者情報提供施設では、相談支援事業を行っています。手話通訳者の派遣とともにそれらの事業を活用することで、Cさんがかかえている問題などを新たに発見することにもつながります。
⑤ ホームヘルパーの所属する事業所では、専門職の参加のもとにケース会議を開催しています。しかし、現実にはそこにろうあ者相談員や手話通訳者などは参加できていません。これらの専門職とも連携をはかり、聴覚障害のある人の生活の質を高めていくことが求められます。

❹**手話通訳者**
障害者の日常生活及び社会生活を総合的に支援するための法律（障害者総合支援法）では、市町村地域生活支援事業に意思疎通支援事業として手話通訳者を派遣する制度がある。

5　言語障害の理解

「言葉が遅い」「発音がはっきりしない」「言葉がうまく話せない」など、「話し方や話し言葉」に障害がある状態を言語障害といいます。

言語障害には次のような特徴があります。

① 障害が外見からはわかりにくい。
② 話し方に特徴があるため、相手にその内容が理解されにくい。
③ 自分の障害を言葉に出して説明できないため、まわりから誤解や偏見を受けやすい。そのため、社会生活、とくに人間関係に不都合をきたしやすい。

（1）言語障害の症状

1 音声機能障害

音声機能障害とは、音声を発する器官（口唇、舌、顎、声帯など）に障害があるため、音声や発音、話し方に障害がある状態をいいます。

病気により咽頭の摘出手術をしたり、発声に必要な筋群が麻痺したりすることなどにより音声が出なくなることがあります。しかし、咽頭全摘手術を受けた人でも食道発声の訓練をしたり、人工咽頭を使用したりして会話ができる人もいます。

2 失語症

失語症とは、脳の言語中枢が疾病や外傷などにより損傷されることによって起こる障害です。

言葉を理解する機能（聞く、読む）、言葉を表出する機能（話す、書く）が障害を受けることにより、言葉による意思疎通が困難になります。「言葉が出ない」「話された内容が理解できない」「文字は読めても内容が理解できない」などの症状があります。

3 吃音

吃音とは、話し言葉がなめらかに出ない状態のことをいいます。

音のくり返し（連発「わ、わ、わたし」）、音の引きのばし（伸発「わーーたし」）、言葉が出せずに間が空いてしまう（難発・ブロック「・・・わたし」）などの症状があります。

吃音の状態は、そのときどきで変わることがあります。比較的スムーズに話ができるときもあれば、**予期不安**[5]などから言葉が出にくいとき

---

[5] **予期不安**
「気持ちが落ちつかない」「ドキドキして心細い」などの症状が出ることを考えると不安でたまらなくなること。

もあります。

6 生活上の困りごと（観察の視点）──言語障害

（1）見えない障害

　肢体不自由や視覚障害の場合、その障害が外見上わかります。しかし、言語障害がある場合、外見で見分けることは非常に困難です。言語障害は、本人が話さない限り、ほかの人に気づかれることはほとんどありません。

　また、本人もその障害をほかの人に知られたくないという意識がはたらくため、つい、口をつぐんで黙ってしまいます。その結果、言語障害からくる悩みや問題をますます1人でかかえこみ、自分の殻に閉じこもってしまいがちになります。

（2）人間関係に影響を与える

　コミュニケーション手段としての話し言葉は、人と人との関係を保つ意味で、大変重要な役割を果たしています。したがって、言語障害があると、人間関係に影響を与えることになります。

　たとえば、自分の思いや考えを話し言葉で思うように発信しづらいと感じた人は、人との会話を避けるようになります。それは、話すことによって笑われたり、注意をされたり、からかわれたりすることがたび重なることで、気持ちが消極的になり自信を失ってしまうからです。

　人は話をすることによって不安や悩みを解消し、情緒的あるいは精神的な安定をえています。しかし、話し言葉に障害があると、このような安定をえることができなくなり、人間関係に影響を及ぼします。

　このように、言語障害は、その人が精神的に追いつめられるなどの不利益をこうむる可能性を秘めています。そのため、社会生活そのものにうまく適応できないということにつながります。

（3）障害がきちんと伝わらない

　言語障害に気づくとまわりの人のなかには、すぐに性格上の問題や知的障害と結びつけて考えてしまう人もいます。「あわてんぼう」「せっかち」などと決めつけたり、「頭が悪い」「知能が劣っている」などと言っ

たりしてしまうかもしれません。つまり、偏見や思いこみにより正しく理解されにくいことがあるのです。そのため、本人は強いフラストレーションを感じ、自信を喪失してしまいます。

言語障害が正しく理解されないということは、社会生活を送るうえで大きなハンディキャップを背負うことになります。

7 支援の展開──言語障害

(1) 言語障害について理解する

言語障害のある人と接する場合、「意識すれば何とか話せるだろう」という期待から、「もっとはっきりと言いましょう」「ゆっくり話しましょう」「もう一度言ってみてください」などとつい言ってしまいがちです。しかし、よかれと思って言ったとしても、結果として本人は言葉に対する自信をますます失うことになります。話し方に対する指摘は、話すことの喜びや精神的な満足感をその人からうばうことになり、逆効果になるおそれがあるのです。

また、言語障害があるからといって、話すチャンスを与えないなどの特別な扱いをすることは、心理的に大きな影響を与えることになります。

このようなことを防ぐには、日ごろからどのような対応や話し方をすれば、言語障害のある人に負担を与えずにかかわることができるのかをしっかり理解する必要があります。

(2) 場の雰囲気づくり

毎日の生活が楽しいと感じられるかどうかは、その人が接する場の雰囲気が「何でも話せる適切な場」であるかどうかに影響されます。このような雰囲気をつくるためには、互いの信頼関係を成立させることが重要です。その人が接する身近な人に認められると、人はこころを開きます。

また、社会に適応していくためには、仲間同士で自由な意思交換ができることが大切です。話し方が不明瞭であっても、相手の伝えようとする意図をくみとろうとすることが大切です。

まずは、仲間同士が自由に楽しく、話ができる雰囲気を整えていくこ

と、そして、その雰囲気づくりを援助していくことが介護福祉職には求められます。

（3）よいところを見つける

　言語障害のある人は、障害ばかりが注目されてしまい、その人のもつすばらしさやよさを的確に評価してもらえない傾向があります。どの人もよいところは必ずもっています。「あいさつをきちんとする」「時間を守る」などその人のよいところを見つけ、機会あるごとにとらえて認め、伝えることは、その人の自信を回復することにつながります。自信が回復すると気持ちも明るくなり、いろいろな人ともスムーズに人間関係を築けるようになり、話すことによい影響を及ぼします。

（4）家族への支援

　言語障害のある人と毎日、生活をともにする人には、他者には言えない大変な苦労があります。まわりがどんなに理解しようとしても、言語障害のあるその人にしかわからないことがあるためです。

　しかし、その苦しみを少しでも軽減するために、経験者や専門家などから話を聞き、家族全員が言語障害のある人と接するための方法を身につけることが大切です。

　なぜならば、言語障害のある人が自信をもって話すことができるのは、理解してくれる家族があってこそだからです。自信をもっているかいないかは、話をするうえで大きな影響を与えます。家族が言語障害のある人のことを大切に思い、その人と一生懸命生きている姿こそが本人にとってもっとも重要な支えになります。

　つまり、介護福祉職は、言語障害のある人と生活時間をともにする家族がこころのゆとりをもてるように支援することが大切です。

（5）話す楽しさに共感する

　本来、人は人とコミュニケーションをとること自体が楽しいものです。言語障害のある人から、「言葉が出かかっていたが、途中で話すのをやめてしまった」とよく聞きます。おそらく、何回も聞き返されたり言わされたりしたことで、話すことがいやになってしまったものと考えられます。

　また、言語障害のある人は自分が話しているにもかかわらず相手に伝

わらないというもどかしさを感じて、話すのをやめてしまったということも考えられます。

言葉の細かい部分を気にするのではなく、伝えようとする意図をくみとろうとすることが大切です。そのことから、本人との間に信頼の絆が結ばれ、話すことの基盤ができるからです。

(6) 言語聴覚士などとの連携

言語を獲得したあとに言葉の障害をかかえた人は、専門的な支援が必要です。それは、言葉の障害から派生する社会適応の問題やつらい気持ちをできるだけ取り除くことになるからです。

言語聴覚士など専門家に相談をすることが、障害の軽減につながります。

(7) 情報機器等

言語障害のある人に向けた情報機器として、パソコンやタブレット端末、スマートフォンなどがあります。音声読み上げ機能をもったアプリケーションソフトも多数、開発されています。これらを有効活用していくことも支援の1つです（**表2-5**参照）。

8 事例で学ぶ──言語障害に応じた生活支援の実際

> **事例**
>
> Dさん（70歳、男性）は、妻（67歳）と自宅で暮らしています。2年前に脳梗塞を患い、右半身に麻痺があります。そのため、歩行の際は杖を使っています。移動の動作は不安定で、本人も不安を感じています。また、「時々言葉が出ない」「ろれつが回らない」などによって自分の考えや思いを相手に十分伝えられないと感じています。訪問介護（ホームヘルプサービス）では、入浴介助を受けています。
>
> 最近、介護福祉士が訪問介護で自宅を訪れたとき、Dさんから「話すことが面倒、食欲があまりない」と言われました。

Dさんと妻に確認したこと
① 会話の状況
- 妻と話をしているか。
- 相手に伝わらず困っていないか。

② 最近の食事の状況
- 義歯のかみあわせはどうか。義歯の手入れはしているか。
- 食べ物の飲みこみはどうか。むせることはないか。
- 体重は減っていないか。

介護福祉士の対応
介護福祉士はDさんと妻の話をふまえて次のように対応しました。
① 「時々言葉が出ない」また、「妻が何度も聞き返す」ことから、自分から話をしたくない気持ちが強くなってしまっていました。そのため夫婦の会話が少なくなっていました。
　夫婦でテレビを見ているときなどに、おもしろい場面や思ったことなどを気軽に話すことをすすめました。
② 義歯のかみあわせがあまりよくないこと、手入れもおこたっていることから、具体的な手入れの方法を確認しました。
③ 食べ物の飲みこみが悪いため、食事の量が減ってきていることもわかりました。食べ物を飲みこみやすくする工夫や気持ちの安定をはかることを確認しました。

専門職との連携をはかる
① Dさんは、言語機能の回復に向けて改善をはかることが必要であり、呼吸や発声の練習、発話の練習などをするためにも言語聴覚士との連携が求められます。
　また、妻と会話をして楽しむことも言葉を発することにつながります。話しかけても返事がなかったら話す気持ちがなくなります。妻にも会話を楽しむことが大切だということを理解してもらうようはたらきかける必要があります。
　Dさんは「妻が何度も聞き返す」と言っていましたが、妻も高齢で聴力が低下しているのかもしれません。一度、聴力検査を受けるようすすめてみてもよいでしょう。
　また、「ろれつが回らない」という話がありましたが、Dさんは、2年前に脳梗塞を患っていて、再発ということも考えられます。検

査につなげるため医療職との連携をはかる必要があります。
② 食事については、まず義歯の状況を歯科医師にみてもらうよう、アドバイスをしてみましょう。義歯のかみあわせがあまりよくないことに加え、手入れもおこたっている状況でした。歯科医師から具体的なアドバイスを受けることが必要です。
③ 飲みこみが悪いことから嚥下障害❻が考えられます。歯科医師等から嚥下評価を受けて今後の介護にいかすことも必要です。
　さらに、飲みこみやすい献立については、管理栄養士と相談をしましょう。
　そのほかに、口腔内を清潔に保つ方法や口の体操などを言語聴覚士や歯科衛生士と連携して行い、誤嚥性肺炎の予防に努めることも大切です。

❻嚥下障害
食べ物をうまく飲みこめない状態をいう。

◆ 参考文献

- 林智樹『必携 手話通訳者・手話通訳士ハンドブック』社会福祉法人全国手話研修センター、2017年
- 社会福祉法人全国手話研修センター編『改訂 よくわかる！手話の筆記試験対策テキスト』中央法規出版、2014年
- 岡本途也監『補聴器コンサルタントの手引 第7版増刷』リオン、2010年
- 大森孝一・永井知代子・深浦順一・渡邉修編『言語聴覚士テキスト 第3版』医歯薬出版、2018年
- 藤田郁代シリーズ監修、玉井ふみ・深浦順一編『標準言語聴覚障害学 言語発達障害学 第2版』医学書院、2015年
- 日本言語障害児教育研究会編著『基礎からわかる言語障害児教育』学苑社、2017年

第4節 重複障害〈盲ろう〉に応じた介護

学習のポイント

- 盲ろう重複障害について医学的・心理的側面から理解する
- 盲ろう重複障害のある人の生活上の困りごとを理解する
- 盲ろう重複障害のある人への支援において、多職種連携のなかで介護福祉士が果たすべき役割を理解する

関連項目
⑤『コミュニケーション技術』 ▶ 第3章第2節「さまざまなコミュニケーション障害のある人への支援」
⑭『障害の理解』 ▶ 第2章第5節「重複障害」

1 重複障害とは

　重複障害について、明確な定義は示されていません。そこで、1975（昭和50）年に特殊教育の改善に関する調査研究会が報告している「重度・重複障害児に対する学校教育の在り方について（報告）」を見てみましょう。以下はそれを要約したものです。

> 　重度・重複障害児とは、学校教育法施行令第22条の3に規定する障害（視覚障害、聴覚障害、知的障害、肢体不自由、病弱）を2つ以上あわせ有する者のほかに、発達的側面からみて、「知的発達が著しく、ほとんど言語をもたず、自他の意思の交換および環境への適応が著しく困難であって、日常生活において常時介護を必要とする程度の者」、行動的側面からみて、「破壊的行動、多動傾向、異常な習慣、自傷行為、自閉性その他の問題行動が著しく、常時介護を必要とする程度の者」をいう。

　このように教育行政では、障害を2つ以上あわせもつ児童・生徒で編制する学級を重複障害学級としてきました。また、身体障害者福祉法では、身体障害が2つ以上重複する場合、各々の障害の指数を合算し、障害等級を総合的に判定します。

また一方で、重複障害は合併する障害により、1人ひとりの障害の状況が大きく異なるという特徴があり、対応がむずかしく成長期に適切な対応ができなかったことから生じる**二次的な障害**❶がみられ、つくられた障害ともいわれます。たとえば、入所・通所等の施設などの利用者の場合は、利用者同士のかかわりや支援者（介護者を含む）とのかかわりから情緒が不安定になり、攻撃的な行動を示すこともあります。介護者はそうした問題が起こらないように利用者に安定した生活環境を提供することが大切です。

　このように重複障害には、さまざまな状態がありますが、本節では、とくにかかわりの基本となるコミュニケーションの点で配慮が必要になる盲ろう重複障害を取り上げ、解説します。

❶**二次的な障害**
重複障害の特徴が周囲から理解されず、不適切な対応で生じる障害。

2 盲ろう重複障害の理解

（1）盲ろう者の区分と実態

　盲ろう重複障害とは、視覚と聴覚の両方に障害を有する状態をいいます。

　具体的には、盲ろう者と視覚障害のある人・聴覚障害のある人とはどのような違いがあるのでしょうか。

　身体障害の種類と等級を規定している身体障害者福祉法および身体障害者福祉法施行規則では、「視覚障害」「聴覚障害」を別々に規定しています。つまり、法的には「盲ろう」の規定はありません。盲ろう者は、一般に「目と耳の両方に障害をあわせもつ者」とされています。

　盲ろう者は、視覚と聴覚の障害の程度により4つに大別されます（**表2-6**）。

　全国の盲ろう者数を見てみると、現時点での最新のデータは2013（平成25）年3月の「**盲ろう者に関する実態調査**❷」の調査結果で、盲ろう者数はおよそ1万4000人と推計されています。しかし、社会福祉法人全国盲ろう者協会に登録されている盲ろう者数は2020（令和2）年3月末現在で、989名しかいません。このことからみても盲ろう者は情報障害におちいっており、外出やコミュニケーションも1人では困難なため、その存在を把握することがきわめてむずかしいと考えられます。

❷**盲ろう者に関する実態調査**
厚生労働省 平成24年度障害者総合福祉推進事業「盲ろう者に関する実態調査報告書 平成25年3月」日本のヘレン・ケラーを支援する会（社会福祉法人全国盲ろう者協会）による。

表2−6 盲ろうの程度による区分

視覚障害の程度 \ 聴覚障害の程度	難聴	ろう
弱視	❶弱視難聴　少し見えて、少し聞こえる人	❷弱視ろう　少し見えて、まったく聞こえない人
全盲	❸全盲難聴　まったく見えず、少し聞こえる人	❹全盲ろう　まったく見えず、まったく聞こえない人

（2）心理的理解

　盲ろう者は、「見えない」「聞こえない」ということから外出の機会や、外部とのやりとりが極端に少ないことにより心理的ストレスが大きく、内的な緊張も高いため、情緒面でも不安定になることは否めません。

　ある盲ろう青年は、盲ろう者の世界を「深海魚が泳いでいる。ここは海面下、何百メートルだろうか。まわりに光はない。全くの闇だ。そして無音の世界である」[1)]と記しています。このことからも盲ろう者がいかに不安な状況におかれているかが想像できると思います。こうした盲ろう者の不安を和らげる方法として、コミュニケーションによる支援が必要です。介護者と盲ろう者がこころを通わすコミュニケーションをはかるためには、お互いに方法が未熟であったとしても、ゆったりと時間をかけて言葉を交わすことが必要です。その結果、信頼関係が築かれ、盲ろう者に生きる希望を与えることにつながります。

　また、コミュニケーションが取れることは自己決定、自己選択の結果を他者に伝えるという点でも重要です。盲ろう者がみずから積極的にコミュニケーション力をつけることは、"自立"につながる大切な支援になります。

（3）当事者同士のかかわり

　盲ろう者自身による**ピア・カウンセリング**の取り組みも大切です。同じ障害をかかえる仲間として、お互いの課題をいっしょに語るなかで、個々の人生観や価値観などをみずから変化させるといった気づきの体験

につながり、生きる希望をえることができるのではないかと思います。

3 生活上の困りごと（観察の視点）

盲ろう者の生活は1人ひとりに違いがあり、簡単に理解することはできません。視覚障害と聴覚障害をあわせもつ生活には、並々ならぬ生活上の不便さが存在するためです。

盲ろう者が生活上の困難や制約を受けることとしては、おもに以下の3点があげられます。

① コミュニケーション：他者からの音声を聞き取ることができず、また、音声での発話が困難な人は、会話がむずかしくなります。
② 情報収集：テレビやラジオ、インターネット、書籍、雑誌、新聞等からの情報を受け取ることができません。
③ 移動：屋外への1人での外出や公共交通機関の利用には困難と危険がともないます。

この3つの困難やそこから派生する制約等は、盲ろう者であるがゆえの特徴といえます。

盲ろう者として世界的に知られている人に**ヘレン・ケラー**❸ (Keller, H. A.) がいます。しかし、すべての盲ろう者がヘレン・ケラーと同じように教育されているかというと、そうではありません。ほとんど専門的な教育を受けずにコミュニケーションにおいても不自由を強いられている人もめずらしくありません。

つまり、ヘレン・ケラーを知っていても、盲ろうという障害を理解していることにはなりません。かかわる人（介護者）が、盲ろうという障害の実態を理解しているかどうかで盲ろう者の生活の質が変わるといえるでしょう。

❸ヘレン・ケラー
1880-1968。社会福祉事業家、教育家など。世界各地を歴訪し、身体障害者の教育・福祉に尽力した。なお、家庭教師だったサリバン (Sullivan, A.) 女史の献身的な教育のおかげで、目、耳、声の三重苦を乗り越えた。

4 支援の展開

盲ろう者への生活支援の基本は、1人ひとりがかかえている課題や個々のニーズにあわせ、その場に応じて、臨機応変に適切な支援となるよう心がけることです。情報収集に困難がともなうため、ゆっくりてい

ねいにできるだけわかりやすい説明で、確認しながら情報提供することが望まれます。移動に関しても同様です。

（1）コミュニケーション方法

1 触手話

聴覚障害のある人が使っている手話が基本となり、両手を使って相手の両手を軽く触りながら触読する方法です。

また、弱視の人に対しては、近い距離から相手の手話を見て会話を理解する方法もあり、これは、「接近手話」もしくは「弱視手話」とも呼ばれています（『障害の理解』（第14巻）第2章第5節を参照）。

2 指文字

相手の手のひらに指文字をつづり、会話する方法です。指文字の形が理解できるよう指の形や手のひらへの触れ方等にも配慮が必要です。また、日本語をローマ字で表す方法もあります。これは、アメリカ指文字といい、動きが小さく、片手の手のひらで触読しやすいことなどから使われているものです。

3 指点字

指点字は、両手の人差し指、中指、薬指を使って、相手の同じ指を点字タイプライターのキーに見立てて点字記号を打つ方法です。横並びでの会話と向かい合っての会話の両方ができますが、点字の読み方が逆になるために読めないこともあるので、事前に確認する必要があります。

4 ブリスタ

ブリスタ[4]は、点字タイプライターの一種です。会話に利用できるもので、キーを打つと幅13mmの紙テープに打たれた点字が後ろから左横側に出てくるので、点字触読ができます。大きめの弁当箱程度の大きさであり、軽量で、点字を打つとき大きな音が出ないので会議などで利用されます（図2－18）。

5 手書き文字

相手の手のひらに指を使って文字を直接書く方法です。だれでも容易にできることが利点です。ひらがななのか、カタカナなのか、漢字も含めて読めるか否かを確認してから対応することと、相手の読む速度にも配慮する必要があります。

6 その他

紙に大きめの文字を筆記する、耳元で話すことやパソコン等を活用し

---

[4] ブリスタ

本体内部にセットされた紙テープに点字を打つ点字タイプライターのこと。障害者の日常生活及び社会生活を総合的に支援するための法律（以下、障害者総合支援法）の市町村地域生活支援事業のなかの日常生活用具給付等事業の活用は、申請が必要なので、詳しくは、各自治体の障害福祉課に相談する必要がある。

図2-18 ブリスタ

て要約筆記したものをディスプレイやスクリーンに映すなど、盲ろう者の状況に配慮した対応が望まれます。

（2）支援時の留意点

　盲ろう者は、「見えない」「聞こえない」ことでの不安があるばかりか、人が多いところでは、緊張から知らず知らずのうちに疲れがたまっていることがあります。

　介護者は、その場の状態や盲ろう者の表情等から判断し、「今日は、いろいろな方とお話ししたので、疲れたでしょう。少し休みましょうか？」などと伝えて、適切なタイミングで休憩することも必要です。盲ろう者のなかには、相手とのやりとりに集中しすぎてしまう人もいるので、この点も支援時の留意点の1つです。介護者の支援は、盲ろう者自身が心地よい状態になるように配慮するよう心がけます。

　また、盲ろう者本人が行うよりも介護者が行ったほうがすばやくできることがあります。たとえば、食事の際に、介護者が割り箸を袋から出して、割ってから渡すようなことがありますが、介護者が何でもやってしまうのではなく、盲ろう者の行動を見守るなど"積極的に待つ"姿勢も大切です。

　さらに、弱視のろう者のなかには、急に暗い部屋に入ったときに見えないことや、急に外に出たときにまぶしくて見えないといったこともあります。その際は目が慣れるまでの間、少し待って対応することも必要です。

　いずれにしても、介護者は盲ろう者が直面している困難にいっしょに

寄り添いながら自己決定できるよう支援します。そのために、**意思疎通支援**⁵を学ぶことも課題の1つとなるでしょう。

なお、特別支援学校においても「自立活動」の時間等で、日常生活の訓練を行います。具体的な成果として、卒業するまでに指文字を習得している人もいます。

> ⁵**意思疎通支援**
> 障害者総合支援法の地域生活支援事業により、市町村や都道府県では手話奉仕員や手話通訳者、要約筆記者などの養成または派遣が行われる。そのなかで、意思疎通支援を行う者の養成研修が実施されているので、専門的な支援方法を学ぶことができる。

（3）歩行（移動）の介護技術

1 誘導の心構え

前提として、個々の盲ろう者により、安心できる誘導の方法には違いがあるということを理解しておく必要があります。介護者は盲ろう者からふだんどのような方法で移動しているのかを確認します。ほかに安全な方法があるからといって、ふだんの誘導方法を変えることは、危険を招くことになりかねません。「こうした誘導の方法もありますよ」と情報を提供する程度にとどめ、盲ろう者に押しつけるようなことがないようにしたいものです。

外出時には事前の打ち合わせが重要となります。具体的には、盲ろう者と介護者は、バス乗降、電車乗降、タクシー利用、階段の利用など、お互いに外出時のイメージをしておく必要があります。また、トイレの利用などの声かけの方法についてもお互いに情報共有が必要です。

誘導をする場合、介護者は、そっと肩や手に触れてから自分の名前を触手話、指点字、手書き文字、音声など、相手に適した方法で伝えます。また、移動中に障害物や危険な箇所があった場合は、歩きながらコミュニケーションがとれるのであれば伝えます。むずかしい場合は、あわてずに、一度、立ち止まって、その場で状況を伝えます。さらに、介護者が電車の切符の購入やトイレの利用の際などで盲ろう者から離れる場合は、その場を離れる理由と戻ってくる時間を伝えましょう。また、壁や柱につかまってもらったり、いすに座ってもらったりしてからその場を離れるようにしましょう。

2 歩行誘導の基本姿勢と方法

盲ろう者の誘導の基本は、おおむね**表2-7**のとおりです。基本的に視覚障害者の誘導方法と変わりません。留意点は、外出時には事前の打ち合わせを念入りにすることです。また、説明はわかりやすい言葉で短く盲ろう者に伝えることに注意しましょう。

表2-7 誘導の方法など

誘導の基本	具体的な方法
①触手話	触手話に熟達し、歩行経験も豊富な盲ろう者が移動しながら介護者の手話を読み取ります。
②指点字	盲ろう者が前に出した左右の手指に介護者が指点字を打ち、それを盲ろう者が移動しながら読み取ります。
③手書き文字	盲ろう者の手のひらに介護者が書いた文字を盲ろう者が移動しながら読み取ります。
④肘の上を軽くにぎる	盲ろう者が介護者の肘の上をにぎり、盲ろう者は介護者の半歩後ろを歩きます。
⑤肩に手を置く	盲ろう者は、介護者の肩に手を置いて歩きます。
⑥腕を組む	盲ろう者と介護者が腕組みして歩きます。
⑦手をつなぐ	盲ろう者と介護者が手をつないで歩きます。

3 階段昇降の方法

　階段昇降の際は、まず、介護者は階段の存在を盲ろう者に伝えます。次に「上り階段です」「下り階段です」と伝えます。その際、あわてずに触手話、指点字、手書き文字、音声など、相手に適した方法で伝えます。たとえば、手書き文字で伝わる盲ろう者であれば、階段の状態を手のひらに「階段は上りのらせん階段です」と書いて伝えます。杖を使って階段を上る場合は杖で階段の位置と高さの確認をして、手すりがあれば介護者が手すりに盲ろう者の手を導き、手すりを使ってもらいます。事前に打ち合わせをしておき、階段で手すりを使う場合は、折りたたみ式の白杖はたたんで鞄などにしまってもらい、手を手すりに導くことなどを約束事にすることもよいでしょう。

　また、階段昇降の際には、介護者は盲ろう者の動作を確認し、盲ろう者の歩調に合わせて昇降します。階段を昇降し終えたら介護者は盲ろう者に階段の終わりを告げます。

　実際に階段昇降するときには、一連の動作のなかに合図を交え、行われる場合が多いです。合図は事前に確認しておくことが必要です。たとえば階段を上る場合は、手のひらを上にして、少し手を上に曲げます。また、下りる場合は、少し手を下に曲げます。

エレベーターがある場合は階段ではなく、安全性を考慮してエレベーターを利用するほうがよいでしょう。こうした点も事前の打ち合わせのなかで調整しておきます。

4 バス乗降の方法

まず、介護者はバスの存在を盲ろう者に伝えます。バスが来たら、あわてずに触手話、指点字、手書き文字、音声など、相手に適した方法でノンステップバスなのか、ステップがあればその高さなどを伝えます。また、ステップはせまいので、横並びではなく、1人でステップを上がってもらうとよいでしょう。

都道府県によっては「電車・バス無料乗車証」（以下、無料証）があります。自治体の窓口に申請して、活用するとよいでしょう。介護者は半額になります。無料証がない場合は、運転士に身体障害者手帳を提示することで、本人も介護者も半額で乗車できます。

下車する際には、あわてずに盲ろう者の手を手すりに導き、手すりを使ってステップを降り、下車します。

5 電車乗降の方法

電車がホームに入ってきたら、介護者は電車の存在を盲ろう者に伝えます。その際、あわてずに触手話、指点字、手書き文字、音声など、相手に適した方法で伝えます。電車の乗降は危険がともなうので、電車を1本見送るくらいの余裕が必要です。盲ろう者が誘導に慣れていない場合は、できるだけ車掌のいる一番後ろの車両を利用します。また、駅員に事情を説明し、ホームまで同行してもらい乗車することも、安全に安心して電車乗降する1つの手段です。さらに、介護者は盲ろう者に電車とホームとの隙間の確認をしてもらい、戸袋側ドアフレームに手を導き乗降するなど、安全の確保をおこたらないようにしましょう。

6 タクシー乗降の方法

まず、介護者はタクシーの存在を盲ろう者に伝えます。盲ろう者の手をタクシーのドアフレームやタクシーの屋根に導き、盲ろう者に先に乗車してもらいます。

タクシーのなかでは、たとえば、「今、○○会場の近くに来ました。そろそろ到着です」などの状況説明を触手話、指点字、手書き文字、音声などで伝えます。タクシーから下車するときは、介護者が先に下車し、屋根の高さを確認してもらい、頭が当たらないように注意しながら導き、下車します。

7 トイレへの誘導の方法

　盲ろう者は広いトイレよりもせまいトイレを好むようです。あまり広いと環境や設備がわかりにくく、不安であるためです。一方、多目的トイレの利用は、トイレのなかに入って、具体的な説明をしやすいという利点もあります。介護者と盲ろう者が異性の場合には、事前にトイレの利用について打ち合わせをし、多目的トイレを使うなどの配慮が必要です。どのようなトイレへの誘導が望まれるのかは判断がむずかしいので、本人にたずねることが一番よいでしょう。また、トイレでは、ドアの鍵の使い方、水を流すレバー、トイレットペーパーの位置、座る向き等を介護者が盲ろう者にしっかり伝えることが大切です。

　いずれにしても、介護者は盲ろう者への情報提供、動作確認、安全確認などを意識して、誘導することが望まれます。

5 事例で学ぶ──盲ろう重複障害に応じた生活支援の実際

　各都道府県にある**盲ろう者友の会**は、盲ろう者が今後の人生を生きるうえでなくてはならない存在といえます。おもな事業として「通訳・介助者の派遣および養成」「盲ろう者に関する相談」「交流会の開催」等の活動があり、利用者の視点に立った取り組みがなされています。盲ろう者にとって頼もしい支援者に会える場でもあります。

　介護福祉職は、地域のなかで直接、利用者に接しながら支援活動を行っています。そうした活動により、さまざまな情報が入ってきます。利用者からの情報は、1人でかかえこむのではなく、事業所の他の職員との情報共有をはかり、必要に応じて他職種と連携し、解決策を検討することが大切です。

❻ アッシャー（Usher）症候群
網膜色素変性症と難聴をともなう合併症。遺伝性疾患である。①先天性のろう、あるいは乳幼児期の感音性難聴、②平衡機能障害、③網膜色素変性症（進行性視力・視野低下）を併発する疾患で、難病である。

事例

　Eさん（50歳、男性）は会社員です。30歳で結婚し、看護師の妻（48歳）と高校3年生の娘（18歳）の3人家族です。Eさんは**アッシャー（Usher）症候群**❻をともなう難病で、25歳のときに網膜色素変性症と診断され、大学病院に定期的に通院しています。また、Eさんは地域の「網膜色素変性症患者会」（以下、K会）に参加して積極的に患者同士の情報交換をしてきました。妻と娘は、Eさんの障害について理解があり、さま

ざまな形でEさんを支えています。

最近、Eさんは、耳の聞こえも悪化し始め、盲ろう者になるのではないかと不安になっていました。K会のサークルの仲間からは、保有視覚や聴覚があるうちに点字を学んではどうかという提案もありました。Eさんは、点字を覚えることで指点字としても活用でき、盲ろう者のコミュニケーション手段として有効であることを知っていました。

そこで、K会のメンバー（協力会員）の介護福祉士に、点字を学びたいと相談しました。介護福祉士は、所属している点訳サークルの仲間に相談して、協力してもらうことにしました。また、介護福祉士の助言により、Eさんの家族も点字をいっしょに学び始めました。

この事例から介護福祉士のかかわりについて考えてみましょう。Eさんの家族は、いっしょに点字を学ぶなど、障害に対する理解があります。また、Eさんは、K会のメンバーにも応援されています。このような状況のなか、少しでも保有視覚や聴覚があるうちに点字を学ぼうとする意欲を示したことは、今後、盲ろう者として生きていくことをEさんが決意した証しでもあります。

Eさんの決意を受け、K会のメンバー（協力会員）である介護福祉士の関係で点字サークルにつながり、「盲ろう者向け通訳・介助員養成講習会指導者養成研修会」を修了したメンバーの協力を得られることになりました。

こうした人的資源が得られたことは、Eさんが点字を学ぶうえでの強力な支援になるだけでなく、自信につながったものと思われます。その後、Eさんは、約半年で点字の基礎を理解し、ゆっくりではありますが、少しずつ指点字でのコミュニケーションもできるようになりました。

今後は、盲ろう者の仲間と積極的に指点字を使ってコミュニケーションをはかることが大切です。そのことは、盲ろう者友の会や専門機関等の集まりに参加して、仲間と連携して専門的な支援を受けることにもつながります。また、盲ろう者友の会や専門機関につながることは、利用者側からすると人的資源として安心感にもつながります。さらに、市町村の行政担当者や施設職員などの協力が得られるなど、地域の社会資源の活用ができるといったメリットもあります。

介護福祉士は地域で暮らす盲ろう重複障害のある人に対して、相談に応じ、利用者が不安にならないよう家族や他の職種と連携をはかることが必要です。また、市町村に配属されている手話通訳者や特別支援学校の教諭（特別支援教育コーディネーター）との連携も不可欠といえます。

◆引用文献
1）小島純郎・塩谷治編著『ゆびで聴く──盲ろう青年福島智君の記録』松籟社、p.4、1988年

◆参考文献
- 独立行政法人高齢・障害者雇用支援機構 障害者職業総合センター「重複障害者の職業リハビリテーション及び就労をめぐる現状と課題に関する研究（調査研究報告書NO.72）」2006年

第 5 節

【内部障害】
心臓機能障害に応じた介護

学習のポイント
- 心臓機能障害について医学的・心理的側面から理解する
- 心臓機能障害のある人の生活上の困りごとを理解する
- 心臓機能障害のある人への支援において、多職種連携のなかで介護福祉士が果たすべき役割を理解する

関連項目
- ⑦『生活支援技術Ⅱ』 ▶ 第 6 章「人生の最終段階における介護」
- ⑫『発達と老化の理解』 ▶ 第 5 章第 3 節「高齢者に多い疾患・症状と生活上の留意点」
- ⑭『障害の理解』 ▶ 第 2 章第 6 節「内部障害」

1 心臓機能障害の理解

（1）心臓のしくみ

心臓は、にぎりこぶし大の臓器で、重さは成人でおよそ250〜300gです。心臓は、心筋という横紋筋でつくられており、左右の心房、心室の4つの部屋に分かれています。右心房には上下の大静脈、右心室には肺動脈、左心房には左右の肺からそれぞれ 2 本ずつの肺静脈、そして左心室には大動脈が接続しています。心房と心室の間、肺動脈や大動脈の接続部には、逆流を防ぐ弁があります（図 2 − 19）。**冠状動脈**は、心臓に血液（栄養）を供給する血管で、大動脈の起始部から枝分かれし、心臓を取り囲むように走行しています。

（2）心臓のはたらき

心臓は、血液を全身に供給する**ポンプの役割**をもっています。心臓の拍動は、洞（房）結節で発生した電気刺激が心臓全体に伝わることで起こります。この電気刺激の伝わる連絡路を**刺激伝導系**といい、心臓が自身の刺激によって拍動することを自動能といいます（図 2 − 20）。

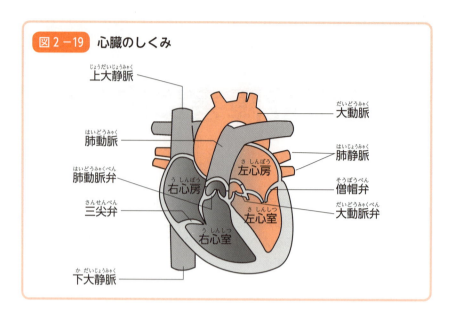

図2-19　心臓のしくみ

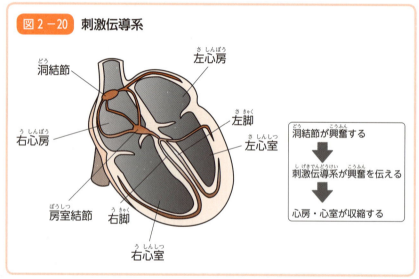

図2-20　刺激伝導系

洞結節が興奮する
↓
刺激伝導系が興奮を伝える
↓
心房・心室が収縮する

（3）全身の血液循環

　血液が左心室から拍出されて全身をめぐり、右心房に戻ってくるまでの経路が**体循環**です。血液が心臓の拍動によって大動脈から次々に送り出され、脳や腎臓、肝臓などの臓器や全身の筋肉に分配されていきます。右心室から拍出されて、左右の肺をめぐり左心房に戻ってくるまでの経路が**肺循環**です。

（4）心臓機能障害とは

　心臓の機能低下により日常生活に支障をきたした状態を心臓機能障害

といいます。心臓はそのポンプ機能により、血液を全身に供給する役割をもっています。心臓機能障害では、全身が必要とする血液を十分に供給できない状態となります。

（5）心臓のおもな疾患

1 虚血性心疾患

心筋に酸素や栄養素を送る血管である冠状動脈の**狭窄**❶や**閉塞**❷によって、心筋に十分な血液が送れなくなった状態を虚血性心疾患といいます。このうち冠状動脈の狭窄によって一時的に心筋への血流が途絶えたものが**狭心症**です。一方、冠状動脈の閉塞によって心筋への血流が途絶え、心筋が**壊死**❸におちいったものが**心筋梗塞**です。狭心症と心筋梗塞の違いを**表2－8**に示します。

狭心症発作時の症状は、胸痛ですが、人によっては、胸部の圧迫感やしめつけられるような感じ、不快感、息切れとして表現されることもあります。また、歯の痛みや肩の痛みとして自覚されることもあります。狭心症発作の症状の持続時間は短く、長くても15～20分程度で症状は改

❶**狭窄**
血管の内腔がせまくなること。

❷**閉塞**
血管が血液のかたまりなどでつまり、血液の流れが途絶えること。

❸**壊死**
細胞が死んでしまうこと。

表2－8 狭心症と心筋梗塞の違い

	狭心症	心筋梗塞
病態	冠状動脈の狭窄または一過性の閉塞による一過性の心筋の虚血（心筋の壊死には至っていない）	冠状動脈の閉塞による心筋の壊死
胸痛発作	前胸部のしめつけられるような痛みや圧迫感	激烈な胸部の痛み
胸痛発作の持続時間	労作性では、3～5分、長くても15～20分程度	20分以上持続し、安静にしても改善しない
速効性硝酸薬の効果	1～2分で効果がみられる	無効

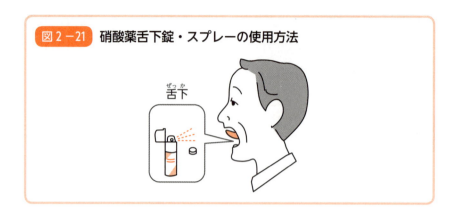

図2-21 硝酸薬舌下錠・スプレーの使用方法

善します。狭心症の診断を受けている人の場合、発作時に使用する目的で**硝酸薬**❹の**舌下錠**❺やスプレーが処方されています。発作が起こったときに使用すると症状はすみやかに改善します（図2-21）。

心筋梗塞では、激烈な胸痛が起こり、硝酸薬の舌下錠やスプレーを使用しても痛みは改善しません。梗塞の場所によっては、左肩、左上腕、心窩部に痛みを訴えることもあります。また、糖尿病がある人の場合は、症状を自覚しないこともあるので注意が必要です。

虚血性心疾患は、食生活（高コレステロール、過食）、運動不足、喫煙、ストレスなどによって引き起こされる**動脈硬化**❻が原因で発症します。

2 心不全

心臓のポンプ機能が低下し、からだの組織が必要としている血液量を拍出できない状態を、心不全といいます（図2-22）。ほとんどすべての心疾患が心不全になる可能性があります。

> 左心不全（肺循環系のうっ血）
>   症状：呼吸困難、血圧低下、頻脈、全身倦怠感
> 右心不全（体循環系のうっ血）
>   症状：**頸静脈怒張**❼、下肢の浮腫、**腹水**❽、肝腫大

心不全が進行すると、夜間、就寝中に息苦しくなって目覚めるという発作性夜間呼吸困難がみられるようになります。仰臥位では呼吸困難がひどくなり、自然と起き上がって呼吸をするようになることを起座呼吸といいます（図2-23）。

---

❹**硝酸薬**
血管を広げる作用のある薬。代表的なものがニトログリセリン。

❺**舌下錠**
舌の下に薬剤を入れる。薬の成分が舌の裏の粘膜から血管に吸収されるので、効きめがはやく出る。

❻**動脈硬化**
動脈の壁が厚くかたくなって、血管のしなやかさがなくなった状態。

❼**頸静脈怒張**
頸静脈がふくれたようにみえる状態。

❽**腹水**
腹腔内に多量の体液がたまっている状態。

第 5 節　【内部障害】心臓機能障害に応じた介護

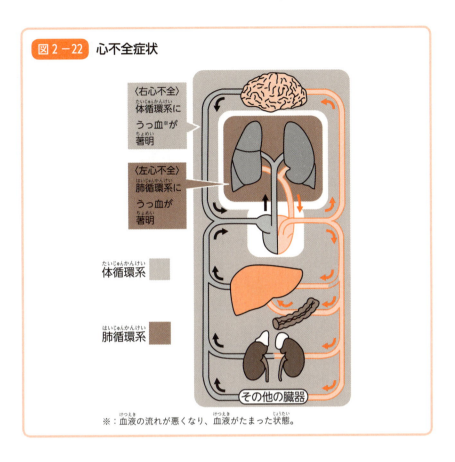

図 2−22　心不全症状

※：血液の流れが悪くなり、血液がたまった状態。

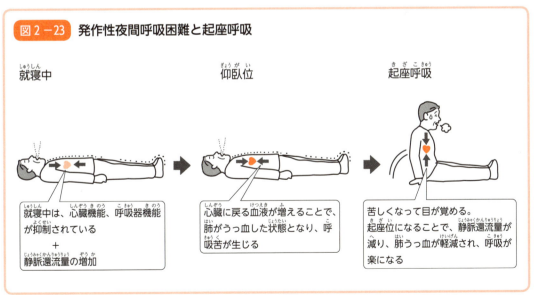

図 2−23　発作性夜間呼吸困難と起座呼吸

3 心臓弁膜症

心臓の弁が、機能障害を起こしている状態を心臓弁膜症といいます。血液が通過するときに弁の開きが悪くせまくなったものを **狭窄症**、血液が通過したあと弁が閉じきれず血液が逆流する状態を **閉鎖不全** といいます。心臓の4つの弁のうち僧房弁と大動脈弁で起こるものが多く、それぞれ僧房弁狭窄症、僧房弁閉鎖不全、大動脈弁狭窄症、大動脈弁閉鎖不全といいます（図2-19参照）。これらの場合、肺静脈、左心房、左心室の血流に影響が出ます。

> 症状：血圧低下、狭心痛、失神発作、呼吸困難

症状が軽いうちは食事制限、運動制限、薬の内服が行われ、症状の進行にともなって **弁置換術**[9] などの外科的療法が行われます。

[9] 弁置換術
悪くなった弁を切除して人工の弁をつける手術。

4 不整脈

心筋は、刺激伝導系によって、心房と心室が順番にリズムよく収縮しています。心臓の電気刺激の異常で、脈拍が不規則になったり、遅すぎたり、速すぎたりするものが不整脈です。

> 症状：動悸や胸部の違和感、めまい、息切れ、胸痛

不整脈があっても症状がまったくみられないこともあります。また、不整脈が原因で失神発作を起こすこともあり、これをアダムス-ストークス（Adams-Stokes）症候群といいます。不整脈のなかには、健康な人にもみられる問題のないものもありますが、心停止につながるため緊急治療を必要とする不整脈もあります。

治療は、抗不整脈薬などの薬物療法、**電気的除細動**[10]、人工ペースメーカー治療、植込み型除細動器などがあります。症状をともなう徐脈性不整脈や心停止をともなう場合は、突然死を防ぐために人工ペースメーカーの適応となります。

心房細動は年齢とともに増える不整脈です。心房内で血液の流れが悪くなるので **血栓**[11] が生じやすくなります。**塞栓症**[12] を予防するために **抗凝固薬**[13]（ワルファリン）が処方されることもあります。

[10] 電気的除細動
電気ショックを行って不整脈をもとに戻す治療法。

[11] 血栓
血管内でできる血液の塊のこと。

[12] 塞栓症
血栓などが、血流に乗って運ばれ血管をふさいだ状態。

[13] 抗凝固薬
血液をかたまりにくくして血栓ができるのを防ぐ薬。

① 人工ペースメーカー

人工ペースメーカーは、おもに徐脈性不整脈の治療として用いられます。人工的に心臓に電気刺激を与えて、心臓の拍動をコントロールするための機器です。人工ペースメーカーが植え込まれている人は、

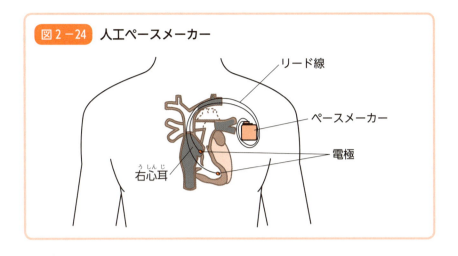

図2-24 人工ペースメーカー

適切な脈拍が保たれているか自分で脈拍を測定して確かめる必要があります。また、電磁波の影響を受けると設定が変更されてしまうことがあるので、日常生活においていくつか注意が必要となります（図2-24）。

② 植込み型除細動器（ICD）
植込み型除細動器（ICD：Implantable Cardioverter Defibrillator）は、心室細動や心室頻拍など心停止におちいるリスクの高い人に用いられます。体内に植え込み、常に心拍数を監視して心拍数があらかじめ設定された値を上回ると、心臓の状態に応じて電気的な刺激を与えて心臓のリズムを戻す機器です。

2 生活上の困りごと（観察の視点）

心臓機能障害は、日常生活におけるさまざまな活動の影響を受け、症状が悪化することもあります。日ごろから注意するべき症状を理解しておき、変化がみられた場合は、すみやかに医療職に報告しましょう。

（1）呼吸

とくに左心不全では、労作時や夜間睡眠時に**呼吸困難**が起こります。息苦しさの訴えや、喘鳴⑭、咳嗽（せき）に注意しましょう。

⑭喘鳴
呼吸をするときのぜいぜいという音。

（2）体重

心臓機能が低下すると浮腫（むくみ）や腹水、**胸水**❶など体液の貯留がみられます。体重測定は、体液貯留の判断に有用なので、定期的に体重測定を行い、変化がみられたら医療職に報告します。体重の比較ができるように毎回同じ条件で測定するようにします。

（3）尿量

心臓機能の低下により、腎臓の血流量が減少すると**尿量が減少**します。

（4）浮腫

心不全では、下肢に浮腫がみられます。浮腫は、皮膚がうすくなり腫れたような状態となります。また、指で押すと跡が残り（圧痕）すぐには戻りません。

（5）過労・ストレス

過労やストレスは、心疾患の悪化につながります。疲労の程度、ストレスの有無、活動状況を把握しましょう。

（6）不安

心疾患の症状は、**死への恐怖**や不安を増強させます。利用者が抱える不安や恐怖を言葉で表出できるような関係を築くことが大切です。不安が強いときは、医療職に伝え、病状等の説明をしてもらうことも必要です。

高齢者は自覚症状として典型的な症状を訴えないこともあります。そのため異常を見逃さないように観察をしっかり行うことが重要です。また、ささいなことでも気づいたことや気になったことは、医療職に報告しましょう。

（7）ペースメーカー装着者

ペースメーカー使用時に次のような症状があらわれたら、ペースメーカーの作動を確認する必要があるので、主治医の診察を受けるようにします。

---

❶**胸水**
胸腔内に多量な体液がたまっている状態。

① 胸が痛む、息が苦しい
② めまいやボーっとして気が遠くなる感じがある
③ 身体がだるい
④ 手足がむくむ
⑤ ペースメーカー植込み手術の傷跡が腫れる、痛む
⑥ しゃっくりが頻繁に起こる
⑦ 脈拍が非常に遅い、または速い

（8）発作時（胸痛発作、夜間睡眠時呼吸困難）

1 狭心痛

　行っていた動作を中止して安静にします。発作時に使用する硝酸薬の舌下錠やスプレーが処方されている場合は、用法にしたがって正しく使用します（図2-21参照）。その際、発作が起こった時間、薬を使用した時間、胸痛の持続時間を把握しておくようにします。狭心痛が生じ、舌下錠やスプレーを3回使用しても痛みが消えない場合は、重症な発作です。心筋梗塞の可能性もあるので、すみやかにかかりつけの医師か専門病院に連絡します。

2 発作性夜間呼吸困難

　夜間就寝中に息苦しくなって目が覚めた場合は、すぐに上体を起こし起座位にします。そして、オーバーテーブルなどを準備して**安楽な体位**⓰を整えます。

3 心肺停止（死戦期呼吸⓱）

　致死性不整脈などにより心肺停止におちいることがあります。この場合、ただちに**AED**を**装着**し、**胸骨圧迫**と**人工呼吸**を開始する必要があります。

（9）日常生活の留意点

　心臓機能障害では、からだが酸素や栄養素を必要とする場面で十分な血流を循環させることが困難になっています。そのためADL（Activities of Daily Living：日常生活動作）のさまざまな場面で支障をきたします。また、利用者は心臓が止まって死んでしまうのではないかという不安をかかえているといわれています。治療の目的は、自覚症状の軽減、予後の改善、QOL（Quality of life：生活の質）の向上

⓰**安楽な体位**
p.101参照

⓱**死戦期呼吸**
死が迫ったときにみられる呼吸で、顎をうごかし喘ぐような呼吸。心肺蘇生法を開始する目安となる呼吸である。

とされています。また、緊急の場面では、適切な対応がとれるよう発作時の症状やその対応方法を十分に理解しておく必要があります。

心臓機能障害の疾病管理として、塩分制限、服薬管理、適度な運動、体重測定、入浴方法などの生活指導が行われます。これらの医学的な指導に基づいた生活支援を実践する必要があります。医療職との連携を密にして、利用者のできることに着目した支援が求められます。

1 食事

塩分や水分の過剰摂取は、体内を循環する血液の量を増やし心臓に負担をかけることになります。そのため心臓機能障害のある人は、1日の塩分摂取量や水分摂取量が厳しく制限されることがあります。制限に関する具体的な量については、医師に確認しましょう。

塩分制限によるうすい味つけや食事中の疲労や呼吸困難などは、食欲に影響します。食事をおいしく楽しく食べられるように、利用者といっしょに食事内容や味つけを考えることも大切です。

抗凝固薬（ワルファリン）を内服している場合は、その効き目を弱くしてしまうので、納豆やクロレラ食品などはとらないようにします。

2 入浴

からだは、入浴により温熱作用、**静水圧作用**[18]、浮力の影響を受けます。熱い湯は交感神経が刺激され血圧の上昇をまねきます。またお湯に深く浸かると静水圧作用により心臓に戻る血液量が増えて、負担がかかります。

居室と脱衣室や浴室の気温の変化も血圧の変動をまねきます。そのため、とくに冬季は脱衣室や浴室を事前に温めておくことが必要です。

3 排泄

排便時にいきむことやトイレと居室の気温差などが、血圧の変動をまねき、心臓に負担をかけます。また**利尿薬**[19]を内服している場合は、排尿回数が増え、トイレまでの距離が遠いと疲労につながります。なるべく血圧の変動を少なくするために、便秘を予防したり、環境を整備することが必要です。

4 活動

活動すると体内の酸素必要量が増え、心臓に負担がかかります。このため、息切れや呼吸困難などの症状があらわれることがあります。このような症状がみられる場合は、心臓の能力以上の負荷がかかっていると考えられるので、休息が必要です。しかし、過度な安静は、筋力の低下

---

[18] **静水圧作用**
水圧が身体に与える影響のこと。

[19] **利尿薬**
尿量を増やす薬。

や起立性低血圧などの廃用症候群につながり生活の質の低下をまねくので、対象者の心臓の能力に適した活動が必要です。

5 睡眠

不眠は、交感神経を刺激し、心拍数の増加や血圧の上昇をまねき、心臓に負担をかけます。そのため良質な睡眠をとることが必要です。心不全の進行にともない発作性夜間呼吸困難を生じ睡眠がさまたげられることもあります。この場合、息苦しさを感じることなく夜間十分な睡眠が確保できるように安楽な体位の工夫が必要となります。

6 その他（日常生活全般の留意点）

(1) 感染予防

感染症は、心不全を悪化させるので感染症にかからないように、手洗い・うがいをしっかり行うようにします。

(2) 服薬

薬の飲み忘れがないように注意します。狭心症で発作時に使用するための硝酸薬（舌下錠やスプレー）が処方されている場合は、必ず携行するようにします。また、発作時にその薬を使用すること、使用方法、保管場所は、だれにでもわかるようにしておきます。

(3) 過労・ストレス

活動と休息のバランスをとり、心臓に無理のない範囲で気分転換をはかれるようにします。

(4) 嗜好品

① たばこ

喫煙により動脈硬化が進みます。喫煙者が虚血性心疾患で死亡するリスクは、非喫煙者の1.5〜3倍ともいわれています。ニコチンには強い依存性がありますが、まずは喫煙にともなうリスクを理解し、禁煙に挑むことが重要です。

② お酒

たばこと違って、まったく飲んではいけないということではないので、対象者の病状に合わせて主治医と相談することが必要です。

(10) ペースメーカー装着者の日常生活の留意点

ペースメーカーが正常に作動しているのかを確認するために、毎日1分間脈拍を測定する必要があります。また、別の医療を受けるときにはペースメーカーが埋め込まれていることを医師に伝える必要がありま

[20] ペースメーカー手帳
植え込まれているペースメーカーのことなど、さまざまな情報が書かれている手帳。

す。さらに、不測の事態に備えて、**ペースメーカー手帳**[20]を常に持ち歩くようにします。

　日常生活においては、電磁波の影響を受けるのでいくつか注意が必要です。

1 入浴

　通常の入浴であればとくに影響はありません。ただし、電気風呂（浴槽の湯に電流が流れているもの）は、機器に影響を与えるおそれがあるので利用しないようにします。

2 運動

　運動の種類や程度によっては、ペースメーカーのリード線等を破損するおそれがあるので注意が必要です。ペースメーカー植込み部を強打するおそれのある運動や植込み側の腕に強い力を必要とするような運動は避けるようにします。

3 外出（買い物や旅行等）

　店舗や図書館に設置されている電子商品監視機器や空港などの金属探知機から影響を受けることがあります。ペースメーカー手帳を提示し、使用を避けるようにします。店舗によっては、機器の設置がわからないところもあるので、出入口では、中央付近を、立ち止まらないようにして通過します。

4 家庭内

　IH調理器などには、ペースメーカー植込み部を近づけないようにします。携帯電話使用時は、植込み部の反対側の耳にあてて会話をする、携帯電話操作時は、植込み部から15cm以上離すようにします。

5 電気自動車

　電気自動車の急速充電は行わないようにします。また、急速充電器が設置されている場所には、近寄らないようにします。普通充電器を使用する場合は、充電中に充電スタンドやケーブルに密着するような姿勢をとらないようにします。このほか、身体に電気を通すもの（低周波治療器等）や電磁波が発生するものを使用する際には、注意が必要です。

3 支援の展開

（1）食事

1 味つけと食事内容

塩分が制限され薄味の味つけになるので、香辛料や酢、レモンやかぼすなどの柑橘類の酸味を活用します。また、限られた塩分を均等に使用して味つけをするとどれも薄味になってしまうので、本人の好みに合わせて重点的に塩分を使用するなどの工夫も必要です。

食欲が低下しているときには、食べたいものを食べられるようにします。食品に含まれる塩分量を確認し、1日の塩分制限内で食べられるものやその量を考えます。また味つけや盛りつけを工夫したり、温かいものは温かく、冷たいものは冷たくしておいしく食べられるようにします。

2 食事の姿勢

食事中に疲労感や呼吸困難があるときには、安楽な姿勢が保てるように工夫します。

3 適切な水分量

水分制限の指示が出されている場合は、1日に摂取できる量の水をポットに入れておき、どのくらい飲めるかをわかるようにしておきます。過剰な水分は、心臓に負担をかけますが、利尿薬を内服している場合などでは、水分不足は脱水につながるので適切な量の水分をとることは重要です。

口渇に対しては、氷を口に含むと少量の水でも、多少の満足感が得られます。

（2）入浴

1 入浴環境の整備

入浴前に脱衣室や浴室を温めておき、居室などとの気温差をなくすようにします。とくに冬季は、気温差が大きくなるので注意が必要です。

2 入浴方法

湯の温度は38〜41℃とし、胸までの半身浴とします。入浴時間は10分以内を目安とします。食事や散歩のあとの入浴は避け、また入浴後は十分に休息をとれるようにします。体調がすぐれないときは無理をせず、

シャワー浴や清拭を考えることも必要です。

（3）排泄

❶ 便秘の予防

排便時にいきむことが血圧の変動をまねき、心臓に負担をかけるため、便秘の予防が大切です。便意がなくても、時間を決めて便座に座り排便を習慣づけるようにします。便座に座ることは、腹圧もかけやすく排便しやすくなります。便秘予防に食事内容にも配慮が必要です。食物繊維やヨーグルトなどの発酵食品の摂取は、便秘予防に効果があります。

❷ 利尿薬の影響

利尿薬を内服している場合は、その薬の作用時間に尿量が増えます。トイレ誘導が必要な人やおむつを着用している人の場合は、薬の作用時間に合わせてトイレ誘導やおむつ交換を行う必要があります。

❸ 排泄環境（移動距離と温度）

トイレまでの歩行がつらい場合は、車いすを使用して移動します。また血圧の変動を避けるため居室とトイレ等の気温差をなくすようにします。

（4）活動と休息

息切れ、呼吸困難、倦怠感の増強などの症状がみられない範囲でできることを行ってもらうようにします。このような症状がみられた場合は、休息をとるようにします。動作を行う際は、1つひとつゆっくり行い、次の動作を行う際には休んでから行います。また食後1～2時間は安静にするようにします。

身体機能の維持、生活の質の向上、ストレスの軽減等を目的として、散歩など気分転換をはかることも重要です。

（5）服薬

指示されているとおり、正しく服用することが重要です。食事がとれなかった場合でも、血糖値を下げる薬以外は、指示どおりの時間に服用します。

4 事例で学ぶ──心臓機能障害に応じた生活支援の実際

事例

Fさん（90歳、男性）は、心不全と脳梗塞後遺症（右不全麻痺）があり介護老人福祉施設に入所しています。移動には、杖を使用しています。
最近、居室から食堂への移動の際、途中で休んでいる姿を見かけるようになりました。ある日の朝、Fさんから「昨日の夜、寝ていたら息苦しくなって目が覚めた」と言われました。

Fさんに確認すること

まず、Fさんに次の点を確認しました。

① 息苦しくて目が覚めたときの様子
② 現在の呼吸苦の有無、喘鳴の有無、下腿の浮腫の有無
③ 最近の生活状況の変化
　・息苦しくなることがあるか
　・どのようなときに息苦しくなるのか
　・咳こむことはあるか

介護福祉士の対応

看護師は出勤前だったので、Fさんの話をふまえて、次のように対応しました。

① Fさんを座位で安楽になるように姿勢を調整し、安静にしているように伝えた。
② バイタルサインと経皮的動脈血酸素飽和度（SpO_2）を測定した。
③ 看護師の出勤後、Fさんの様子とバイタルサインを報告した。

多職種連携のポイント

Fさんは、食堂までの歩行の際も時々息苦しくなることがあり、途中で休んでいました。また、就寝中に咳こみ、息苦しくなって目を覚ましましたようでした。これらは、心不全が悪化したときにみられる症状です。

介護福祉士から報告を受けた看護師は、あらためてFさんの状態を確認し、主治医に報告しました。

主治医からは今後、心不全が進行すると発作性夜間呼吸困難となり、就寝中に息苦しさのため目を覚まし、起座呼吸となることが予測され

> ること、そのときは起座位で安楽な体位を調整して様子をみること、それでも呼吸困難の症状が改善されない場合は、主治医に連絡することなどが指示されました。また、家族にもFさんの状態を知らせ、今後の対応について、本人・家族、主治医、看護師、介護支援専門員（ケアマネジャー）、介護福祉士、生活相談員、管理栄養士、機能訓練指導員等が同席し、話し合いがもたれました。

健康状態の変化により、日常生活行動が変化することは多々あります。したがって介護福祉職は、平常の日常生活をよく観察し、わずかな変化にも気づくことが大切です。そしてその変化を医療職に正確に報告することで、適切な対応につながります。また、心不全が進行した場合や、急変に備えて、今後の対応に関することを、厚生労働省が示す**人生の最終段階における医療・ケアの決定プロセスに関するガイドライン**[21]に従って、本人・家族と関係職種とで話し合うことが必要です（詳しくは『生活支援技術Ⅱ』（第7巻）第6章を参照ください）。

[21] **人生の最終段階における医療・ケアの決定プロセスに関するガイドライン**
人生の最終段階を迎えた本人・家族と医師をはじめ医療・介護従事者が、最善の医療・ケアをつくりあげるプロセスを示すガイドライン。人生の最終段階における医療・ケアの提供にあたって、本人の意思を尊重するためのもの。

◆ 参考文献
- 山田律子・萩野悦子・内ヶ島伸也・井出訓編、佐々木英忠編集協力『生活機能からみた老年看護過程＋病態・生活機能関連図 第3版』医学書院、2016年
- 医学情報科学研究所編『病気がみえる vol.2 循環器 第4版』メディックメディア、2017年
- 老人の専門医療を考える会編著『症状・疾病でわかる 高齢者ケアガイドブック――医療依存度の高い要介護者へのアプローチ』中央法規出版、2012年

第 **6** 節

【内部障害】
呼吸器機能障害に応じた介護

> **学習のポイント**
> - 呼吸器機能障害について医学的・心理的側面から理解する
> - 呼吸器機能障害のある人の生活上の困りごとを理解する
> - 呼吸器機能障害のある人への支援において、多職種連携のなかで介護福祉士が果たすべき役割を理解する

関連項目	
⑫『発達と老化の理解』	▶ 第5章第3節「高齢者に多い疾患・症状と生活上の留意点」
⑭『障害の理解』	▶ 第2章第6節「内部障害」
⑮『医療的ケア』	▶ 第1章第4節「健康状態の把握」

1 呼吸器機能障害の理解

(1) 呼吸とは

呼吸とは、生命を維持するために体内において物質代謝で必要な**酸素**❶を取り入れ、エネルギーを産生し、その結果二酸化炭素を体外に出していくことをいいます。人は生きていくために、食物摂取によりエネルギーを得る必要がありますが、そのエネルギーを生命に必要なものに変えるためには、酸素が必要になります。

(2) おもな呼吸器のしくみ

1 口腔と鼻腔

鼻の奥は咽頭部に続いています。鼻腔には吸いこんだ外気に湿度と温度を与えるはたらきが、鼻毛には空気に含まれるちりを取り除くはたらきがあります。

2 気管と気管支

気管と**気管支**は空気の通り道ですが、空気が通るときにだけ広がるわけではありません。気管と気管周囲には蛇腹ホースのように軟骨が取り

---

❶**酸素**
酸素（O_2）は、無味無臭で空気中に約21％含まれている。生物の呼吸や燃焼に関係する。酸素自体は燃焼しないが、燃焼を助けるガスである。そのため、酸素療法時には火気厳禁などの注意事項がある。

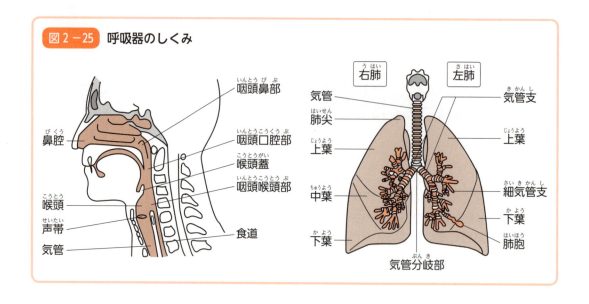

図2-25 呼吸器のしくみ

巻いています。そのため気管支と気管はつぶれることなく空気の出入りが保たれています。

気管は長さ約10cm、直径約1.5cmの円筒状をした細長い管です。気管の下方で、左右の気管支に分岐しています。気管支は肺の中で次々に細かく枝分かれし、しだいにせまくなって肺胞に達します。気管と気管支の内部には繊毛があり、痰などの異物を喉頭に向けて運ぶはたらきがあります。

気管支は、左右の肺にあわせて、右が3本、左が2本に分かれています。左右の気管支は角度と長さに差があります。右気管支は太く、短く急傾斜になっているため、異物が入りやすくなっています（図2-25）。

3 肺

肺は心臓を囲んで左右に1対あります。左肺は上葉・下葉の2つ、右肺は上葉・中葉・下葉の3つの袋に分かれています（図2-25）。肺の表面は胸膜（肋膜）という弾力のある袋で包まれています。胸膜は2枚の膜でその間には少量の漿液が分泌され、呼吸運動による肺と胸膜の摩擦を防いでいます。

4 肺胞

肺胞は、小さなブドウの房のような形で、伸び縮み自由な袋の集まりといえます。肺胞の中は空洞で空気を出し入れしています。肺胞周囲の壁には毛細血管があります（図2-26）。

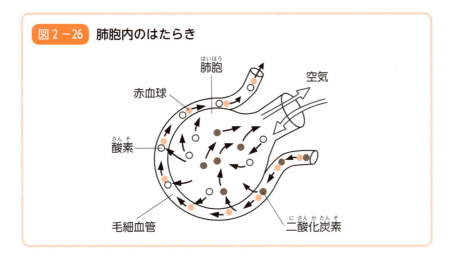

図2-26 肺胞内のはたらき

（3）呼吸運動のしくみ

呼吸は、橋と延髄にある呼吸中枢がコントロールしています。呼吸は、胸腔のまわりを囲む、内外肋間筋とその底部にある、薄く茶碗を伏せたような筋肉である横隔膜の収縮によって呼吸運動として行われています。これらの筋肉は横紋筋に分類されます。つまり呼吸は無意識のうちに調整されていますが、自分の意志による調整も可能だということになります。

空気は、口腔・鼻腔から吸いこまれ、咽頭から喉頭、気管、気管支から肺、肺胞に取りこまれていきます。肺胞で酸素を受け取った血液は、心臓に流れ全身の細胞に送られます。全身の細胞で酸素を渡し、二酸化炭素を受け取った血液は心臓に戻ります。心臓から肺に戻った血液は、肺胞で二酸化炭素を渡し、来た道を戻る形で吐き出されます。

（4）呼吸器の分類

呼吸器は、表2-9のように分類されます。医療職と連携するうえでその役割と該当する臓器を確認しておく必要があります。

（5）呼吸機能障害のおもな疾患

1 慢性閉塞性肺疾患（COPD）

慢性閉塞性肺疾患[2]（COPD：chronic obstructive pulmonary disease）とは、たばこの煙を主とする有害物質を長期に吸入することで生じた肺の炎症性疾患をいいます。おもな原因は、喫煙によるものです。おもな症状には、しつこく続く咳、粘り気のある痰、階段などの昇

[2] **慢性閉塞性肺疾患**
従来は肺気腫あるいは慢性気管支炎とされていたものの総称である。
肺気腫：肺胞が破壊され、ガス交換が障害された状態。
慢性気管支炎：気管、気管支の慢性炎症により大量の粘液が分泌して起こる。痰をともなう咳が長期にみられる。

表2−9 呼吸器の分類方法

分類	役割	臓器
上気道	空気中のちりなどを防御し、加湿する。	鼻・鼻腔・咽頭・喉頭
下気道	酸素を体内に吸収する。	気管・気管支・肺
気道	空気の通り道	鼻・鼻腔・咽頭・喉頭 気管・気管支
肺	酸素と二酸化炭素の交換を行う。	肺・肺胞

図2−27 ばち状指

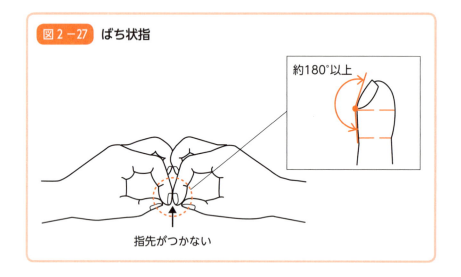

指先がつかない
約180°以上

❸ばち状指
指先に角度がつき、指をあわせてもつかない状態。

❹口すぼめ呼吸
p.97参照

降で息切れがしやすい（労作性呼吸困難）などがあります。末梢血管の低酸素状態が長期に続くことで、**ばち状指**❸（図2−27）やビア樽状の胸郭など体格面の変化もみられます。無意識に**口すぼめ呼吸**❹をしている場合もあります。呼吸は呼気が延長します。呼吸困難があることで、抑うつや不安などの精神症状をみることもあります。

2 気管支喘息

気管支喘息は、気道の閉塞を生じる疾患です。喘鳴をともなう呼吸困難の発作が反復するのが特徴とされています。原因として、アレルギーや気道感染、薬物の副作用などがあります。おもな症状は呼吸困難で、吸気より呼気であきらかにみられ、真夜中から明け方にかけて多くみられます。咳や痰もともないます。呼吸困難時には、起座位（図2−29参照）になることで胸郭が広がり呼吸が楽になります。治療には、ステロ

イドの吸入などが行われます。

3 肺結核

　結核は、結核菌を吸いこむことで感染し、抵抗力の低下などで菌が増えて発病する慢性感染症です。したがって免疫低下を起こす疾患や、HIV（human immunodeficiency virus：ヒト免疫不全ウイルス）、慢性腎不全、糖尿病などがある人は、注意が必要です。おもな症状は、咳、痰、発熱、体重減少などですが、高齢者の場合には自覚症状にとぼしいので初期症状を見落とさないよう注意が必要です。

　肺結核は薬で治る病気となり、結核患者は減少しています。しかし、高齢者における罹患率が高くなっている現状があります。

4 肺がん

　がんは、日本の死亡原因1位です。とくに肺がんはその患者数が多いのが特徴です。肺がんのおもな症状としては、咳、痰、呼吸困難、胸痛、体重減少などがあります。

5 肺炎

　肺炎は、細菌やウイルスなどの病原微生物の感染により生じる疾患です。おもな原因は病原微生物を上気道から肺に吸いこむことです。おもな症状は、発熱、咳嗽（せき）、喀痰、呼吸困難などの呼吸器症状です。診断では、胸部Ｘ線撮影が行われます。

　高齢者の肺炎は、症状が明確でないという特徴があります。発熱や喀痰などの症状がみられず、何となく元気がない、食欲がないなどは、注意するべき症状です。気がつかないでいると、突然、呼吸困難になることもあります。さらに高齢者では、インフルエンザをきっかけに肺炎になることがあるので、予防接種を受けることや日ごろから手洗い、うがいを行うことが重要になります。

6 肺炎球菌感染症

　肺炎球菌感染症は、肺炎球菌という細菌を原因とする肺炎です。日本では、高齢者の肺炎による死亡が多くなっています。また、約3～5％の高齢者では鼻や喉の奥に、この菌が常在しているとされています。おもな症状は、突然の高熱、鉄錆色の喀痰などがあります。国は2014（平成26）年度から高齢者を対象とした、肺炎球菌ワクチンの定期接種を開始しています。

（6）呼吸器機能障害の治療等に用いられる療法など

1 在宅酸素療法（HOT）

在宅酸素療法（HOT：home oxygen therapy）とは、自宅など病院以外の場所で酸素吸入を行い、不足している酸素を高濃度の酸素として吸入する治療法です。低酸素血症の改善や予防を目的とします。この療法により利用者は呼吸苦の軽減をはかることができ、日常生活の場を広げることができます。使用される器具には、酸素濃縮装置や酸素ボンベなどがあります。それらの器具から、酸素を含んだ空気がチューブで利用者の鼻カニューレに送られます。酸素流量は医師が病状によって決定しているので、介護福祉職の判断で変更することはできません。

2 人工呼吸療法

人工呼吸療法は、何らかの理由で換気が十分にできなくなった状態の利用者に対して、人工呼吸器を装着する方法です。人工呼吸器は、圧力をかけて酸素を肺に送る医療機器です。人工呼吸器の装着には、気管切開をする場合と、鼻マスクを使用する場合があります。人工呼吸器の設定は医師が決定します（『医療的ケア』（第15巻）第2章第1節を参照ください）。

3 パルスオキシメーター

パルスオキシメーターは、動脈血中の酸素の量（動脈血酸素飽和度）を調べるための器具です。センサーを手や足の指にあてて数値を読み取ります。パルスオキシメーターで測定した値は「経皮的動脈血酸素飽和度（SpO_2）」といい、基準値はおおよそ100〜95％です。

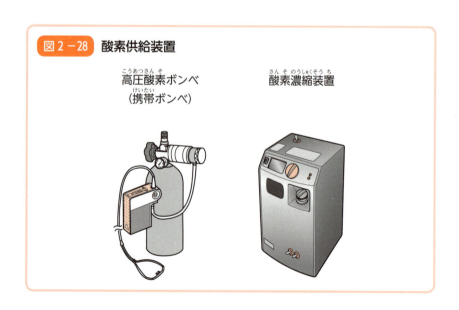

図2-28 酸素供給装置

第6節 【内部障害】呼吸器機能障害に応じた介護

表2-10 運動療法以外の呼吸リハビリテーションの概要

呼吸訓練	口すぼめ呼吸	口をすぼめて息をゆっくり少量ずつ吐くことで、息切れが楽になる。
	腹式呼吸	横隔膜を有効に活用する呼吸法。腹式呼吸が副交感神経のはたらきを整えリラクゼーション効果も期待できる。
排痰法	体位ドレナージ	喀痰が貯留している部位を上にして重力を用いて排痰する方法。
	スクイージング法	口を肺よりも下にして、胸郭をもむようにして排痰する方法。

介護福祉職は一定の条件のもと、この装置を装着し測定値を確認します。ただし、測定値による状態の判断はせず、測定値は医療職に報告します。

4 呼吸リハビリテーション

呼吸リハビリテーション❺は、**運動療法**❻を中心として、呼吸訓練、排痰法などが行われます。薬物療法と併用して行うと治療効果があるとされています。呼吸困難時は、吸気時に気道が閉塞するため、口をすぼめることで内圧を高くし閉塞を防ぐ、口すぼめ呼吸も行われます（表2-10）。

5 薬物療法など

喫煙者には禁煙指導が行われます。呼吸困難の軽減目的で気管支拡張薬や、喘息のときには吸入ステロイドを使用します。

❺ 呼吸リハビリテーション
「呼吸器に関連した病気を持つ患者が、可能な限り疾患の進行を予防あるいは健康状態を回復・維持するため、医療者と協働的なパートナーシップのもとに疾患を自身で管理して、自立できるよう生涯にわたり継続して支援していくための個別化された包括的介入である」（日本呼吸管理学会・日本呼吸器学会、2018年）と定義されたもの。

❻ 運動療法
身体機能の障害に対して運動を行うことで、身体機能の回復や維持をはかること。ここでは呼吸訓練などをいう。

2 生活上の困りごと（観察の視点）

医療職と連携するうえでも、生活場面のなかで注意しておきたい観察点を共有しておくことが重要です。利用者の症状や状態、高齢者の場合には加齢にともなう変化もあるので一概にはいえませんが、次のような点に気がついたら、医療職に報告しましょう。

（1）精神的苦痛への対応

呼吸困難がひどい場合には、他者が見ても苦しそうだとわかりますが、日常生活のなかで生じる息苦しさを他者が理解することはむずかしい場合があります。また、動くと苦しさが強くなる、他者と同じ行動ができないということが、閉じこもりやうつ傾向になる原因になることもあります。利用者の気持ちに寄り添い支援していくためには、呼吸器機能障害のある利用者の精神的苦痛を理解したうえでの支援が重要になります。

精神的苦痛を表現できない利用者の場合、眠れない、食欲がないという訴えとして表現される場合もあることを、意識しておくことも重要です。

（2）呼吸困難の状態を確認する

呼吸困難（表2-11）の原因には、換気の減少や気道の通過障害、不必要な二酸化炭素の排出ができないなどがあります。呼吸困難がある場合には、呼吸数や脈拍数、パルスオキシメーターの値を確認します（『医療的ケア』（第15巻）第1章第4節を参照ください）。呼吸数を確認しながら、呼吸の深さも確認します。浅い呼吸は呼吸困難の症状です。利用者に声をかけて意識の状態も確認します。意識の状態がいつもと異なる場合、口唇や爪に**チアノーゼ**[7]がみられた場合には、すぐに医療職に連絡します。

呼吸困難がある場合には、利用者も不安な状態になっていることが多いので、安心させる声かけを忘れてはいけません。介護福祉職があわてて、利用者の不安を強めることのないようにしましょう。

[7] チアノーゼ
口唇や爪が青紫色になった状態。血液の酸素欠乏や二酸化炭素過剰によりみられる。

（3）使用機器の点検確認

在宅酸素療法を行っている場合には、使用している機器の状況を確認することも重要です。酸素が十分に供給されない場合には、呼吸困難が生じます。酸素濃縮装置を使用している場合には、電源が入っているか、チューブのルートに支障はないか、酸素が出ているかを確認します。酸素は無味無臭で目には見えないので、カニューレをコップの水に入れると、酸素が出ている場合には気泡が確認できます。酸素ボンベを使用している場合には、酸素残量を確認しましょう。利用者は息切れなどの症状が改善されない場合や酸素に対してあやまった知識があると、

表2-11 異常な呼吸

呼吸数と深さの異常	頻呼吸	呼吸の深さは変わらないが、呼吸数が正常より増加。1分間に25回以上。	
	徐呼吸	呼吸の深さは変わらないが、呼吸数が正常より減少。1分間に12回以下。	
リズムの異常	チェーンストークス呼吸	無呼吸と深く速い呼吸が交互に出現する。	
	クスマウル呼吸	異常に深く遅い呼吸が持続する。	
努力呼吸	下顎呼吸	下顎を下方に動かし口を開いて吸気する。	
	鼻翼呼吸	鼻翼が呼吸に応じてピクピクする。	
	陥没呼吸	胸腔内が陰圧になり、吸気時に胸壁が陥没する。	
	肩呼吸	肩を上下させて呼吸する。	

自分で酸素流量を変えている場合があります。酸素流量は指定された状態であるかどうか確認します。

（4）体温の変化

体温の上昇は、感染（風邪の初期症状）の徴候です。日ごろの体温を定期的に確認しておくことが必要ですが、体温が37.5℃以上あった場合には、医療職に報告します。その際には後述する、呼吸困難や痰の色の変化など利用者の状態も同時に確認し報告することが必要になります。

体温測定の一般的な注意点である、測定方法や測定場所、測定時の環境等にも注意することを忘れてはいけません（『医療的ケア』（第15巻）第1章第4節を参照ください）。

（5）痰の色や状態

呼吸器機能障害のある利用者の場合、痰が出ます。痰の色、かたさ、量の変化を日ごろから確認しておきましょう。急な変化は感染症など体調変化のあらわれなので医療職に報告します。

（6）体重変化と浮腫

呼吸器機能障害が心臓に負担をかける場合があります。心臓に負担がかかると浮腫（むくみ）が出て体重が増加します。定期的な体重測定は、体重変化を知るうえで重要な情報となります。急に尿が少なくなったり、体重が増えたりした場合には、医療職に連絡します。

（7）意識の変化など

眠気が強い、頭が痛い、気分が落ち着かないなどの場合には、酸素不足や二酸化炭素の増加が疑われます。利用者の訴えをよく聞き、このような症状がみられたら医療職に連絡します。

そのほか、いつもと異なる訴え、食欲がない、胸が痛いなどの訴えがある場合には早めに医療職に連絡します。

3 支援の展開

呼吸器機能障害がある利用者の場合、生活動作や活動にともなって、息苦しさが増加します。そのため、生活行動である、食事、入浴、排泄、買い物なども大きな負担がかかる行動になります。利用者の生活を支援するためには、生活を維持するために、状態にあわせた、日常生活の支援方法を考えることが重要になります。

（1）呼吸困難軽減への対応

呼吸困難のある利用者には、呼吸困難を軽減する体位の工夫と、環境の整備を行います。体位は、座位や起座位でいることが呼吸を楽にします。ベッドの機能を活用し上部を上げ、枕などを用いて体位を保持します。室温は低めに設定し、顔に風を送ることで、呼吸困難を軽減できる場合があります。

ほこりや気温、湿度の変化が咳を誘発することがあります。温度・湿度の確認や、日ごろから室内環境を清潔にしておくことも心がけます。

（2）風邪・インフルエンザの予防

呼吸器機能障害の疾患は、冬に増悪しやすい特徴があります。風邪やインフルエンザの予防を心がけます。

図2-29 安楽な姿勢

背部に布団を折りたたんだものを当て、寄りかかる

テーブルの上に大きな枕を置き、寄りかかる

風邪・インフルエンザの予防のポイント
- 規則正しい生活、適度な運動、バランスのよい食生活、十分な休養を心がけた生活を行う。過労を避ける。
- うがい、手洗いを習慣とする。
- 口腔内の清潔のために、食後は歯みがきをする。
- 人の多い場所への外出を避ける。咳や鼻水など風邪症状のある場合や外出時にはマスクをする。
- 部屋の加湿、換気、温度差の少ない環境整備を心がける。
- 痰はこまめに出す。
- インフルエンザの予防接種を受ける。
- 症状が悪化する前に、早めに受診する。

（3）食事への対応

　食事をすると胃がふくれて、横隔膜を圧迫し呼吸がしにくくなります。また、食後は消化管に血液が多く流れるので、呼吸器系への血液が少なくなり、ガス交換機能が低下します。そのことから、食事の1回量を少なくし、回数を分けて摂取したりします。胃がふくれるような繊維質の多いものや、ガスを発生させやすいものも避けるようにします。
　痰には、たんぱく質と水分が含まれているため、食事でたんぱく質や水分を補うことが必要になります。また、痰を出しやすくするためにも、水分摂取は重要になります。一度に飲むと胃がふくれるので、こまめに飲むようにしましょう。

食事や水分摂取後には、痰が多くなる傾向にあります。

酸素を吸いながらの調理は可能ですが、ガスコンロなど火を使う調理はしてはいけません。酸素吸入時には火気厳禁です。ガスコンロの代わりに、電子レンジや電磁調理器を活用します。

> **食事のポイント**
> ・水分、たんぱく質、カロリーの高い食事をとる。
> ・胃をふくらませる食材は避ける。
> ・1回量を少なくし、回数を多くする。

（4）排泄への対応

排泄時にいきむことは、息を止めてしまうことになるので注意が必要です。呼吸を整えながら、息を吐きながらの排便をうながしましょう。便秘はいきみにつながります。便秘予防のために、水分摂取とともに状態をみての軽い運動も可能か、医療職に確認しておきます。また、使用する薬剤（気管支拡張薬）のなかには、便秘になりやすくなるものもあります。排便の状態を記録しておき、排便に苦痛をともなう場合などには医療職に報告します。

> **排泄のポイント**
> ・便秘を予防する。
> ・排便時のいきみを少なくする。

（5）入浴への対応

入浴は、からだの清潔を保ち、リラックスできますが、カロリー消費量、酸素消費量が多く、息切れが強くなる場合があります。また、洗髪の際の前屈姿勢が息苦しさにつながる場合もあるので、浴室用いすを利用するなど、姿勢を保つ工夫が必要です。

湯船に入るときには、胸部を圧迫しないようにし、湯温は高くせず、湯船に浸かる時間を短くするなどの工夫が必要です。短い時間でも、満足感を得られるような支援も必要です。

酸素を吸いながらの入浴は可能です。カニューレが濡れた場合には、水分をふきとります。

> 入浴のポイント
> ・湯温は低く、湯船に浸かる時間は短時間にする。
> ・肩まで入らない。

（6）衣服・寝具の工夫

きつい衣服や着脱の際に上肢を上げることが多いと、胸部を圧迫したり、活動量を多くしたりして、息苦しさにつながります。重い寝具も胸部を圧迫します。衣服は、好みにあったゆったりめの衣服で、着脱の際に不必要に活動量が増えない工夫をします。寝具は軽めにすることも考えましょう。

（7）酸素濃縮装置設置、使用時の注意点

使用機器の注意点は、利用者とともに確認しておきます。確認のポイントを表2－12に示しました。

（8）他職種との連携

1 外出支援

呼吸器機能障害があって酸素療法を行っている場合でも、体調がよければちょっとした散歩から旅行までできることは多くあります。具体的な例としては、酸素機器を提供している会社の協力を得て、自宅で使用している酸素濃縮装置を旅先の宿に用意してもらうことが可能な場合もあります。利用者の生活の楽しみを支援するために、ボランティアの協

> **表2－12 酸素濃縮装置の確認のポイント**
>
> ・使用にあたって日常の点検項目を確認しておく。
> ・火気、水気を避けて設置する。
> 　ストーブ、ガスコンロなどは、酸素濃縮装置から2m以上離す。
> ・直射日光の当たらない場所に設置する。
> ・家財から前後左右15cm以上空けて設置する。
> ・加湿器は、酸素濃縮装置から離して使用する。
> ・停電時には酸素ボンベに切り替えができるようにしておく。
> ・酸素吸入中は、本人および周囲の人は禁煙を守る。

表2−13 在宅療養日誌記入例

酸素の量
安静時　1　L
労作時　2　L

月/日			○/△		/	
体　温			36.5	36.5		
脈　拍			80	86		
一般状態		咳	ある・(ない)		ある・ない	
	痰	色	無色・(白)・黄・緑・茶		無色・白・黄・緑・茶	
		かたさ	かたい・(やわらかい)		かたい・やわらかい	
		量	(少)・普・多		少・普・多	
		回数	3　回/日		回/日	
	息切れ	安静時	ある・(ない)		ある・ない	
		労作時	(ある)・ない		ある・ない	
	動悸	安静時	ある・(ない)		ある・ない	
		労作時	(ある)・ない		ある・ない	
	むくみ（部位）		ある・(ない)　(　　　　　)		ある・ない　(　　　　　)	
	排便		(ある)・ない		ある・ない	
	頭が重い		ある・(ない)		ある・ない	
	ボーッとする		ある・(ない)		ある・ない	
日常生活	食欲		×　△　(◎)		×　△　○	
	睡眠		×　△　(◎)		×　△　○	
	入浴		×　(◎)		×　○	
	散歩		30　分		分	
腹式呼吸訓練			3　回/日		回/日	
出来事			散歩時、坂で少し苦しさを感じた			
体重			48.6　kg		kg	

力を得ることも検討します。

2 体調の確認

　酸素療法を行っている場合には、利用者が**療養日誌**（表2-13）をつけています。介護福祉職はその日誌を確認したり、利用者が記入できない場合には、聞きとり、記入の補助をすることも必要になります。この日誌は医療職にとって利用者の状態を知る重要な情報です。また、この情報を共有することは介護福祉職が行う支援においても重要な意味をもちます。

4 事例で学ぶ——呼吸器機能障害に応じた生活支援の実際

事例

　Gさん（75歳、男性）は、通所介護（デイサービス）や訪問介護（ホームヘルプサービス）、訪問看護を利用しながら1人で自宅で暮らしています。慢性閉塞性肺疾患（COPD）のため数か月前から在宅酸素療法（HOT）を行っています。

　通所介護では午後の自由時間に、ほかの利用者と麻雀をするなどの活動をしていますが、ある日、入浴後に「今日は疲れた、少し休みたい」という訴えがありました。担当の介護福祉職は休養室で休むことができることを伝え、案内しました。休養室で休んでいるGさんの様子をほかの介護福祉士が見に行くと、Gさんは肩で呼吸をしており「息が少し苦しい……」と言ったので、看護師に報告しました。

　介護福祉士は次のような支援内容を検討しました。

ほかの介護福祉職と医療職に確認すること

　ほかの介護福祉職には、次の点を確認しました。
- 健康状態の確認：呼吸状態に変化はないか、酸素吸入は行われているか
- 入浴の様子：入浴時の支援方法、入浴時に気になる点がなかったか
- 休養室での様子：休んでいるときの様子、環境整備の状況

　看護師には、入浴後の様子を伝え、休養室での健康確認を依頼しました。

介護福祉職等の対応

　入浴を担当した介護福祉職からは、「最近寒くなってきたから、今日は少しゆっくり湯船に浸かりたい」と言われたので、Gさんが満足するまで入浴してもらった、という報告がありました。また、休養室に案内した介護福祉職によると、Gさんが「少し休めば、大丈夫だ」と言ったので、すぐに退室したとのことでした。

　看護師からは、呼吸困難状態ではないが、疲労感が強い状態であること、HOTでの不都合はないことが確認できました。加えて、Gさんの休息時の体位について、ベッドの使用方法を考慮するべきであったとの意見がありました。

多職種連携のポイント

　これらの状況から介護福祉士は、ほかの介護福祉職とともに呼吸器機能障害のある利用者への対応について確認する必要があるとして、看護師も含めての勉強会を行うことにしました。呼吸器機能障害がある利用者の介護上の留意点を確認することで、利用者の健康状態や生活状況の維持につながると考えたからです。

　勉強会での話し合いの結果、次のような視点を確認し、対応の留意点として、共有しました。

入浴時の支援方法について

① 入浴時間や身体的負担について確認する

　利用者の希望に応えることは支援の過程で大切なことであるが、入浴時間が長くなったり、高温の湯での入浴は呼吸に負担がかかることを確認する。また、入浴時に肩まで浸かると、静水圧作用で呼吸に負担がかかることを確認する。それらのことを理解したうえで、利用者の健康状態を悪化させずに、利用者の満足感を引き出す工夫はないか、肩にタオルをかけそこに湯をかけるなど疲労の少ない援助方法を考える。

② 呼吸器機能障害のある人の安楽な姿勢について確認する

　健康状態に支障がない場合には、疲労回復のためには仰臥位での休息がよい。しかし呼吸器機能障害のある利用者の場合、どの体位での休息がよいのかを確認することが必要である。とくに、呼吸困難のある利用者の場合には座位姿勢が呼吸を楽にする姿勢であることをふまえて、休養室を利用する場合には、環境整備まで配慮する必要がある。いつもと異なる環境であることから、電動ベッドの使

用方法、安楽な姿勢を確認することまでが支援の過程であることを確認する。
③ その他
　HOTの一般的注意事項、鼻カニューレに水が入らないようにする、洗髪時は一時はずすなどの留意点を確認する。
　その後、Gさんの事例をふまえて、呼吸器機能障害のある利用者の、他の生活上の支援注意点についても確認しました。

　健康状態に不安のある利用者を支援するためには、健康を阻害しない介護の工夫が重要です。そのためには、関係する多職種との情報共有、多職種がもつ専門的視点についても確認していくことが必要です。

◆ 参考文献
- 池西静江・小山敦代・西山ゆかり編『プチナースBOOKS アセスメントに使える 疾患と看護の知識』照林社、2016年
- 小田正枝・山口哲朗編『プチナースBOOKS チャートでわかる！症状別 観察ポイントとケア』照林社、2016年
- 白井孝子『基礎から学ぶ介護シリーズ 改訂 介護に使えるワンポイント医学知識』中央法規出版、2011年

第 **7** 節

【内部障害】
腎臓機能障害に応じた介護

学習のポイント

- 腎臓機能障害について医学的・心理的側面から理解する
- 腎臓機能障害のある人の生活上の困りごとを理解する
- 腎臓機能障害のある人への支援において、多職種連携のなかで介護福祉士が果たすべき役割を理解する

関連項目		
	⑪『こころとからだのしくみ』	▶第7章「排泄に関連したこころとからだのしくみ」
	⑫『発達と老化の理解』	▶第5章第3節「高齢者に多い疾患・症状と生活上の留意点」
	⑭『障害の理解』	▶第2章第6節「内部障害」

1 腎臓機能障害の理解

（1）腎臓のしくみ

　腎臓は腹膜の後方、脊柱の両側にあり、そら豆のような形をしています。成人の腎臓は、長さ約12cm、幅約5cm、厚さ約3cmであり、重さは120～150gです。腎臓の実質は、外側の皮質と内側の髄質に分けられます。

　皮質には糸球体が多数存在し、血液のろ過を行っています。糸球体はボウマン嚢で包まれ、糸球体とボウマン嚢をあわせて腎小体といいます。腎小体と尿細管からなるネフロンは、尿を生成する最小の構成単位で、左右の腎臓あわせて約200万個あります。尿細管は皮質と髄質の両方を走行しながら、必要な物質の再吸収と不要な物質の分泌をしています。

　髄質は円錐状の形から腎錐体と呼ばれ、おもに尿細管とさらに太い集合管からなっています。集合管は髄質内を蛇行し、数本の集合管が合流して腎杯に開口します。腎杯は集合して腎盂（腎盤）となり、尿管につ

図2-30 腎臓の構造(縦断面)

ながります。尿は尿管を通って、膀胱へと運ばれます(図2-30)。

(2) 腎臓のはたらき

腎臓は、体内に蓄積した老廃物や余分な水分を排泄する役割をもっています。腎臓に流れこんだ血液は、糸球体でろ過され原尿となります。その後、尿細管で再吸収と分泌が行われ、尿として体外へ排泄されます。腎臓には、その他にもさまざまなはたらきがあります(表2-14)。

(3) 腎臓のおもな疾患

1 急性腎障害(急性腎不全)

急性腎障害とは、数時間〜数日の間に急激に腎臓機能が低下する状態

表2-14 腎臓のはたらき

- 老廃物や余分な水分などのろ過・排泄
- 体液量や電解質(イオン)バランスの調節
- 血圧の調節
- エリスロポエチン(造血ホルモン)の分泌(骨髄での赤血球生成を促進)
- ビタミンDの活性化(カルシウムの吸収促進)

であり、以前は急性腎不全と呼ばれていました。体内の老廃物を排泄できず、水分量や電解質などの調節ができなくなります。慢性腎臓病に移行することがありますが、早期に適切な治療を行うことで、腎臓機能が回復する可能性もあります。

2 慢性腎臓病（慢性腎不全）

慢性腎臓病は、腎臓の障害あるいは腎臓機能の低下が慢性的に続いている状態です（表2-15）。慢性腎臓病による腎臓機能低下は回復することはなく、進行すると末期腎不全にいたり、透析療法や腎移植が必要となります。透析療法のおもな原疾患は、糖尿病性腎症、慢性糸球体腎炎などであり、糖尿病性腎症は、日本において透析導入の原疾患の1位となっています。

慢性腎臓病が進行して腎臓の機能が正常の15％未満になる末期腎不全では、老廃物や余分な水分の排出ができず、全身にさまざまな症状があ

表2-15 慢性腎不全の原疾患

糖尿病性腎症	糖尿病の3大合併症の1つ。慢性的に高血糖状態が続くことで、毛細血管のかたまりである糸球体の血管が破壊され、ろ過機能をはじめとするさまざまなはたらきに異常をきたす。
慢性糸球体腎炎	糸球体の炎症によって、たんぱく尿や血尿が持続する病気の総称。おもな慢性糸球体腎炎には、IgA腎症、膜性腎症などがあり、症状が進行しにくいものもある。透析導入の原疾患としては、第2位である。IgA腎症は指定難病。
腎硬化症	高血圧が原因で腎臓の血管に動脈硬化を起こし、腎臓の障害をもたらす疾患。糸球体で血液の流れが悪くなることで、徐々に糸球体は硬化し腎臓機能低下が進行し腎不全にいたる。
多発性嚢胞腎	両側の腎臓に嚢胞が無数に生じて大きくなり、腎実質が圧迫されて萎縮し、腎臓機能が低下する。遺伝性疾患であり、指定難病。
慢性腎盂腎炎	尿路感染の原因菌が腎盂に達し、腎盂や腎実質に感染が生じた状態を腎盂腎炎といい、腎盂腎炎をくり返すと、慢性腎盂腎炎になる。
ループス腎炎（SLE腎炎）	全身性エリテマトーデス（SLE）に合併するすべての腎炎をさし、SLE患者の約半数に発症する。SLEは指定難病。

> **表2-16 尿毒症の症状**
>
> 食欲低下、嘔気、頭痛、頭重感、倦怠感、浮腫（むくみ）、動悸・息切れ、息苦しさ、血圧上昇、掻痒感（かゆみ）、思考力の低下、貧血、骨障害※、電解質異常（高カリウム血症、高リン血症、低カルシウム血症）など
>
> ※：腎臓機能が低下するとビタミンDのはたらきが障害され、カルシウムが吸収されにくくなる。そのため、骨から血液中にカルシウムが移動して、骨のカルシウムが減少し、骨がもろくなって骨折しやすくなったり、関節の痛みが出たりする。

らわれます。この状態を尿毒症といいます（表2-16）。

（4）日常生活の留意点

慢性腎臓病は、自覚症状がとぼしく、気づかないうちに進行するため、早期発見・早期治療が重要です。治療では、疾患の進行度合いや症状に応じて、食事療法や薬物療法などが行われます。さらに腎臓機能が低下すると、透析療法が必要になります。介護福祉職は治療の内容を理解し、医療職と連携して、症状の把握と支援に努めることが大切です。

❶ 食事療法

慢性腎臓病の食事療法は、①腎臓機能の低下を進行させない、②たんぱく質代謝産物の産生を抑制する、③水分量や電解質異常を調整する、④栄養状態を良好に保つなどを目的に行われます（表2-17）。

❷ 薬物療法

慢性腎臓病の治療では、薬剤によって腎臓の機能を補い、腎臓機能低下の進行を遅らせたり、症状を軽減したりします。

慢性腎臓病では高血圧になることが多く、高血圧は腎不全を進行させる因子であるため、降圧薬（血圧を下げる薬剤）を服用します。また、尿量を増やし、浮腫（むくみ）を軽減させるために、利尿薬を使用します。利尿薬には血圧を下げる効果もあります。ほかにも、骨障害の予防には活性型ビタミンD製剤、カリウムやリンの上昇をおさえるための吸着薬（便と一緒に排出されます）、貧血改善には造血ホルモンであるエリスロポエチンなどが使用されます。

❸ 透析療法

透析療法は失われた腎臓機能を代行し、血液を浄化する方法です。しかし、腎臓のすべての機能を代行できるわけではありません。そのた

表2-17 食事療法

エネルギー	・エネルギーが不足すると、身体のたんぱく質が分解されて血液中の老廃物が増え、腎臓への負担が増すため、糖質と脂質で十分なエネルギーを確保する。 ・腹膜透析では、透析液から吸収されるブドウ糖のエネルギー量を考慮する。 ・糖尿病性腎症の場合は、エネルギー制限が必要になる。
たんぱく質	・たんぱく質が体内でエネルギーとして使われると、老廃物が残り、腎臓に負担をかける。そのため、たんぱく質制限により、腎臓の負担を減らし、腎不全の進行をおさえる。 ・摂取量は腎臓機能のレベルにより、決められる。 ・透析が始まると、制限は少しゆるやかになる。
塩分	・血液中のナトリウム濃度が高くなると、血圧上昇や浮腫が生じ、高血圧は腎不全を進行させる。そのため、塩分を制限する。
水分	・1日の尿量や透析による除水量に応じ、水分量が決められる。
カリウム	・カリウムの排泄ができず、高カリウム血症が進行すると不整脈や心停止を起こすこともあるため、カリウムを制限する。 ・腹膜透析では、制限はゆるやかなことが多い。
リン	・高リン血症が続くと、骨折や血管壁の石灰化が起こり、心疾患や脳血管疾患を起こしやすくなるため、リンを制限する。

め、食事療法、薬物療法は継続して行います。また、腎臓の機能を回復させることはできないため、継続的に行うことが必要です。透析療法には、大きく分けて血液透析（HD：hemodialysis）と腹膜透析（PD：peritoneal dialysis）があります（表2-18）。

血液透析では、血液をからだの外に引き出して透析器に通し、老廃物や余分な水分を取り除き、電解質のバランスを整えます。そのような処理を経た血液を再びからだに戻します。血液透析を行うためには、シャントの造設が必要となります。

腹膜透析は、からだの中にある腹膜を透析膜として使用する方法です。腹腔にカテーテルを留置し、腹膜透析液を入れ、血液中の老廃物や余分な水分を取り除き、電解質のバランスを整えます。腹膜透析にはCAPD（continuous ambulatory peritoneal dialysis：持続的携行式

表2-18 血液透析と腹膜透析

血液透析	腹膜透析
・医療機関に週2〜3回通院 ・1回4〜5時間 ・尿量は導入後、短期間で減少	・自宅・会社・学校で実施 ・CAPD：1回約30分、1日4〜5回 ・APD：1回8〜10時間（就寝中） ・通院は月1〜2回 ・尿量は比較的長く維持される
・透析による苦痛：穿刺痛、倦怠感 ・合併症：不均衡症候群※、シャントの閉塞・感染・出血	・透析による苦痛：腹部膨満感 ・合併症：カテーテルからの感染、腹膜炎
・食事：たんぱく質、塩分、カリウム、リン、水分の制限 ・入浴：透析日は避ける ・スポーツ：シャントへの注意が必要 ・旅行：長期の場合は、あらかじめ透析施設への予約が必須	・食事：塩分、リン、水分の制限 ・入浴：カテーテルの保護が必要 ・スポーツ：水泳や腹圧のかかる運動を避ける ・旅行：透析液・器材携行あるいは配送が必要

※：不均衡症候群とは、血液透析の合併症で、急激な電解質濃度の変化と蓄積した尿毒症性物質の急激な減少により、頭痛や嘔気・嘔吐、血圧低下などの症状を引き起こすこと。

腹膜透析）とAPD（automated peritoneal dialysis：自動腹膜透析）の2種類があります。CAPDは透析液の交換（排出・注入）を1日4〜5回くり返します。APDは、おもに就寝中に自動腹膜灌流装置を用いて腹膜透析を行う方法です。CAPDとAPDを組み合わせて行う場合もあります。

血液透析と腹膜透析にはそれぞれに長所と短所があり、ライフスタイルや家族の状況などに応じ、医師と相談して方法を選択します。

4 腎移植

腎移植❶には、生体腎移植と献腎移植の2種類があります。腎移植後は、拒絶反応を防ぐために免疫抑制薬を服用します。腎臓機能が安定すれば、食事制限や運動制限などはなくなります。生活習慣を整えて腎臓機能を維持し、合併症を予防することが重要です。

> ❶腎移植
> 腎移植には、親や兄弟、配偶者などから腎臓が提供される生体腎移植と、亡くなった人の腎臓を移植する献腎移植がある。生体腎移植は腎臓の提供者の腎臓を1つ取り出し移植する。献腎移植は、事前に日本臓器移植ネットワークに希望登録をしておく必要がある。

2 生活上の困りごと（観察の視点）

生活支援を行ううえで、利用者の状態を把握することは重要です。また、多職種連携において、把握した情報を的確に報告・提供をすることが介護福祉職に求められています。

（1）浮腫の観察

腎臓の機能低下による浮腫（むくみ）は腎性浮腫といわれ、通常、全身性で左右対称に出現します。まぶたが重い、顔が腫れぼったい、皮膚を5秒以上圧迫したあとに圧迫痕が残るなどです。浮腫が進行すると、肺水腫❷になり呼吸困難が生じることもあるため注意が必要です。

> ❷肺水腫
> 浮腫が強くなると、肺胞のまわりにある毛細血管から血液成分が肺胞内にしみだし、肺胞に水分がたまった状態になる。酸素の取りこみが障害され、咳や痰、息切れ、呼吸困難などの症状が出る。

（2）食事摂取状況の確認

腎臓の機能低下が進行すると、尿毒症により嘔気や食欲不振が生じます。食事摂取量が減少し、エネルギーが不足すると、筋肉などのたんぱく質が分解されます。その結果、血液中の老廃物が増え、腎臓への負担が増加します。糖尿病の場合、低血糖を起こす危険性もあります。そのため、食事の内容と摂取量などを把握することが重要です。

（3）尿量・体重・血圧の観察

水分制限は尿量に応じて決められるため、1日の尿量を確認します。体重は体内の余分な水分量を知る目安となり、循環血液量の増加は、血圧上昇につながります。透析療法の開始後は、**ドライウエイト**[3]が設定されます。毎日、体重と血圧を測定し、水分の増加状況を把握します。

> [3] ドライウエイト
> 余分な水分が排泄された状態として、目標にされる体重。

（4）尿毒症症状の観察

腎不全状態が進行すると、尿毒症を引き起こします。また、透析を行っていても、十分に老廃物が排泄されないと、尿毒症の症状があらわれます。尿毒症症状の有無を確認し、異常があれば医療職に報告することが必要です。また、貧血にともなう症状や**高カリウム血症**[4]の徴候にも注意します。

> [4] 高カリウム血症
> 腎臓機能の低下により高カリウム血症が生じると、手足や口唇のしびれ、不整脈などが出現し、高度になると心停止を起こす。生命にかかわる危険な状態であり、十分な注意が必要。

（5）皮膚の観察

浮腫のある皮膚は傷つきやすく、感染を起こしやすい状態です。また、皮膚の乾燥や搔痒感（かゆみ）を生じることが多く、かくことで皮膚を損傷することもあります。皮膚の状態や衣服への血液付着の有無などを確認します。

（6）シャントやカテーテルの観察

シャントの音や**シャントスリル**[5]、痛みの有無を確認します。また、感染の徴候であるシャント部の腫脹（腫れ）や熱感、浸出液の有無を観察し、異常があれば医療職に報告します。

腹膜透析では、腹腔内に留置されたカテーテルの出口部および周囲の状態、痛みや発赤、腫脹、出血や浸出液の有無などを確認します。また、腹膜炎の徴候である、腹痛や嘔気、腹部膨満感、透析液を排出する際の液の混濁、発熱などに注意し、異常がある場合は医療職に報告します。

> [5] シャントスリル
> シャントの血流が増え、摩擦によって血管壁に振動が生じる。これをスリルという。シャント部に指で触れると、びりびりとした振動を感じることができる。

（7）心理面の観察

腎臓機能障害が進むと、さまざまな症状が生じ、また程度に応じて食事療法や運動制限、薬物療法、透析療法が必要となります。毎日、食事内容や水分量に留意することの負担感、薬剤の副作用に対する不安などが生じます。また、人工透析では、週に2～3回の通院が必要です。透析の時間帯は調整しますが、学業や仕事に影響をきたすこともあります。

訴えを十分に聴き、疾患や治療の受け入れ状況、症状によるイライラ感や睡眠状態の変化、食事摂取状況、抑うつ状態の有無などを観察します。治療が利用者の社会生活にどのような影響を与えているか、それをどう感じているかを確認することも重要です。

3 支援の展開

（1）適度な運動

心肺機能や筋力の維持・増強、腎臓機能の維持・回復などのため、適度な運動が必要です。強い倦怠感や貧血、心疾患や高血圧などがある場合は、医師と相談しながら、無理のない範囲で運動を行うようにします。

（2）保温

寒さを感じると血管が収縮し、血液循環がさまたげられます。腎臓への血流量が減少すると、血液のろ過に影響を及ぼし、血圧の上昇にもつながります。室内を適温に保ち、夏季は冷房での冷えすぎに注意します。

（3）食事への対応

腎臓の機能が低下すると、さまざまな食事制限が必要となります。「制限」を強調するのではなく、許容範囲で変化をつけ、楽しめる食事にすることが大切です（表2-19）。市販の治療食を利用することで、調理の負担を軽減することができます。

（4）排泄への対応

排尿がある場合は、尿量を把握します。また、水分制限やカリウム制限のため便秘になりやすく、いきむと血圧の上昇につながります。効果的な水分摂取や腹部マッサージなど、排便コントロールが必要です。

（5）清潔（入浴）への対応

皮膚の乾燥や掻痒感がある場合は、皮膚をこすりすぎず、皮膚にうるおいを与えることが必要です。血液透析では、透析当日は血圧の変動が

表2-19 食事の工夫

エネルギー確保の工夫	・たんぱく質が含まれない砂糖やでんぷん、サラダ油、マヨネーズ、ドレッシング等を上手に使用する。
塩分制限の工夫	・酢やレモン汁、香辛料などを利用する。 ・みそ汁の具を多くし、汁を少なくする。 ・しょうゆやソースは、かけるより、つけて食べる。 ・うどんやそばは、汁を飲まないようにする。
水分制限の工夫	・調理の際には、十分煮詰め、煮汁はいっしょに盛りつけない。 ・湯のみ茶碗を小さくする。 ・体内の水分量が多くなったときは、主食をパンやもちに替える。 ・水分の多い食品(果物、缶詰、おろし大根、こんにゃく、プリン、ゼリー、ヨーグルトなど)は、食べすぎないようにする。
カリウム制限の工夫	・カリウムの多い食品を知る。 ・ゆでこぼしたり、水にさらしたりして、カリウムを減らす。 ・好物を少しだけ食べる。 ・果物は缶詰のものを食べ、シロップは飲まない。

大きく、穿刺部からの感染の危険性もあるため、入浴は避けたほうがよいでしょう。腹膜透析では、カテーテルの出口部を保護して浸水を防ぎ、入浴後はカテーテル出口部および周囲をていねいにふきます。

(6) 外出への対応

身体に負担をかけない範囲で、趣味や楽しみをもつことが大切です。シャントを造設した場合は、シャント部の圧迫に注意します。旅行をする場合は、現地で透析を受けられるように手配をします。腹膜透析の場合は、腹部の圧迫や水泳などを避けるようにします。透析液バッグや器材を持参するか送っておけば、外出先で透析液交換を行うことができます。また、災害発生時に備え、「透析患者カード」や「お薬手帳」を携行していると安心です。

(7) 感染予防

腎臓の機能が低下すると免疫力が低下し、感染症にかかりやすい状態になります。手洗いやうがいを習慣化し、からだの清潔を保つことが必

❻ 壊疽
皮膚や皮膚の下の組織が死滅して、黒色や暗褐色（黒っぽい茶色）に変色した状態。高血糖の状態が続くと、動脈硬化が進んで血流が低下する。また、感染しやすい状態にもなる。そのため、小さな傷でも壊疽になりやすい。

要です。糖尿病性神経障害を合併している場合は、深爪や靴ずれなどの小さな傷、やけどなどから感染し、**壊疽**❻にいたることもあります。けがややけどの予防、フットケアが重要です。

(8) シャントやカテーテルの管理と対応

　シャントの閉塞を防ぐため、シャント側の腕の圧迫を避けることが大切です。また、シャント部を清潔に保ち、シャントからの感染を防ぐことが必要です。腹膜透析の場合は、カテーテル出口部と周囲を清潔に保ち、透析液交換の際は無菌操作を守ることが重要です。

(9) 精神的ケア

　尿毒症症状による身体的苦痛や今後に対する不安、さまざまな制限によるイライラなどが生じやすくなります。また、疾患や障害の受容は、スムーズには進まないことが多く、抑うつ状態になることもあります。そのため、利用者の心理過程の理解に努め、話を傾聴し、共感の態度を示すことが大切です。

　患者会では、会報による情報提供や電話相談、学習会やイベントの開催などを行っています。患者会への参加により、主体的な自己管理につながる人も多くいます。参加するかどうかは、利用者の自己決定によりますが、情報提供を行い、参加の機会がつくれるとよいでしょう。

　腎臓機能障害が進むと、透析療法が開始されます。学業や仕事への影響が少ないように、透析の時間帯を調整しますが、それでも、勤務時間や仕事内容の調整が必要になる場合もあります。職場での人間関係、仕事への意欲ややりがい、経済的な問題につながることもあります。状況を把握し、他職種とも連携しながら、課題を解決することが大切です。また、食事・水分管理や通院の多さなどは、家族にとっても負担になることが考えられます。家族状況やそれぞれの役割なども把握し、管理栄養士や看護師と連携して支援することが必要です。

(10) その他

　喫煙は血管を収縮させて腎臓の血流量を低下させ、腎臓に負担をかけるため、禁煙が必要です。アルコールは、一定量を超えると血圧を上昇させ、腎臓に負担がかかります。禁酒の必要はありませんが、適量を守ることが重要です。

4 事例で学ぶ――腎臓機能障害に応じた生活支援の実際

事例

Hさん（70歳、女性）は、自宅で1人暮らしをしています。糖尿病性腎症のため、2年前から血液透析を週3回行っています。糖尿病性神経障害を合併しています。ADL（Activities of Daily Living：日常生活動作）はほぼ自立していますが、疲労感が強く、家事や入浴には訪問介護（ホームヘルプサービス）を利用しています。

ある日、透析から帰宅したHさんの着替えを介助している際に、Hさんが、「少しおなかが張っている」と話しました。また、介護福祉士は、Hさんの靴下に血液のしみがあることに気づきました。

介護福祉士は、Hさんへの対応を次のように考えました。

Hさんに確認すること

Hさんに、次のことを確認しました。
① 他の症状：腹部の張りのほか、嘔気や嘔吐、腹痛などの有無
② 食事と排便の状態：食事摂取量の変化、排便の有無と便の量や性状、下剤の内服状況
③ 足の状態：足の傷や痛みの有無、爪切りの有無、足以外の傷や出血の有無

介護福祉士の対応

収集した情報から、介護福祉士は次のように対応しました。
① 介護福祉士は、腹部膨満感は、便秘によるものではないかと考えました。また、腹部膨満感により食事摂取量が減少すると、低血糖の危険性が生じます。Hさんは、食事はほぼ全量摂取しており、3日前にかたい便が少し出たと言っていました。また、処方薬の下剤を毎日内服しており、ほかの消化器症状はありませんでした。そこで、腹部マッサージを行い、Hさんに方法を説明しました。また、朝起きたらトイレに座って排便を試みること、食事内容について、管理栄養士と相談することを伝えました。
② Hさんは、足には常にしびれがあり、痛みは感じなかった、爪切りは数日間していないと話していました。足のしびれは、腎不全の神経症状や糖尿病の3大合併症の1つである神経障害によって生じ

ます。また、神経障害があると、足先の感覚が鈍くなり、けがややけどに気づかないことも多くなります。

　足の指先に切り傷がありましたが、ほかに傷はありませんでした。現在出血はないため、足を洗ったあとに乾燥させ、翌日の透析の際に看護師に確認してもらうように伝えました。また、裸足で靴をはかないこと、靴をはくときには靴の中に石や砂が入っていないか確認すること、鏡で足の状態を観察するとよいことなどを説明しました。

多職種連携のポイント
　介護福祉士は訪問介護事業所に戻ったあと、サービス提供責任者にHさんの状態と支援の内容を報告しました。また、担当の介護支援専門員（ケアマネジャー）にも同様の情報提供を行いました。
　翌日、透析施設の看護師からは、傷は乾燥しているのでとくに処置は行わなかったという報告と、今後も様子を見てほしいと依頼がありました。管理栄養士からは繊維質を増やす献立についての助言があり、Hさんの好みも考慮して食事の準備をすることになりました。
　その後、Hさんは朝起きるとトイレに行き、腹部マッサージを自分で行っています。排便は2日に1回で、腹部膨満感の訴えはありません。介護福祉士は訪問時には、足やその他の皮膚の状態を観察することを続け、新たな傷はみられていません。

　腎臓機能障害がある場合、食欲低下や便秘、風邪をひくなど、体調が変化しやすく、重症化やさらなる腎臓機能の低下につながります。早期に対応をするために、介護福祉職は利用者の変化に気づくことが重要であり、他職種に対する情報提供の役割もになっています。

◆ **参考文献**
- 日本腎臓学会編『エビデンスに基づくCKD診療ガイドライン2018』東京医学社、2018年
- 岩満裕子編『Nursing Mook21 透析療法の理解とケア』学研メディカル秀潤社、2004年
- 富野康日己編『ここが知りたい生活習慣病・腎臓病・高血圧対策Q＆A100』中外医学社、2012年
- 日本透析医学会統計調査委員会「図説 わが国の慢性透析療法の現況」(2016年12月31日現在)

第 **8** 節

【内部障害】
膀胱・直腸機能障害に応じた介護

> **学習のポイント**
> - 膀胱・直腸機能障害について医学的・心理的側面から理解する
> - 膀胱・直腸機能障害のある人の生活上の困りごとを理解する
> - 膀胱・直腸機能障害のある人への支援において、多職種連携のなかで介護福祉士が果たすべき役割を理解する

関連項目		
	⑪『こころとからだのしくみ』	▶第7章「排泄に関連したこころとからだのしくみ」
	⑫『発達と老化の理解』	▶第5章第3節「高齢者に多い疾患・症状と生活上の留意点」
	⑭『障害の理解』	▶第2章第6節「内部障害」

1 膀胱・直腸機能障害の理解

（1）膀胱のしくみ

　膀胱は、泌尿器の一部で、下腹部に位置する袋状の臓器です。腎臓で生成された尿は尿管を通り、膀胱に一時的にためられ、尿道を通り体外に排泄されます。成人の場合、膀胱容量は約500mlです。膀胱には、内尿道括約筋と外尿道括約筋があり、蓄尿と排尿をコントロールしています。尿道の長さは、男性は16〜20cmあり、女性は3〜4cmです。

（2）直腸のしくみ

　直腸は大腸の末端部分であり、長さが約20cmで肛門として外に開いています。大腸は消化管の一部で、小腸から続いて約1.5〜2mあり、盲腸、結腸（上行結腸、横行結腸、下行結腸、S状結腸）、直腸に分けられます。肛門には輪状の内肛門括約筋があり、その外側には外肛門括約筋があります。外肛門括約筋は、意識的に調節することができます。

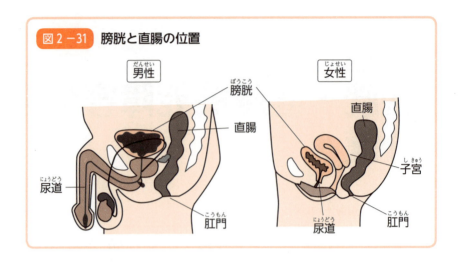

図2−31 膀胱と直腸の位置

膀胱と直腸の位置関係は、図2−31のとおりです。

（3）膀胱のはたらき

　膀胱に尿がたまると膀胱壁が伸展して膀胱内圧が上昇し、その刺激が脳に伝達されて尿意を感じます。脳は排尿をおさえる指令を出し、尿道括約筋が収縮して、排尿を止めることができます。排尿が可能な状況になると、脳からの抑制がなくなり、排尿反射によって膀胱が収縮し、内尿道括約筋が弛緩します。外尿道括約筋も同時に弛緩し、排尿が行われます。

（4）直腸のはたらき

　口から摂取された食物は、消化されて小腸で栄養が吸収されます。大腸では水分を吸収し、糞便を形成します。直腸に便が送られると、直腸壁が圧迫・伸展され、その刺激が脳に伝えられて、便意として感じます。
　すると、仙髄での反射により、内肛門括約筋が弛緩し、便を出そうとします。しかし、外肛門括約筋が反射的に収縮するため、排便は起こりません。排便動作をとっていきむと腹圧が上昇し、内肛門括約筋が弛緩します。次に外肛門括約筋が弛緩し、便が体外に排出されます。

（5）膀胱（尿路）・直腸（消化器）のおもな疾患

1 膀胱がん

　膀胱がんの初期症状は**無症候性血尿**[1]と頻尿です。進行すると排尿困難が出現し、尿閉を起こすこともあります。膀胱がんの治療には、化学

---

[1] **無症候性血尿**
痛みやその他の症状はなく、尿に血液が混じって排泄される。

療法、放射線療法、手術療法があります。浅い部位のがんに対しては、がんを切除する方法がとられます。がんが膀胱の筋層に**浸潤**❷している場合は、膀胱全摘術と**尿路変向術（尿路変更術）**❸が行われます。

2 神経因性膀胱

脳や脊髄の排尿に関する神経系が、疾患やけがによって障害された状態をいいます。頻尿や尿失禁などの蓄尿障害を起こす場合と、**尿閉**や**溢流性尿失禁**などの排尿障害を起こす場合があります。原因は、脳血管障害、脊髄損傷、**二分脊椎**❹などです。薬物療法、間欠的導尿（一定時間ごとにカテーテルを挿入して尿を排出する）や持続的導尿（カテーテルの留置）、手術療法などが行われます。

3 大腸がん

大腸がんは、死亡数および罹患数が上位のがんの1つで、直腸とS状結腸に多く発生します。おもな症状は、血便や腹痛、便が細くなる、下痢と便秘をくり返すなどです。しかし、がんができる部位によって、症状は異なります。治療法は手術療法、放射線療法、化学療法です。肛門に近い部位のがんで、肛門を残せない場合は、消化器ストーマ（人工肛門）を造設します。

4 炎症性腸疾患

腸が慢性的な炎症を起こす疾患で、潰瘍性大腸炎と**クローン病**❺があり、難病に指定されています。

潰瘍性大腸炎は、大腸の粘膜にびらんや潰瘍を形成し、下血や下痢、腹痛などの症状が出ます。直腸から大腸全体にまで広がることもあります。重症の場合や薬剤の効果がみられない場合は、炎症を起こしている大腸を切除します。

クローン病は、おもに小腸および大腸の粘膜に炎症や潰瘍を起こします。症状は腹痛や下痢、血便、発熱、体重減少などであり、ほかにもさまざまな合併症があります。食事療法や薬物療法が主体ですが、腸管の合併症を起こした場合、手術が必要となります。

（6）日常生活の留意点

膀胱・直腸機能障害は、排泄機能が障害された状態であり、カテーテルを挿入したり、ストーマを造設し、排泄することになります。自己管理が必要ですが、利用者が身体の変化を受け入れられないことも多くあります。利用者の心理的負担や日常生活に及ぼす影響を理解することが

---

❷ **浸潤**
がんの浸潤とは、がん細胞が周囲の器官に広がっていくことをいう。

❸ **尿路変向術（尿路変更術）**
膀胱や尿道を摘出した場合に、尿の排出経路をつくるために行う処置（手術）のこと。その結果、腹壁に新たな尿の排出口を造設することがあり、その排泄口を尿路ストーマという。

❹ **二分脊椎**
脊柱管の一部が形成されず、神経の一部が脊柱管の外に出ている先天性の疾患。顕在性二分脊椎と潜在性二分脊椎があり、顕在性二分脊椎は指定難病。顕在性の症状は知覚障害、運動障害、排尿排便障害、水頭症などであり、潜在性の場合、成長とともに係留症候群（脊髄神経の障害）により、腰痛や下肢の変形、感覚低下、膀胱直腸障害などがあらわれることがある。

❺ **クローン病**
p.136参照

❻ストーマ
ギリシャ語で「口」を意味する言葉で、ストマともいう。

必要です。

1 ストーマの造設

ストーマ❻とは、手術によって腹部につくられた排泄口のことをいいます。ストーマには、尿路ストーマと消化器ストーマがあります。ストーマ装具は身体に固定する面板と排泄物を収集する袋（パウチ）からなります。面板とパウチが一体化しているワンピースタイプと、別々になっているツーピースタイプがあります。面板とストーマ袋を接合する部分をフランジと呼びます（図2-32）。

2 尿路変向・尿路ストーマ（人工膀胱）の造設

尿路ストーマには、表2-20のような種類があります。カテーテルを挿入する場合、採尿バッグが必要です。ストーマには、ストーマ装具の装着が必要な非禁制型（尿失禁型）と、装具は不要な禁制型があります。

自己導尿型代用膀胱では、一定時間おきにストーマにカテーテルを挿入し、尿を排出します。自然排尿型代用膀胱は禁制型で、腹圧によって排尿ができます。しかし、尿意がないため時間で排尿したり、下腹部の張りで察知したりします。

3 消化器ストーマ（人工肛門）の造設

消化器ストーマの分類には、造設部位、開口部の数、造設期間によるものがあります。

造設部位では、大きく回腸ストーマと結腸ストーマに分けられ、結腸ストーマはさらに、上行結腸ストーマ、横行結腸ストーマ、下行結腸ストーマ、S状結腸ストーマに分類されます（表2-21）。

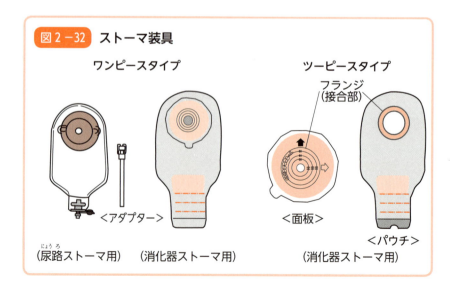

図2-32　ストーマ装具

第8節 【内部障害】膀胱・直腸機能障害に応じた介護

表2-20 尿路変向・尿路ストーマの種類

分類	種類	図	説明
非禁制型	尿管皮膚ろう	一側性／両側性（ストーマ、腎臓、尿管）	尿管を直接腹壁に固定してストーマをつくり、尿を排出する。一側性と両側性がある。ストーマの狭窄が起こりやすい。
非禁制型	腎ろう、膀胱ろう	膀胱ろう／腎ろう	腎ろうは腎盂に、膀胱ろうは下腹部から膀胱内にカテーテルを挿入し、尿を排出する。
非禁制型	回腸導管	ストーマ	回腸の一部を切り離し、左右の尿管をつないで、一端を腹壁に固定しストーマをつくる。腸管の蠕動運動により、尿が体外へ出される。
禁制型	自己導尿型代用膀胱	ストーマ／代用膀胱	腸管を袋状にして新膀胱をつくり、左右の尿管をつないで、下腹部または臍部にストーマをつくる。自己導尿が必要となる。
禁制型	自然排尿型代用膀胱	代用膀胱	腸管を袋状にして新膀胱をつくり、左右の尿管と尿道をつなぐ。腹圧により、自力で排尿することが可能となる。

第2章 障害に応じた生活支援技術-1

表2-21 造設部位による消化器ストーマの分類

回腸ストーマ		排泄物は水様〜粥状で量が多く、持続的に排泄される。消化酵素を多く含むため皮膚への刺激が強い。
上行結腸ストーマ		排泄物は流動状〜液状で、回数が多い。皮膚への刺激がある。
横行結腸ストーマ		排泄物は半流動〜粥状で、回数は多い。
下行結腸ストーマ		排泄物は泥状〜軟便で、回数はやや多い。
S状結腸ストーマ		排泄物は軟便〜固形状で、回数は1日に1〜2回。

開口部の数では、単孔式ストーマと双孔式ストーマに分けられます。また、造設期間では、永久的ストーマと、のちに閉鎖される一時的ストーマがあります。ストーマは、肛門のように括約筋によって排便をがまんすることができません。便やガスがいつ排出されるかわからない状態です。そのため、ストーマ装具を装着することが必要です。

2 生活上の困りごと（観察の視点）

自然な排泄状態とは異なるため、食事摂取や社会参加への意欲などに大きな影響を及ぼします。生活場面への影響を考慮して観察し、他職種と共有することが重要です。

（1）排泄状態の観察

尿量や尿の性状、尿漏れの有無、**水分出納バランス**[7]などを観察し、尿の混濁や血尿、発熱などがある場合は、医療職に報告します。消化器ストーマでは、ストーマの部位と便の特徴を理解したうえで、便の量や性状などを観察します。便秘や下痢が続き、食事内容の工夫をしても症状が改善しない場合は、医療職に報告します。回腸ストーマでは、ストーマ開口部のつまりの有無や水分出納バランスの確認も重要です。

[7] 水分出納バランス
食事や飲水などにより体内に摂取される水分量と、尿や便などにより体外に排泄される水分量とのバランス。嘔吐や下痢、多量の発汗などでは、通常よりも多く水分が排泄されるため、摂取量を増やす必要がある。

（2）食事摂取状況の観察

ストーマがあることによる食事制限はありませんが、においやガスなどを気にして、みずから食事を制限する場合もあります。また、食事内容が排泄物の性状に影響を及ぼすことも少なくありません。バランスのよい食事が必要量摂取されているかどうか、確認することが重要です。

（3）ストーマの観察

ストーマには、狭窄や陥没、**ストーマ傍ヘルニア**[8]などの合併症があります。そのため、ストーマの色や形、大きさ、出血の有無などを観察し、変化があった場合は医療職に報告します。また、ストーマ装具や排泄物の刺激により、皮膚のトラブルが起こることもあります。ストーマ周囲の皮膚の発赤や発疹、腫脹、掻痒感（かゆみ）、びらんや潰瘍の有無を観察します。

[8] ストーマ傍ヘルニア
人工肛門のすきまから、腹腔内の腸管が脱出し、ストーマ周囲の皮膚がふくらんだ状態。

（4）心理面の観察

　ストーマを造設する場合、排泄口が腹部につくられるというボディイメージの変化が生じます。また、においやガス、排泄物が漏れるのではないかという心配、他者との交流や社会参加に対する不安などもあります。そのために、飲水量や食事量を減らしたり、外出を避けたりすることも考えられます。

　ストーマをどのくらい受け入れているか（見ることや触れることができるか）や排泄物の状態、飲水量や食事量が減っていないか、他者との交流や外出の状況などを確認します。そして、心配ごとを話せる雰囲気をつくり、傾聴することが必要です。

3　支援の展開

（1）食事への対応

　尿路変向やストーマ造設による食事制限はありません。栄養バランスのよい食事をとることが必要です。食事内容によって、排泄物のにおいや量、性状などに影響を及ぼすため、必要に応じて調整が必要です。

　尿路ストーマでは、尿路感染や尿路結石を予防するため、十分な水分摂取が必要になります。回腸ストーマは、結腸ストーマに比べて腸管が細いため、繊維質の食物がつまることがあり、これをフードブロッケージといいます。また、回腸ストーマでは水様性の便が多量に排泄されるため、水分と電解質の喪失が起こります。水分を十分に摂取することが重要です。

（2）排泄への対応

　パウチにたまった排泄物を捨てること、一定の条件のもとでのストーマ装具の交換、自己導尿の補助を行うことは、原則として、**医師法第17条等の規制**❾の対象とする必要がないとされています。ただし、病状が不安定であること等により専門的な管理が必要な場合には、医行為であるとされる場合もあり得るため、利用者の状態観察や医療職への確認が重要です。

　詳細は、「**医師法第17条、歯科医師法第17条及び保健師助産師看護師法第31条の解釈について**❿」（平成17年7月26日医政発第0726005号）お

---

❾**医師法第17条等の規制**

医師法第17条の規定「医師でなければ、医業をなしてはならない」のほか、歯科医師法第17条「歯科医師でなければ、歯科医業をなしてはならない」、保健師助産師看護師法第31条「看護師でない者は、第5条に規定する業〔傷病者もしくは褥婦に対する療養上の世話または診療の補助〕をしてはならない。ただし、医師法又は歯科医師法の規定に基づいて行う場合は、この限りでない」といった規定により、医師や歯科医師、看護師以外の者は、医業を行ってはならないとすること。

第8節 【内部障害】膀胱・直腸機能障害に応じた介護

よび「**ストーマ装具の交換について**⓫」（疑義照会回答）（平成23年7月5日医政医発0705第2号）で確認しておきましょう。

間欠的自己導尿の際には、プライバシーに配慮し、必要に応じて体位を支えます。ストーマの場合、排泄物がパウチにたまったら排除し、パウチ下部についた排泄物をふきとります。居室等で行う場合は、プライバシーや換気に配慮が必要です。睡眠中など長時間、尿の排除が行えない場合は、容量の大きい採尿バッグを接続すれば安心です。その際には、採尿バッグを膀胱よりも下に置くように注意します。

表2-22　食事の留意点

においの予防	・においを強くする食品を避ける（にんにく、ネギ類、にら、アスパラガス、卵、チーズ、えび、かに、ビールなど）。 ・便のにおいを防ぐ食品を摂取する（セロリ、パセリ、ヨーグルト、乳酸飲料、レモンなど）。 ・尿のにおいを防ぐ食品を摂取する（オレンジ、グレープフルーツ、緑茶、アセロラジュース、クランベリージュースなど）。
ガスの予防	・ゆっくりとかみ、空気を多く飲みこまないようにする。 ・ガスを発生しやすい食品を避ける（アルコール、炭酸飲料、いも類、豆類、ごぼうなど）。 ・ガスの発生をおさえる食品を摂取する（ヨーグルト、乳酸菌飲料など）。
下痢の場合	・水分を摂取する。 ・下痢を起こしやすい食品を避ける（アルコール、カフェイン、炭酸飲料、脂肪の多いもの、豆類、きのこ類、香辛料など）。 ・水溶性食物繊維など便通を整える食品を摂取する（じゃがいも、りんご、バナナ、もち、ごはん、くず湯、うどんなど）。
便秘の場合	・水分を摂取する。 ・乳製品や食物繊維の多い食品を摂取する（牛乳、生ジュース、果物、野菜、豆類、きのこ類、海藻類、こんにゃくなど）。
フードブロッケージの予防	・よくかみ、食物繊維を多く含んだ食品類は、大量に摂取しない。 ・消化されにくい食品は、細かくきざむ、皮をむく、裏ごしをするなど工夫する。

⓾ **医師法第17条、歯科医師法第17条及び保健師助産師看護師法第31条の解釈について**

医師法第17条等によって、医師、歯科医師、看護師等の免許を持たない者による医業は禁止されている。この通知では、高齢者介護・障害者介護の場において判断がむずかしい行為であり、原則として医行為ではないと考えられるものがあげられ、介護福祉職等が行うことが適切か否か判断する際の参考とすることとされた。

⓫ **ストーマ装具の交換について**

日本オストミー協会の照会に対する回答。医師法第17条等の解釈において、肌に接着したストーマパウチの取りかえは、原則として医行為ではないと考えられるものから除外されていた。この通知においては、ストーマ装具の交換は、原則として医行為には該当しないとされた。ただし、病状が不安定であること等により専門的な管理が必要な場合には、医行為であるとされる場合もありうるため、利用者の状態や医療職への確認が重要。

ストーマ装具を長期間貼っておくと、漏れや皮膚トラブルの原因になるため、交換の目安を把握することが大切です。交換は、入浴後や食事前、早朝の尿量が少ない時間を選ぶなど、時間の配慮も必要です。

(3) 衣服の工夫

　ストーマの圧迫や摩擦を避ければ、好きな衣服を着用することができます。ストーマがベルトの位置にある場合は、ウエストサイズがゆるやかなものを選び、ベルトもゆるくしめるか、サスペンダーを使います。発汗が多くなる季節には、ストーマ装具に汗がたまりやすいため、通気性のよい衣服を選んだり、パウチカバーを利用したりするとよいでしょう。

(4) 清潔（入浴）への対応

　入浴を制限する必要はなく、むしろ、入浴により、ストーマ周囲の清潔や腸蠕動の促進、リラックスなどの効果が得られます。入浴直前に、排泄物を捨てます。ストーマ装具をはずして浴槽に入っても、体内の圧が水圧よりも高いため、ストーマから湯が入ることはありません。

　便が出る心配がある場合は、排便のある時間帯を避けたり、食事前に入ったりします。常に尿が出ている場合は、装具をつけて浴槽に入るほうが安心です。腎ろうや膀胱ろうなどカテーテルを挿入している場合は、**上行性感染**[12]を防ぐため、装具をつけて入浴します。ストーマ周囲は優しく洗い、きれいに汚れを落とします。入浴後は、水分をよくふきとります。

> [12] **上行性感染**
> 細菌が尿路をさかのぼって、腎盂腎炎などの炎症を起こすことで、逆行性感染ともいう。

(5) 運動への対応

　ストーマがあることで、活動が制限されることはありません。いくつかのことに留意すれば、さまざまなスポーツや趣味を楽しむことができます（**表2-23**）。

(6) 外出への対応

　外出や旅行のときには、**表2-24**のことに注意が必要です。ストーマ装具は防臭性になっていますが、においやガスを気にして、外出や人に会うことに消極的になる場合もあります。食事内容の工夫、パウチに消臭剤を入れる、排泄物をためたままにしないなどで対応します。

> 表2-23 運動する際の留意点
>
> ・運動前に、排泄物の処理をすませる。
> ・腹部を直接打撃するものや、腹圧がかかるものは避ける。
> ・水泳をするときは、面板の周囲に防水テープを貼るなど調整をする。

> 表2-24 外出・旅行の際の留意点
>
> ・ラッシュ時の乗車は避ける。
> ・長時間の運転は避け、休憩をとる。
> ・車や飛行機のシートベルトで、ストーマを圧迫しないようにする。
> ・オストメイト対応トイレの設置場所を確認しておく。
> ・予備の装具を持ち、念のため、装具のメーカーやサイズなどを控えておく。
> ・暑い日は、熱による変形や変質を防ぐため装具を車のトランクに入れず、できるだけ涼しい場所に置く。

（7）精神的ケア

これまでの排泄習慣やボディイメージが大きく変化するため、自尊心が低下したり、状態の変化を受容できない場合も多くあります。話を十分に聴き、気持ちを受け入れることが大切です。食事に留意することで、便のかたさや排泄物のにおいなどを調整すること、排泄物の漏れなどのトラブルがなく生活できることが、安心感につながります。また、周囲の人の理解が得られ、オストメイト用トイレなどの環境が整えられれば、他者との交流や外出、趣味などに対して積極的になれるでしょう。**オストメイトの会**[13]のような患者会への参加によって、考え方が変化することもあります。患者会や講習会などの情報提供を行い、参加については、無理強いせず見守ることが大切です。

（8）災害への備え

災害時には、水が使えなかったり、ストーマ装具が入手できなかったりする可能性があります。非常用持ち出し袋に、装具や濡れティッシュ、ビニール袋などを入れておくと安心です。また、装具の製品名や製品番号、サイズ、身体障害者手帳番号などをメモしておくことも必要です。

[13] **オストメイトの会**
オストメイト（人工肛門や人工膀胱保有者）がつくる患者会。情報交換や講習会、勉強会、体験発表、装具の紹介、相談会、団体旅行、会報の発行などの活動を行う。全国組織としては、日本オストミー協会がある。

4 事例で学ぶ──膀胱・直腸機能障害に応じた生活支援の実際

> **事例**
>
> Jさん（81歳、男性）は、妻（80歳）と2人で自宅で暮らしています。直腸がんのため2年前に切除術と下行結腸へのストーマ造設術を受けました。歩行が不安定になり、自宅での入浴が困難になったため、通所介護（デイサービス）の利用を開始しました。
>
> いつもは入浴や外出を楽しみにしているJさんですが、ある日、入浴はしないと断り、また、翌週の外出レクリエーションについても、「ここで待っている」と話しました。
>
> ---
>
> 介護福祉士はJさんへの対応を以下のように考えました。
>
> **Jさんと妻に確認すること**
>
> 介護福祉士は、以下のことを確認しました。
> ① バイタルサイン、倦怠感や腹痛、腹部膨満感、風邪症状などの有無
> ② 食事摂取状況、便の性状とストーマの状態（排泄介助をしながら）
> ③ 妻に連絡し、最近の様子について、気づいたこと
>
> **介護福祉士の対応**
>
> 収集した情報から、介護福祉士は次のように対応しました。
>
> バイタルサインの変化や消化器症状、風邪症状などはなく、食事は少し残していました。ストーマ周囲と衣服には、便が付着していました。妻からは、「トイレに時間がかかっている。手伝おうとしても、『自分でするからいい』と言ってきかない」という話がありました。
>
> 介護福祉士は便の漏れが影響しているのではないかと考え、再度、Jさんに話を聴きました。すると、最近、便の処理がうまくできなくなり、それを気にしていることがわかりました。Jさんに、便の排除は、むずかしい部分を介護福祉職が介助すること、今日は他の利用者とは別に入浴することを提案しました。また、便の漏れはストーマの状態や装具の影響もあることを話し、看護師に相談することを伝えました。さらに、外出先にはオストメイト用トイレがあり、途中休憩もできることを話しました。

> **多職種連携のポイント**
>
> 　介護福祉士は担当の介護支援専門員(ケアマネジャー)に、Ｊさんの状態と支援内容について報告しました。また、他の介護福祉職とも、情報の共有をしました。その後、Ｊさんは介護福祉職の支援を受け入れ、入浴することができました。便の漏れについては、面板の内径が溶けて大きくなりストーマとの間に隙間ができていたことが原因であり、装具の交換時期を再考することが、看護師から報告されました。

　ストーマ造設時には、おもに食事やストーマ管理の指導などが行われます。その後も、ストーマの受容や食事の調整、ストーマケアなど、課題は継続します。介護福祉職は、利用者の身体状態や言動の変化を察知し、医師や看護師(**皮膚・排泄ケア認定看護師**[14])、管理栄養士などと連携し、家族も含めて支援を行います。支援の際には、利用者の自尊心とプライバシーへの配慮が大切です。

[14] **皮膚・排泄ケア認定看護師**
褥瘡などの創傷管理、ストーマや失禁等の排泄管理に関する専門知識と技術をもち、患者・家族の自己管理およびセルフケア支援をする看護師。日本看護協会の認定看護師制度における資格の1つ。

◆ 参考文献
- 伊藤美智子編『Nursing Mook15 ストーマケア』学研メディカル秀潤社、2003年
- 西村かおる編『Nursing Mook52 疾患・症状・治療処置別 排便アセスメント＆ケアガイド』学研メディカル秀潤社、2009年
- 日本オストミー協会ホームページ

第 **9** 節

【内部障害】
小腸機能障害に応じた介護

> **学習のポイント**
> - 小腸機能障害について医学的・心理的側面から理解する
> - 小腸機能障害のある人の生活上の困りごとを理解する
> - 小腸機能障害のある人への支援において、多職種連携のなかで介護福祉士が果たすべき役割を理解する

関連項目		
⑫『発達と老化の理解』	▶	第5章第3節「高齢者に多い疾患・症状と生活上の留意点」
⑭『障害の理解』	▶	第2章第6節「内部障害」
⑮『医療的ケア』	▶	第3章第1節「高齢者および障害児・者の経管栄養概論」

1 小腸機能障害の理解

（1）小腸のしくみ

小腸は胃から続き大腸までの全長6〜7mの消化管で、口側から十二指腸、空腸、回腸に区分されます。十二指腸は25〜30cm、空腸と回腸の境界ははっきり決まっておらず、口側5分の2が空腸、肛門側5分の3が回腸です。十二指腸には肝臓・胆嚢からの総胆管と膵臓からの主膵管・副膵管が開口しており、胆汁と膵液が流入してきます。小腸の内腔には多数のひだがあり、これにより栄養素や水分を効率よく吸収できるようになっています（図2－33）。

（2）小腸のはたらき

十二指腸では、胃の幽門を通過した食物に胆汁と膵液が流れこみ、**消化**が活発に行われます。空腸と回腸では、消化の最終段階と体内への**吸収**が行われます。栄養素のほとんどは、小腸から吸収されます。栄養素が体内に吸収される経路には、門脈系と**リンパ管**[1]系の2つの経路があ

---

[1] **リンパ管**
リンパ液が流れている管。末梢から始まり最終的に胸管・リンパ本管から静脈につながる。

第9節 【内部障害】小腸機能障害に応じた介護

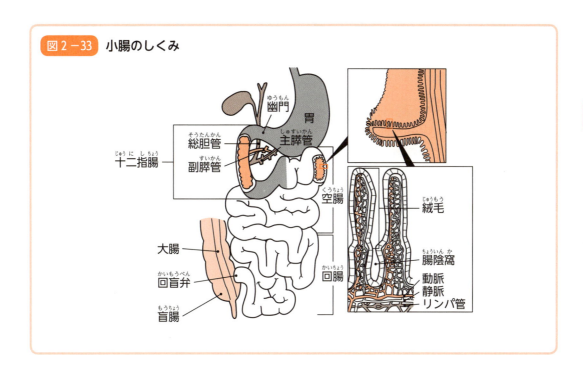

図2-33 小腸のしくみ

表2-25 栄養素の吸収

門脈系に吸収されるもの	炭水化物、たんぱく質、水溶性の脂質、ミネラル、水溶性ビタミン
リンパ管系に吸収されるもの	脂質、脂溶性ビタミン

ります（表2-25）。門脈系は、小腸の毛細血管から吸収され、門脈を通って肝臓に入っていきます。もう1つは、リンパ管系に吸収される経路です。

（3）小腸機能障害とは

さまざまな疾患により、小腸の切除、または永続的な小腸の機能低下により栄養維持が困難になった状態を小腸機能障害といいます。

（4）小腸のおもな疾患

1 上腸間膜動脈閉塞症

血管の閉塞や血栓により**上腸間膜動脈**[2]の血流が途絶え、腸管壊死、腹膜炎、敗血症にいたる、死亡率が非常に高い疾患です。症状は激烈な

❷上腸間膜動脈
腹部大動脈から枝分かれした血管で空腸・回腸の栄養血管。

腹痛や下痢です。壊死した腸管は手術をして切除することになります。小腸の広範囲を切除する経静脈栄養法による栄養維持が必要になったり、免疫機能の低下をきたしたりします。

2 クローン病

クローン病は、消化管に慢性の炎症や潰瘍を引き起こす原因不明の炎症性疾患です。口腔から肛門までの消化管のあらゆる部位に非連続性に炎症や潰瘍が起こります。特徴的な症状は、腹痛と下痢です。根本的な治療法はなく薬物療法と栄養療法で症状のコントロールを行います。

3 腸管（型）ベーチェット病

ベーチェット病は、急性の炎症発作と**寛解**[3]をくり返す原因不明の炎症性疾患です。ベーチェット病は、全身のさまざまな部位に炎症を起こします。このうち腸管潰瘍を起こしたものが腸管（型）ベーチェット病です。おもな症状は腹痛、下痢、下血です。生命の危険や重い後遺症を残すような場合は、**ステロイド療法**[4]などの薬物療法や外科的治療が行われます。

4 腸軸捻転症

腸間膜[5]を中心として腸管がねじれる疾患です。腸管がねじれると血行障害が起こり、**腸閉塞（イレウス）**[6]の原因の1つとなります。内視鏡などによる整復が不可能な場合や、腸管壊死の可能性がある場合は手術が行われます。典型的な症状は、腹痛、腹部膨満、悪心、嘔吐、排ガス、排便の停止です。

（5）日常生活の留意点

小腸機能障害では、食物の消化と吸収がさまたげられるので、栄養状態に注意する必要があります。また、疾患によっては、寛解と再燃をくり返し、慢性的に経過するものもあるので、社会生活が送れるように支援することも大切です。

1 栄養療法

広範囲におよぶ小腸の切除や永続的な小腸の機能低下では、生きていくために必要な栄養素の吸収が不可能となります。そのため医学的管理下で栄養療法が行われます。栄養療法の分類を図2-34に示します。

① 経口栄養法

食べることが可能な場合は、病態にあわせた治療食や栄養剤を経口で摂取します。

---

[3] **寛解**
症状が安定して落ち着いている状態のこと。

[4] **ステロイド療法**
ステロイドは体内でつくられるホルモンの一種で免疫や炎症をおさえるはたらきがある。これを薬剤として使用する治療法をステロイド療法という。

[5] **腸間膜**
狭義では、空腸と回腸を腹部のうしろ側から支えている腹膜のこと。

[6] **腸閉塞（イレウス）**
腸の内容物の通過がさまたげられている状態のこと。

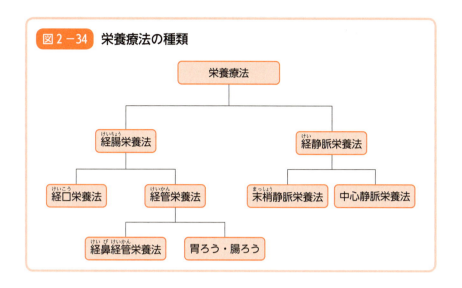

図2-34 栄養療法の種類

② 経管栄養法
　経口摂取ができない場合は、胃や腸内まで挿入したチューブから栄養剤の注入が行われます。これには、鼻からチューブを挿入する経鼻経管栄養法と胃ろうや腸ろうを造設する方法があります（**図2-35**）。

③ 経静脈栄養法
　消化器官を使った食物の消化・吸収が不可能、または不十分な場合に静脈から輸液が行われます。腕など末梢の静脈から輸液を行うものを末梢静脈栄養法（peripheral parenteral nutrition：PPN）といい、心臓に近い太い静脈から輸液を行うものを中心静脈栄養法（total parenteral nutrition：TPN）といいます。末梢静脈栄養法に比べて中心静脈栄養法では、高濃度の栄養輸液を投与することができます。

　中心静脈栄養法には、体外式カテーテル法（**図2-36**）と埋め込み式カテーテル法（**図2-37**）があります。一般的に埋め込み式カテーテル法のほうが自己管理しやすいので、在宅で行う場合などに選択されます。中心静脈栄養法を在宅で行うことを在宅中心静脈栄養法（home parenteral nutrition：HPN）といいます。

　経静脈栄養法は、カテーテルが血管内に留置されているので、感染や血栓症などの合併症に注意が必要です。また、高血糖や低血糖を防ぐため、滴下量、滴下速度は正確に調整する必要があります。在宅等では、利用者の社会復帰や生活の向上の観点から、1日に必要な輸液量を8～14時間で投与する方法がとられることもあります。

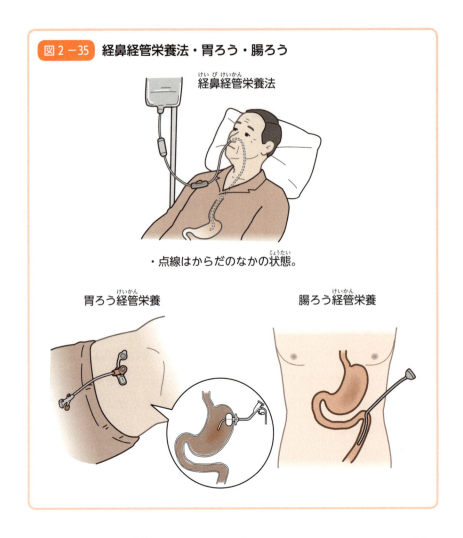

図2-35 経鼻経管栄養法・胃ろう・腸ろう

経鼻経管栄養法

・点線はからだのなかの状態。

胃ろう経管栄養　　腸ろう経管栄養

　カテーテルや輸液の管理は医療職が行います。介護福祉士は異常の早期発見に努められるよう、起こりうる異変や異常を理解しておく必要があります。

2 感染予防

　栄養状態が悪化すると、免疫機能が低下し感染症にかかりやすくなります。このため手洗い・うがいなどの感染予防が必要です。また、栄養チューブや血管内に留置したカテーテルなども感染源となるので、注意が必要です。

　禁食などにより腸管を使わない状態が続くと、腸管内の細菌や毒素が血液中に入りこんで肺炎や多臓器不全を起こすことがあります。これを**バクテリアル・トランスロケーション**といいます。

　感染の兆候を見逃さないように注意して観察を行うことが必要です。

第 9 節 【内部障害】小腸機能障害に応じた介護

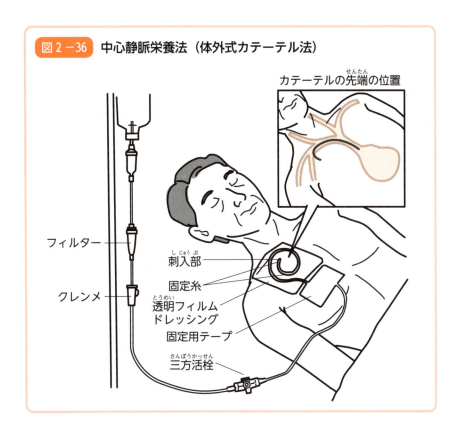

図2-36 中心静脈栄養法（体外式カテーテル法）

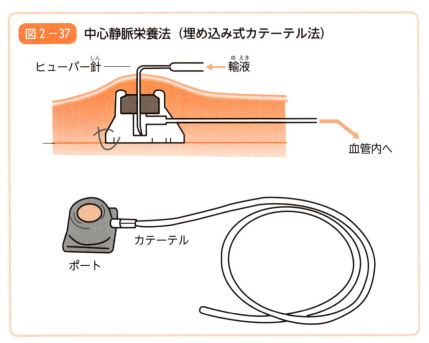

図2-37 中心静脈栄養法（埋め込み式カテーテル法）

> **感染が疑われる症状**
> 悪寒、発熱、カテーテル刺入部の痛み、発赤、腫脹

2 生活上の困りごと（観察の視点）

　小腸機能障害は、小腸からの栄養の吸収が不十分になった状態であり、栄養療法が行われます。そのため食事の内容や使用している器具等により日常生活に支障をきたすことがあります。利用者の栄養維持とチューブ等の管理などにおいては、医療職との連携が重要です。

（1）体重

　体重は栄養状態を反映するので、定期的に体重測定を行います。低栄養状態では腹水や浮腫がみられることもあります。腹水や浮腫がみられる場合、体重は維持または増加することがあるので、浮腫がないかなど全身の観察も必要です。

（2）消化器症状の観察

　腹痛、嘔気、嘔吐、下痢、便秘、便の性状などを観察します。

（3）栄養療法で使用しているチューブやカテーテルの観察

　衣服の着脱や移動の際に、チューブやカテーテルが引っ張られて抜けてしまうことがあります。そのため入浴、排泄、移動、睡眠など日常生活場面においてチューブやカテーテルが抜け落ちていたり、折れ曲がっていたりしないか、固定状況はどうかを確認する必要があります。また、固定部位の皮膚の状態なども観察します。

（4）食事制限や食べられないことへの不満

　栄養療法の必要性を理解しているか、食べられないことへの不満はないかを確認します。

（5）心理的な支援の視点

　栄養療法は継続する必要があるので、利用者が受容していることが重

要となります。しかし食事制限がいつまでつづくのかという不安や、食べたいものが食べられないことによるつらさなどを利用者は感じています。介護福祉職はこれらのことを理解し、利用者が感じていることを表出できるような関係を築くことが大切です。

(6) その他

栄養状態が悪化すると、免疫機能が低下し感染症にかかりやすくなったり、筋肉量の減少、褥瘡の発生、原疾患の悪化などが引き起こされます。また、栄養療法による合併症も起こりうるので、事前に合併症を把握して観察を行い、症状の出現時にはすみやかに医師・看護師に報告す

表2-26 栄養療法に関する合併症や異常

栄養療法の種類	合併症や異常
経鼻経管栄養法 胃ろう 腸ろう	栄養チューブの抜去 誤嚥性肺炎 栄養チューブ挿入部の壊死や潰瘍 栄養チューブの閉塞 胃や腸の潰瘍
栄養剤投与	悪心・嘔吐・腹部膨満感・動悸・顔面蒼白 便秘や下痢 胃・食道炎
中心静脈栄養法	カテーテルの抜去や破損 カテーテルの位置の異常 静脈内血栓 カテーテル関連血流感染症

表2-27 血糖や電解質の異常時にみられる症状

状態	症状
低血糖	冷汗　手のふるえ　四肢の冷感 顔面蒼白　動悸　けいれん
高血糖	口渇　尿量増加　全身倦怠感　傾眠
電解質異常	悪心　嘔吐　脱力感　知覚異常　けいれん

ることが必要です。栄養療法に関する合併症を**表2-26**に示します。

　中心静脈栄養法を行っている場合、輸液の滴下速度の不具合等によって低血糖や高血糖、電解質異常を起こすことがあります（**表2-27**）。このような症状がみられるときには、すみやかに医師・看護師に連絡しましょう。

3 支援の展開

（1）食事への対応

　栄養維持のために医学的管理下で栄養療法が行われます。経腸栄養に用いられる栄養剤にも種類があり、利用者の消化吸収能力によって選択されています。そのため介護福祉士は、栄養剤の種類、注入時間、1回の注入量を医師の指示に従って正確に注入する必要があります。栄養点滴チューブによる滴下は、ちょっとした身体の動きなどでも変化してしまうので、滴下速度はこまめに確認するようにします（『医療的ケア』（第15巻）第3章第1節・第2節を参照ください）。

　食事は、ただ栄養を摂取するためだけでなく、好きなものやおいしいものを食べる満足感、だれかと食事をともにする楽しみなどさまざまな側面をもっています。そのため食事に関する制限があると、利用者は食べることの楽しみが満たされない状態となります。このような食事に対する不満への理解と配慮が必要です。

（2）入浴への対応

1 経管栄養法

　経鼻経管栄養法、胃ろう・腸ろう造設をしている人も、そのまま入浴することが可能です。入浴後はカテーテル挿入部周囲の水分をよくふきとるようにします。とくに経鼻経管栄養法では、衣類の着脱のときにカテーテルが抜けてしまうことのないように、十分な注意が必要です。

2 中心静脈栄養法

　埋め込み式カテーテル法の場合は、**ヒューバー針**を抜いて2時間以上経っていればそのまま入浴できます。ヒューバー針は、看護師が抜きます。体外式カテーテル法の場合は、看護師が挿入部を**ドレッシングテープ**❼などでおおえば、そのまま入浴できます。ただし、感染のリスクが

❼ドレッシングテープ
点滴刺入部等の創傷部を保護するときに使用する防水機能のあるテープのこと。

高いので、洗身の際などにドレッシングテープがはがれないように注意が必要です。

（3）活動

経管栄養法を行っていることが原因で、日常生活が著しく制限されることはありません。しかし、カテーテルが挿入されているので何らかの動作を行うときには、脱落などに注意が必要です。

経静脈栄養法では、血管にカテーテルが挿入されているので、細心の注意を払う必要があります。移動に制限はありませんが、点滴スタンドを使用した輸液の場合は、本人といっしょに点滴スタンドも移動させ、カテーテルが引っ張られることのないようにします。輸液ポンプを使用して外出する場合は、バッテリーが十分に充電されているかを確認し、替えのバッテリーも持ち歩くようにします。

（4）その他（日常生活全般の留意点）

1 カテーテルからの感染

カテーテルの管理は、看護師が行います。介護福祉職は、日常の生活支援のなかで、カテーテルや挿入部の観察を行い発赤や腫脹などの異変があったらすぐに医療職に報告します。また感染の徴候を示す発熱等にも注意します。

2 腸管の免疫機能低下による感染

経口摂取が許可されている場合は、利用者の状態にあわせ少量でも経口摂取することが、腸管のバリア機能を維持するためにも重要です。また、感染の徴候がみられる場合は、すみやかに医療職に報告します。

4 事例で学ぶ——小腸機能障害に応じた生活支援の実際

> **事例**
>
> Kさん（75歳、男性）は、1人暮らしです。同じ敷地内に息子夫婦が住んでいます。1年前に上腸間膜動脈閉塞症で小腸の大半を切除し、食事と併用し在宅中心静脈栄養法（HPN）を行っています。Kさんの在宅生活を

支えるため、訪問看護師もかかわり、輸液の管理や入浴を行っています。この日は午前10時に介護福祉士が訪問すると、Kさんから「動悸がして手がふるえる」との訴えがありました。

Kさんに確認すること

Kさんに以下の点を確認しました。
① いつから動悸や手のふるえがあるのか
② 経口では、いつ、何を、どのくらい摂取したのか

介護福祉士の対応

Kさんに以下のことを行いました。
① Kさんの様子を観察し、顔面蒼白、四肢の冷感、冷汗、気分不快を確認しました。バイタルサインの測定とカテーテル刺入部やカテーテルの異常がないか、また輸液の残量も確認しました。Kさんによると、今日は朝から何も食べていないとのことでした。
② すぐに事業所のサービス担当責任者に連絡し、訪問看護師に報告しました。また緊急時の対応として訪問看護師から指示を受けていたため、指示内容書を確認しました。指示内容書には高血糖症状、低血糖症状が示されており、このような症状がみられたときはすぐに報告すること、低血糖症状があり、食事をとっていないときは、飴をなめてもらうことなどの指示が書かれていました。
③ 訪問看護師からは、低血糖症状であると思われること、Kさんに飴をなめてもらい様子をみていてほしいと連絡がありました。また、訪問看護師は、すぐにKさんの家に向かうとのことでした。
④ 訪問看護師の指示に従い、飴をなめてもらい、様子を見守りながら訪問看護師を待ちました。

多職種連携のポイント

医療を必要とする在宅生活者は、多くの場合、訪問介護だけでなく、訪問看護も利用して生活しています。普段から訪問看護師との連携を密にし、利用者に起こりうる変化やそのときの対処方法に関する指示を受けておくことは重要です。また、それらの指示内容は書面に残し、だれでもすぐに対応できるようにしておくことも大切です。

患者の栄養管理を専門的に行う医療チームのことを**栄養サポートチーム**（**NST**：nutrition support team）といい、医師、看護師、管理栄養士、薬剤師、理学療法士、作業療法士、介護支援専門員（ケアマネジャー）など多職種で構成されています。栄養サポートチームは、適切な栄養管理を行い、栄養状態の改善、合併症の予防、生活の質の向上をめざしています。また病院内だけでなく、地域一体型NSTとして病院と診療所、福祉施設、訪問看護ステーションなどとも連携して栄養サポートを行っています。

◆ 参考文献
- 井上智子・窪田哲朗編『病期・病態・重症度からみた 疾患別看護過程＋病態関連図 第3版』医学書院、2016年
- 医学情報科学研究所編『病気がみえる vol.1 消化器 第5版』メディックメディア、2016年
- 医学情報科学研究所編『イメージするカラダのしくみ イメカラ 消化管』メディックメディア、2013年
- 角田直枝編『Nursing Mook30 スキルアップのための在宅看護マニュアル』学研メディカル秀潤社、2005年

第10節

【内部障害】
HIVによる免疫機能障害に応じた介護

> **学習のポイント**
> - HIVによる免疫機能障害について医学的・心理的側面から理解する
> - HIVによる免疫機能障害のある人の生活上の困りごとを理解する
> - HIVによる免疫機能障害のある人への支援において、多職種連携のなかで介護福祉士が果たすべき役割を理解する

関連項目 ⑭『障害の理解』▶第2章第6節「内部障害」

　「不治の病」として恐れられていたHIV（human immunodeficiency virus：ヒト免疫不全ウイルス）感染症ですが、1996年以降、HIVをおさえこむ抗HIV薬が次々に開発され、HIVに感染してもエイズ発症までの期間を延長させることができるようになりました。とくに、多剤を組み合わせることにより、さらに、体内のウイルスをおさえこむことができるようになるとともに、日和見感染症に対する治療方法も発達したため、結果的に、エイズを発症しても長期に生存することが可能となりました。

　そのため、今では、HIV感染症は肝炎等と同じように、慢性感染症の1つになりました。エイズはもはや「死の病」ではありません。介護福祉士は、HIV感染症を正しく理解することで不安や恐れを解消し、HIV感染者が介護を必要とした際には、普段どおりの暮らしができるよう多職種連携で対応できるように学ぶ必要があります。

第 10 節 【内部障害】HIVによる免疫機能障害に応じた介護

1 HIV感染症の理解

（1）病気の広がりについて

　1981（昭和56）年に世界で最初のエイズ患者が報告されて以降、2016（平成28）年末には全世界で約3670万人がHIVに感染しています。一方、年間死亡者数はもっとも多かった2005（平成17）年の約200万人から、2016（平成28）年は約100万人と約半数に減少しています。日本では、**非加熱血液製剤**❶による感染例が1983（昭和58）年に報告されて以来、その後は性感染による感染者が増加し、2019（令和元）年末の累積感染者数は3万1385人で、いまだに新たな感染者は増え続けています。

> **日本におけるHIV感染の特徴**
> ・男性の同性間性的接触で感染が拡大
> ・3割程度はエイズを発症してから発見
> ・都市部で多いが、地方でも多い地域はある
> ・10歳代から70歳代まで新規感染者が発生

❶非加熱血液製剤
人間の血液を原料としている薬剤で、加熱による滅菌かウイルスの不活化のための処理をしていないもの。日本では、昭和60年代前半まで、血友病患者の治療に使われていた。

（2）HIV感染症とは

　HIVは、免疫をになうリンパ球のうち、**CD4リンパ球**❷に感染します。CD4リンパ球の中で、HIVが複製され、CD4が破壊されます。そのため、血液中のCD4数は、免疫状態を示す重要な検査値です。また、血液中のHIV量も測定でき、これは、病気の進行速度を測るものとされています。治療により、検出限界以下（現在は、20コピー/ml以下）に減らすこともできますが、HIVが体内からなくなることはありません。また、HIVに感染しても、とくに自覚症状はなく、感染に気づかなければ、無症状で進行していきます。そのため、感染に気がつかずに治療を受けなければ、ウイルスの量は増加し、平均10年ほどでエイズを発症するといわれています。

❷CD4リンパ球
血液中の白血球の1つであるリンパ球。別名ヘルパーT細胞。免疫の司令塔の役割をもつ。

（3）エイズとは

　エイズは、**後天性免疫不全症候群**（acquired immunodeficiency syndrome：AIDS）が正式な名称です。エイズ発症とは、エイズの診断として指定された23の日和見感染症を発症した場合をいいます。たと

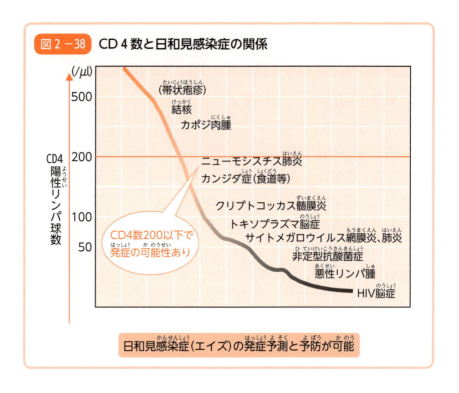

図2-38 CD4数と日和見感染症の関係

日和見感染症（エイズ）の発症予測と予防が可能

えば、一般に口腔内に存在するカンジダで、食道カンジダ症を発症する場合などです（図2-38）。日和見感染症は、日常生活で接触することがある細菌などで、健康な免疫の状態では反応しないのに、免疫能力が低下した場合は、感染症として重篤な感染症となることをいいます。

（4）HIV感染症の治療

1997（平成9）年以降には、多剤を組み合わせた**ART**[3]（anti-retroviral therapy：抗HIV薬療法）が導入され、体内のウイルス量をさらにおさえこめるようになりました。HIVに感染しても、早期に治療をすれば、1～3か月に1回程度の外来通院で、抗ウイルス薬の服薬も1日1回1錠の場合が多くなり、以前に比べて、長生きできるようになりました。そのため、HIV感染者が加齢による生活習慣病や、それによる脳卒中等により介護サービスを必要とする場合が多くなっています。HIVが混入した血液製剤により感染した血友病患者の場合は、もともと脳内出血のリスクが高く、40歳前後でも介護サービスを利用することがあります。

ARTにより、体内のウイルス量をおさえこむことができるということは、他の人への感染を予防できることでもあるといわれています。

[3] ART
抗HIV薬により、ウイルスの増殖をおさえ、後天性免疫不全症候群（AIDS）の発症を防ぐ治療法である。

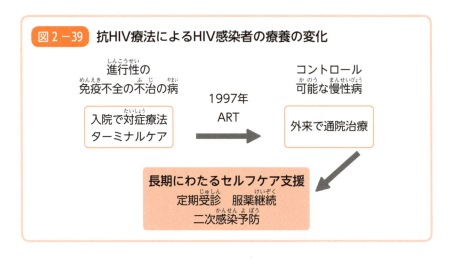

図2-39 抗HIV療法によるHIV感染者の療養の変化

ARTの導入により、HIV感染者は治療を続けながら、就労するなどの社会生活をふつうに送ることができるようになりました（図2-39）。ただし、処方された薬を確実に服用しないと、治療の効果が得られないため、自分で服薬の管理が困難な場合は、本人に代わって服薬管理をする周囲の手助けが必要となります。効果的な治療には、何よりも「確実な服薬」と「定期的な受診」が重要です。

HIV感染に気づかず、治療を受けずに長期間経過すると、突然、エイズを発症することがあります。エイズ発症をきっかけに、感染が判明するケースを**いきなりエイズ**といいますが、カリニ肺炎等で呼吸困難になり入院した場合は、まずは、これらの日和見感染症の治療を行い、その後にウイルスをおさえる治療を行います。

（5）HIVの感染リスク

HIVは感染力の弱いウイルスで、少量では感染しません。また、熱や塩素に弱く、人のからだの中に入らなければ生きていけないウイルスです。すでに、入所施設での受け入れが進んでいるB型肝炎やC型肝炎に比べても感染率は低いとされています。おもな感染経路は、以下の3つです。

- 性行為
- 麻薬注射の回し打ち、医療における**針刺し事故**[4]
- 母子感染

❹針刺し事故
医療従事者らが、患者や利用者の血液等が付いた鋭利な器具で、みずからの皮膚を刺してしまう事故。

また、血液以外の体液（精液、膣分泌物、母乳等）は、HIVを含み

ますが、HIVは、空気中や食べものの中、水の中では生存できません。そのため、性行為以外の以下の日常的接触では感染しません。

> 感染しない日常的接触
> ・握手・軽いキス
> ・バス・電車のつり革
> ・医療機関・理美容院の利用
> ・咳・くしゃみ・汗・涙
> ・食器類の共用
> ・蚊、ハエ、ペットなどを介して
> ・衣類、寝具などの共用
> ・銭湯・プール・洋式トイレの利用

（6）標準予防策（スタンダード・プリコーション）の実践

標準予防策（スタンダード・プリコーション）とは、「血液、体液、分泌物、排泄物、創傷皮膚、粘膜などは、感染する危険性があるものとして取り扱わなければならない」という基本的な考え方です。事前に感染症の有無がわからなくても、すべての利用者の体液等の取り扱いは、感染リスクがあると考えます。医療機関では、標準予防策の順守の徹底を努力しています。

介護施設では、医療機関のように多くの新規利用者に対応したり、血液や体液に接触する機会は多くはありませんが、排泄ケアにおいて、便や尿を処理する際に留意する必要があります。

標準予防策の考え方としては、3つの原則があります。

> 感染防止対策の3原則
> ① 感染源を取り除く
> ② 感染経路を断つ
> ③ からだの抵抗力を強くする

2 生活上の困りごと（観察の視点）

HIVに感染したからといって今までできていたことができなくなる

第10節 【内部障害】HIVによる免疫機能障害に応じた介護

> **表2-28** 病気をかかえながらの生活でつらいこと
>
> - 仕事を休んで日中に受診するのはむずかしい。
> - せっかくの休みが受診でつぶれてしまう。
> - 海外勤務したかったが海外での通院が不安だ。
> - 薬を毎日欠かさず同じ時間に飲む必要がある。
> - 免疫力が低いときにはだるくて集中できなかった。
> - 恋愛や結婚に対し消極的になった。
> - 元気に過ごしているが健康には人一倍気をつかう。
> - 病気のことを知られる不安がいつもある。
> - 病気を理由にあきらめることにつらさがある。

ということはありません。病状によって注意点も変わってきますので主治医や医療スタッフと相談しながらその人に合った生活を送ることが大切です。

　HIV感染者も長く生きられるようになり、生活習慣病である糖尿病や高血圧症、心筋梗塞や脳卒中を発症したり、人工透析を行う場合も増えています。ただし、介護が必要な状態となっても、HIV感染者については、サービスの利用や入所を断わる福祉施設や介護施設がまだあります。HIV感染症への偏見や誤解は、介護の現場ではいまだ存在し、介護を必要とするHIV感染者が介護サービスを求めても、必ずしもサービスを受けられていない現状があります。

　家族や親戚がいない場合や家族関係が良好でない場合は、在宅での介護はむずかしく、医療機関を退院後に、有料老人ホームや特別養護老人ホームへ入所する例もあります。その受け入れの際には、施設職員向けの研修を何度も行い、不安に対応することが必要です。介護施設でも、HIV感染者の受け入れが増えはじめているのも事実です。

　とくに要介護状態の場合は、在宅では、訪問介護(ホームヘルプサービス)や訪問看護などのサービス提供者、入所している場合は、福祉施設等の介護福祉職や看護職が、病気の理解と支援の際の留意点を学び、積極的にかかわることで安定した療養生活が可能になります。

　厚生労働省は、2018(平成30)年1月に、「後天性免疫不全症候群に関する特定感染症予防指針」(厚生労働省告示)を改正して、HIV感染者の療養の長期化に関する体制整備について、介護・福祉サービスも関

係機関と連携する必要性を示しています。

3 支援の展開

（1） ケアをする際の留意点

HIVは傷口や粘膜から体内へ入ります。したがって、傷口や粘膜を守ること、歯ブラシ、カミソリ等血液のつきやすい日用品は共有しないことが大切です。

（2） 血液などが付着したものの消毒方法

次のどちらかの方法で、消毒します。
・1％次亜塩素酸ナトリウムでふきとる
・0.5％次亜塩素酸ナトリウムに、30分ひたしておく

（3） 生活場面ごとの介護のポイント

1 食事

・栄養バランスに気をつけ、規則的に食事ができるように配慮します。

表2-29 ケアの状況と対応方法の基本

状況	対応
血液、体液、分泌物、排泄物、創傷皮膚、粘膜などに触れるおそれがあるとき	・手袋を着用し介護する ・手袋をはずしたときにはただちに石けんと流水で手洗いをする
血液、体液、分泌物、排泄物が飛びちる可能性があるとき	・介護時に汚染が予想されるときはマスク、プラスチックエプロンや必要に応じてゴーグルを着用する
感染性廃棄物の取り扱い	・手袋の着用 ・分別、保管、管理、処理を適切に行う
針刺し事故の防止	・リキャップ※の禁止 ・針捨てボックスに直接廃棄する

※：リキャップとは、注射器から一度はずしたキャップ（ふた）を、使用後の針先に再び装着することをいう。

また、新鮮な物を清潔に提供します。食欲がない場合には、看護師・管理栄養士（栄養士）等の多職種で食事内容・形態・摂取方法などについて検討し、対応します。

- 食器は共用しても差しつかえありません。通常の洗浄方法で対応が可能です。
- 無農薬野菜などは、健康によいとされていますが、免疫力が低下した利用者には、寄生虫などのリスクがあるので、通常の野菜を利用します。

2 内服

- **抗HIV薬**による治療は、ウイルスをおさえこむために、ほぼ一生内服します。嚥下困難や経管栄養など、内服薬をそのままの形で飲むことがむずかしくなった場合には、医師や看護師に相談しましょう。種類によっては粉砕が可能です。また、飲み忘れや吐き出してしまった場合の対応や保管管理については、事前に確認しておく必要があります。
- 副作用として下痢や吐き気などが起こりやすくなります。そのような症状がみられた場合は看護師に相談します。

3 排泄

- 共用の洋式トイレの利用も問題はありません。
- おむつ交換には使い捨て手袋を使用します。排泄物に直接触れてしまった場合は、流水で石けんを使って洗います。
- 排泄物（嘔吐物）の処理については、標準予防策（スタンダード・プリコーション）で対応します。

4 整容

- 美容院や理容店で感染することはありません。
- 血液の付着しやすい歯ブラシやカミソリ、くしは個人専用にします。

5 入浴

- 風呂やシャワーで感染することはありません。使用後の浴室の掃除は通常の方法で問題ありません。

6 洗濯

- 洗濯機で洗濯しても問題ありません。ただし、血液でかなり汚染された場合は、消毒してから通常の洗濯をします。

（4）業務上の針刺し事故や体液の付着について

　万一、針刺し事故があった場合に、早期に抗HIV薬を内服することでHIV感染を予防することが期待できます。以下の接触があった場合に、予防内服が推奨されています。

> ・針刺し事故
> ・注射針など鋭利な物による受傷
> ・皮膚の傷口や粘膜への接触

　また、以下については、血液が混ざっていなければ感染リスクはないと考えます。

> 便、唾液、鼻汁、痰、汗、涙、尿

　曝露事故[5]が発生した場合は、ただちに曝露部位を大量の流水と石けん（眼球・粘膜への曝露の場合は大量の流水）で洗浄し、すみやかに責任者と連絡をとり、予防内服[6]に関する指示をあおぐ必要があります。

（5）心理・社会的ケア

　HIV感染者やエイズ患者は、病気に対する不安および経済的な不安をかかえていることがあるので、傾聴する姿勢をもち、他職種と連携しながら問題となっていることを解決しましょう（表2-30）。また、家族やパートナーとの関係がうまくいっていない場合もあり、それぞれの話を傾聴して状況を把握しましょう。高齢で親族との縁がなくなっている場合もあるため、後見人制度についても検討する必要があります。
　プライバシーのこともあり、HIV感染者にとっての家族やパート

---

[5] **曝露事故**
細菌やウイルス、放射線や有害物質等に接触してしまうこと。

[6] **予防内服**
厚生労働省健康局疾病対策課長通知「労災保険におけるHIV感染症の取扱いについて（通知）」（平成22年9月9日 健疾発0909第1号）により、曝露後予防内服は労災保険の給付対象となった。施設や事業所では、エイズ拠点病院と連携してマニュアルを整備しておく必要がある。

表2-30 心理・社会的ケアのポイント

・病気をかかえる人々のなかには、心理的、社会的なつらさをかかえる人もいる。
・病気を知っている家族やパートナーらは、本人にとって支えとなる。
・HIV/AIDSの予後は改善し、仕事等の社会生活を送れるようになったが、療養の長期化により、新たなストレス等がかかることもある。
・病気により経済的に生活できなくならないように、長期的な生活設計や家族等のサポート構築を支援する。

ナーの存在は大変重要です。

(6) エイズ拠点病院との連携

施設でHIV感染者を受け入れる際は、主治医の確保と**エイズ拠点病院**との連携が重要です。診療が必要な場合の対応は、嘱託医や在宅の場合は地域の主治医が担当しますが、一般的に、HIV感染者の診療経験が少ないため、診療についてもエイズ拠点病院などのバックアップが必要となります。HIV感染症の医療体制は、このような状況もふまえて、拠点病院などが定められているので、医療的な情報を得るなど、積極的な活用が求められます。

❶ エイズ治療拠点病院体制

1993(平成5)年に全国にエイズ拠点病院が整備され、1996(平成8)年3月の薬害HIV原告団と厚生省(現・厚生労働省)の間の和解条項が端緒となり、国内のエイズ医療体制が再整備されることになりました。1997(平成9)年には全国8ブロックにエイズブロック拠点病院が設置されています。

エイズブロック拠点病院は、エイズに関する高度な診療を提供しつつ、臨床研究、ブロック内の拠点病院等の医療および介護従事者に対する研修、医療機関および患者・感染者からの診療相談への対応等の情報を通じて、ブロック内のエイズ医療の水準の向上および地域格差の是正に努める責務をになっています。2006(平成18)年には、ブロックへの患者集中の緩和のため、都道府県に1か所以上の中核拠点病院が整備されています。

4 事例で学ぶ──HIV感染症に応じた生活支援の実際

> **事例**
>
> Lさん(71歳、男性)は、独身で1人暮らしです。家族とは若いころから疎遠で、今はだれとも連絡をとっていない状況です。35歳のときに性行為にてHIV感染。55歳で肺炎を併発し、エイズの診断を受けました。退院後は65歳まで仕事についていましたが、現在は、生活保護を受給して暮らしています。近所づきあいはなく、時々民生委員や生活保護担当者、保健

師等が自宅を訪問して状況を確認しています。2か月に1度、エイズ拠点病院の外来を受診しています。

　Lさんは、ひきこもりがちで、栄養状態も悪化していました。ある日、保健師が訪ねたところ玄関で倒れており、すぐに救急搬送されました。診断は、転倒による大腿骨骨折で、そのままエイズ拠点病院へ入院・手術となりました。その後、リハビリテーションを行いましたが、栄養状態が悪かったこともあり、自力での歩行が困難となり、車いすでの生活となりました。

退院後の住まい探し
　在宅復帰に向けた取り組みが開始されましたが、Lさんを含むサービス担当者会議の結果、自宅のアパートで1人で生活することは困難との結論にいたり、特別養護老人ホームへの入所に向けて手続きをすすめることになりました。エイズ拠点病院のスタッフと、介護支援専門員（ケアマネジャー）、保健師などが総力をあげて入所先を探しましたが、「空きがない」との理由でなかなか見つかりませんでした。訪問サービスでつなぎながら、短期入所生活介護（ショートステイ）の利用、介護老人保健施設への入所、地域密着型介護老人福祉施設にも範囲を広げてみましたが、いっこうに入所先を見つけることはできませんでした。

研修会の開催
　2か月が過ぎたころ、エイズ拠点病院のコーディネーターナースの発案で、周辺地域の施設職員を対象にエイズ患者の介護についての研修会を開くことになり、施設の管理者、看護師、管理栄養士、介護支援専門員、介護福祉士など多職種が参加しました。この研修の前後に実施したアンケートによると、研修前では、「HIVとAIDS（エイズ）の違いがわからない」「感染者の介護をするのは不安」との回答が大半を占めていました。一方、研修後では、「他の一般的な感染症の対応のほうが大変」「これまでは偏見があった」との回答が多くみられました。また、施設での受け入れが可能かどうかという質問には「可能である」と回答した人が多数を占めました。さらに、この研修をきっかけに、Lさんの入所申し込みを受け付けてくれる施設があり、空きを待って入所することができました。

入所施設での受け入れ準備
　受け入れ施設からは、施設内研修の要望があり、エイズ拠点病院の

第10節 【内部障害】HIVによる免疫機能障害に応じた介護

コーディネーターナースが、排泄、食事、入浴、整容、リハビリテーション、口腔ケアなど、日常のケアにおける留意点を説明しました。その後、施設の看護師や介護福祉士が中心となり、エイズ患者のケアについてマニュアルの確認や個別ケアに徹することの情報の共有がなされました。

個別の緊急時の対応マニュアルには、最寄りのエイズ拠点病院の電話番号も記載され、針刺し事故等の発生時にはエイズ拠点病院へ相談することや、基本的な介護について職員も慣れたのちは、さらにマニュアルを改善したりと、一連の取り組みには、エイズ拠点病院も積極的にかかわりました。Lさんの入所時には、エイズ拠点病院との連携により、施設へ訪問診療してくれる医師を紹介され、主治医として2か月に1度の診察と処方をしてもらうことになりました。また、患者のケア等の相談にも随時対応してくれることになり、当初は不安もありましたが、少しずつ慣れていきました。

今では、エイズについての研修会を施設の研修プログラムに組みこみ定期的にエイズ拠点病院の支援を受けて開催しています。そして、Lさんは、この施設で他の入所者といっしょに食事をしたり、部屋で静かに過ごしたり、車いすで散歩したり、自分なりの暮らしを継続しています。

◆ 参考文献
- 山内哲也 分担研究「長期療養者の受入れにおける福祉施設の課題と対策に関する研究」平成21年度厚生労働科学研究費「HIV感染症及びその合併症の課題を克服する研究」
- 大金美和 分担研究「HIV感染血友病等患者の医療福祉とケアに関する研究」平成28年度厚生労働科学研究費「非加熱血液凝固因子製剤によるHIV感染血友病等患者の長期療養体制の構築に関する患者参加型研究」

第 11 節

【内部障害】
肝臓機能障害に応じた介護

学習のポイント
- 肝臓機能障害について医学的・心理的側面から理解する
- 肝臓機能障害のある人の生活上の困りごとを理解する
- 肝臓機能障害のある人への支援において、多職種連携のなかで介護福祉士が果たすべき役割を理解する

関連項目
⑫『発達と老化の理解』 ▶ 第5章第3節「高齢者に多い疾患・症状と生活上の留意点」
⑭『障害の理解』 ▶ 第2章第6節「内部障害」

1 肝臓機能障害の理解

（1）肝臓のしくみ

　肝臓は腹部の右上で横隔膜の下に位置する臓器で、その重さは約1200gです。この重さは内臓のなかではもっとも重いものです。表面は暗赤褐色で、大きな右葉と小さな左葉からなっており、左葉は全体の3分の1から6分の1程度の大きさとされています。右葉と左葉は、肝鎌状間膜によって分けられています（図2－40）。
　肝臓には、肝臓に栄養と酸素を補給する**肝動脈**と、消化器官から吸収した栄養を運ぶ**門脈**❶からの血液が流れ込んできます。
　肝臓の下裏側のへこみ部分には胆嚢があります。**胆嚢**は洋ナシのような形で、長さは約7～9cm、幅は2～3cmとされています。色は濃緑色です。胆嚢は肝臓でつくられた消化酵素である**胆汁**を一時的に蓄えるはたらきをします。

（2）肝臓のはたらき

　肝臓は、人体の化学工場にたとえられるほど、多くのはたらきがあります（表2－31）。

❶門脈
胃や腸からの栄養に富む血液と、膵臓・脾臓の血液を集めて肝臓に運ぶ静脈。

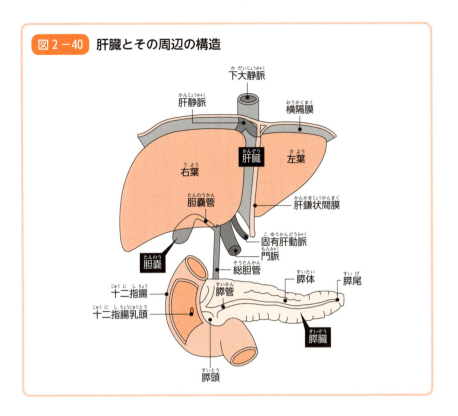

図2-40 肝臓とその周辺の構造

表2-31 肝臓のはたらき

・胆汁の生成
・血液凝固への関与
・造血作用、壊血作用
・血液貯蔵
・栄養分（糖・脂質・たんぱく質・ビタミン）の生成、貯蔵、代謝
・中毒性物質の解毒や排泄作用（アルコール・ニコチンなどを無害にする。ホルモンの過剰生産等の後始末）

（3）肝臓のおもな疾患

1 肝炎と慢性肝炎

　肝臓に炎症が起こった状態が肝炎です。肝炎の原因は、アルコール、薬物、ウイルスなどですが、日本では、肝炎のほとんどはウイルス性肝炎とされています。
　肝炎は、急性肝炎と慢性肝炎に分類できます。
　急性肝炎は、おもにウイルス（**A型肝炎・E型肝炎**）や細菌の感染によるものと、中毒性によるものがあります。急性肝炎のおもな症状に

は、風邪症状、全身倦怠感、食欲不振、発熱、下痢、尿の変化（濃い褐色）、黄疸、皮膚掻痒感（皮膚のかゆみ）などがあります。

慢性肝炎とは、一般に6か月以上にわたって肝臓機能の異常が持続した状態とされます。慢性肝炎の原因は、ウイルス性、薬剤性、アルコール性の3つに分類することができます。慢性肝炎でも長い経過を経て、治癒する場合もありますが、肝硬変に移行する場合も多いことが知られています。肝硬変の約90%は、慢性肝炎からの移行とされています。

慢性肝炎の原因となるウイルスは、**B型**と**C型**です。

C型肝炎は、HCV（hepatitis C virus）抗体の発見により、1988（昭和63）年以来、診断がなされるようになりました。HCVに感染すると約70%の人がC型肝炎ウイルス持続感染者（HCVキャリア）となります。これは感染しても自覚症状はほとんどありません。放置することで、本人が気づかないうちに、慢性肝炎、肝硬変、肝臓がんへと進展する場合があるので注意が必要です。

2 肝硬変

肝硬変とは、持続的に肝細胞が破壊され続けることで、破壊された細胞が**線維**❷におきかわり増殖します。肝細胞は再生をくり返すので、肝臓の構造が改築され、肝臓の表面は凸凹した状態となります。このような変化で、肝臓全体がかたく線維化し、正常な肝臓の機能がはたらかなくなった状態を肝硬変といいます。

肝硬変になると肝臓が正常な状態に戻ることはなく、5～15年ほどの年月から肝不全になり、**肝性昏睡**❸や**食道静脈瘤**❹、肝臓がんなどになるといわれています。肝硬変は男性に多い疾患でもあります。

❷**線維**
線維化ともいわれる。臓器がかたくなり、機能が低下した現象をいう。

❸**肝性昏睡**
肝臓の機能である有害物質が解毒されないで、脳をおかすことにより生じる。慢性型のものでは、もの忘れや性格の変化、異常行動、羽ばたき振戦、意識状態の変化がみられる。

❹**食道静脈瘤**
何らかの理由で門脈血流が妨げられ門脈圧が亢進することで、その血流が逆流し食道の静脈から上大静脈に流れるように血行路ができる。食道静脈が拡張・蛇行した状態をいう。

表2-32 肝硬変の症状

代償期の症状	非代償期の症状
症状コントロールを行うことで、肝臓の機能が代償※されている状態	肝臓が機能の障害を代償しきれなくなった状態
くも状血管腫、手掌紅斑、食欲不振、全身倦怠感、腹部膨満感、嘔気、便通異常	浮腫、腹水、黄疸、出血傾向（皮下出血）、栄養障害、食道静脈瘤、肝性脳症（意識障害）、羽ばたき振戦

※：代償とは、ある方向への変化傾向が出た場合、ほかの変化によって、もとの変化が補われる過程を示すことをいう。

（4）日常生活の留意点

慢性肝炎は、自覚症状にとぼしいので、健康診断で発見されることがよくあります。日常生活の維持のためには、定期的な健康診断の実施による健康状態の把握が重要になります。また、食欲不振や便秘、かゆみが出る場合があります。病気の状態により、治療方針が異なるので、主治医との連携が重要です。知識の不足から生じる誤った活動制限などは、日常生活を制限することにもつながります。

肝臓機能が安定していれば、仕事や日常生活に制限はないとされますが、規則正しい生活を心がけることが大切です。

1 食事療法など

肝臓疾患がある場合には、利用者ごとの栄養状態の評価が行われ、必要な食事療法が実施されます。

肝硬変が進行し、腹水や浮腫（むくみ）がみられる場合には、水分制限や塩分制限が必要になります。また、利尿薬が使用される場合もあります。

介護福祉職には、利用者の状態を悪化させないために、食事療法の基本的な理解が求められます。また、状態の変化を観察し、医療職に報告することや管理栄養士との連携が重要になります。

2 感染予防

B型肝炎、C型肝炎は感染していても症状があらわれにくいので、病気の発見が遅れがちです。気がつかないうちに肝臓の炎症が進み、肝硬変や肝臓がんに移行するので、症状がなくても感染の有無を確認しておくことが必要です。

また、医療・介護に携わる人には、肝炎を予防することへの意識が求められます。正しい知識をもたずに過度に反応することは、人権を侵害することにもなるので注意が必要です（表2-33、表2-34）。

3 服薬

肝臓疾患に対する服薬には、**肝庇護薬**❺などの服用があります。疾病の状態により、服薬内容は変化します。

> ❺**肝庇護薬**
> 肝臓の破壊を防ぎ、肝機能を改善させることを目的とした薬。

2 生活上の困りごと（観察の視点）

医療職と連携するうえでも、生活場面のなかで注意しておきたい観察

> **表2-33** 感染予防のための介護上の留意点

・介護の前後には手洗いを行う。
・感染源と感染経路に関する正しい知識をもつ。
・歯ブラシ、カミソリなど血液がつく可能性のあるものは共有しない。
・血液に触れるおそれのあるときには、ゴム手袋をつける。
・感染の有無を血液検査で確認しておく。

> **表2-34** B型肝炎ウイルス、C型肝炎ウイルスのおもな感染経路

B型肝炎ウイルス	C型肝炎ウイルス
・母子感染 ・B型肝炎ウイルスに感染している血液を輸血 ・B型肝炎ウイルスに感染している人との注射針や入れ墨針の使い回し ・B型肝炎ウイルスに感染している人との性行為	・C型肝炎ウイルスに感染している血液を輸血 ・C型肝炎ウイルスに感染している人との注射針や入れ墨針の使い回し ※感染している人の約50％は感染原因が不明

注：輸血などで用いる血液製剤には安全対策がとられてきているので、その安全性は向上している。
資料：東京都資料「肝炎ウイルス検診を受けましょう」より作成

> **図2-41** 肝硬変により生じる身体の変化

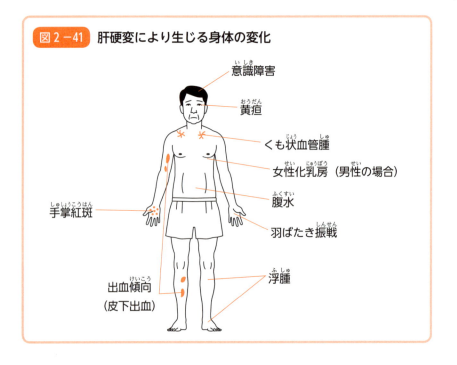

意識障害
黄疸
くも状血管腫
女性化乳房（男性の場合）
腹水
羽ばたき振戦
浮腫
出血傾向（皮下出血）
手掌紅斑

点を共有しておくことが重要です（図2-41）。高齢者の場合は、加齢にともなう身体的な変化もあるので一概にはいえませんが、次のような点に気づいたら、医療職に報告しましょう。

（1）皮膚の観察（かゆみ・むくみ）

肝硬変による皮膚症状には、顔や首などの上半身にくも状血管腫がみられたり、親指や小指のつけ根に強く赤い斑点（手掌紅斑）がみられたりします。これらは着替えや入浴の介助など生活支援を行う際に観察することが可能です。また、身体がかゆい、血が止まりにくくなったなどの訴えを聞くことも重要です。

身体がかゆい場合には、発疹などの変化をともなう場合が多いものですが、肝臓機能障害の場合には、神経を刺激してのかゆみなので、発疹など皮膚の変化をほとんど認めずにかゆみを感じます。

> 観察のポイント
> ・皮膚の色や状態の変化
> ・かゆみの訴え　　など

（2）黄疸の観察

黄疸[6]は身体全体にみられるものですが、肝臓機能障害のある利用者の場合、皮膚の色素沈着のためわかりにくいとされています。また、黄疸は自分では気がつかない場合もあります。

黄疸の観察方法として、眼球結膜の観察があります（図2-42）。眼球結膜は黄疸が比較的早く出現するとされています。

[6]黄疸
ビリルビン（胆汁色素の主成分）が基準値以上に増加してからだが黄色くみられる。

（3）浮腫の観察

肝硬変でみられる浮腫（むくみ）は、全身性の浮腫とされ、左右対称に出現します。

皮下脂肪が少なく判別しやすい部分は、下肢では足背、前脛骨部、上肢では手背部です。これらの部分の皮膚を5秒以上圧迫したあとに圧迫痕が残るかどうかを確認します。

また、浮腫や腹水がたまると、体重が増加します。定期的な体重測定も観察のポイントになります。

その他、食事量に変化がないのにおなかがふくらんできた、衣服がき

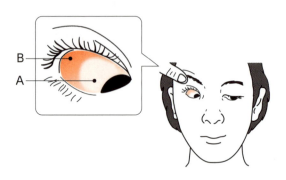

図2-42 眼球結膜の観察手順
① 利用者に左前下方を見てもらう。
② 介護福祉職の左の親指で上の瞼を右上方に引き上げ、眼球結膜を観察する。黄疸のある利用者では、黄色味がBからAに向かってくるのがわかる。

つくなった、靴下の跡が残るなども重要な観察ポイントです。

> 観察のポイント
> ・体重の増加
> ・腫れているような感じの有無
> ・皮下部分が厚くなり静脈が見えにくくないか

（4）排泄物の観察

黄疸が進むと、排泄物の色や量は状態を把握するための大切な情報となります。健康なときの尿の色は淡黄色ですが、尿の色が紅茶やコーラのような色に変化していきます。また、尿の色が濃くなるにしたがい、便の色が薄くなるという変化が生じます。

> 観察のポイント
> ・尿や便の色の変化

（5）その他

「疲れた」「動きたくない」など倦怠感を訴える場合もあります。肝臓機能障害のある利用者の自覚症状を確認することも必要です。
　緊急性を要する場合の病状として、食道静脈瘤の破裂があります。突然に大量の吐血や下血がみられた場合には、ショック症状となりますの

で、すぐに医療につなげる必要があります。

肝硬変のある場合には、排便時のいきみや、重い荷物の運搬は避けたいところです。

医療職と緊急時の連絡方法等に関して事前に相談しておくとよいでしょう。

> **観察のポイント**
> ・倦怠感などの利用者の訴え
> ・排便の様子

3 支援の展開

(1) 体位の工夫

腹水や腹部膨満などがある場合には、膝の下に枕を入れるなど腹部の緊張をやわらげる体位の工夫や、呼吸しやすいような座位姿勢をとるようにします。また、呼吸が苦しくなり、体動が少なくなると褥瘡の発生リスクが高まります。いつも同じ姿勢にならないよう定期的に体位変換を行います。

体位変換の際には、まず利用者の希望を確認し、安楽な体位をとることを心がけましょう。上下肢に浮腫がある場合には、その部位を10cm程度高くするとよいでしょう。福祉用具の活用を視野に入れることも忘れてはなりません。

(2) 食事への対応

肝臓機能障害では、状態により食事療法またはエネルギー制限（肥満解消のための食事、禁酒など）を行うことがあります。介護福祉職としては、食欲不振があっても、おいしく食事をしてもらうための工夫が必要になります。そのためには、利用者が食べやすい食材の工夫や減塩が負担にならないような工夫が求められます。

食事に関しては管理栄養士との連携をはかりながら、食べやすさの工夫などの情報を共有します。利用者の嗜好などの情報を管理栄養士に伝えることも、食欲増加につながります。

（3）排泄への対応

　食事制限や水分制限、安静による運動不足から便秘傾向になる場合があります。便秘は腸内細菌がアンモニアなどの有害物質を発生させるので、**肝性脳症**[7]の予防のためにも、便秘予防に留意します。服薬が指示されている場合には、指示を守ることが重要になります。

　便秘は食事内容、水分摂取量、運動量とも関係します。便意の訴えにはすぐに対応するなど、基本的なことを実施します。利用者の状態に応じた指示、食事・水分摂取・運動制限がある場合には、医療職と情報を共有しておきましょう。

　利尿薬が用いられる場合には、尿の回数が多くなります。排泄環境を整える工夫を利用者の状態にあわせて考慮します。

（4）安静への対応

　肝炎が重度化した場合には、安静や運動制限が指示される場合があります。これは安静にすることで、肝血液量を増やし、肝臓の負担を軽くするという効果を期待して行われます。ただし、症状によっては、過度な安静は必要ないといわれています。

　日常生活のなかでは、食後30分から1時間ほど横になる、いすにゆっくり座るなどの休憩時間をとることが有効です。利用者の生活状況を確認しながら、無理のない生活をする工夫を心がけましょう。医療職との情報共有が必要になります。

（5）清潔への対応

　全身状態により清潔方法（入浴・清拭など）が指示される場合があります。その指示に従うとともに、全身状態を観察し、清拭、部分浴を取り入れて清潔の保持を心がけます。黄疸がある場合には、皮膚掻痒感（皮膚のかゆみ）がみられます。重曹を用いた清拭が掻痒感に有効な場合があります。

　湯の温度が高いと、皮膚掻痒感を増すことがあります。また、浮腫がある皮膚は傷つきやすいので、からだを洗うときの力加減や、タオル素材の検討、皮膚の乾燥を防ぐために入浴後の保湿に注意します。

　掻痒感があると、無意識に皮膚を傷つける場合があります。定期的に爪を切り、角がないようにします。また、冷やすことで掻痒感が軽減する場合もあります。

---

[7] **肝性脳症**
肝臓機能障害により、意識障害を生じるもの。見当識障害等を生じる。

水分制限や食事制限が行われる場合には、口渇への対応や食後の口腔ケアを実施します。これらは、口臭予防や感染防止にもつながります。

（6）心理面への対応

症状を回復、軽減する対応が効果をあらわさない場合には、利用者の不安や精神的ストレスをまねきます。また、利用者とかかわる家族も同様です。訴えをよく聞くことで、ストレスの軽減をはかることも必要な支援となります。さらに、環境面なども観察し、強い不安などがある場合には他職種との連携も必要になります。

（7）その他

衣類の工夫として、皮膚をしめつけたり傷つけたりせず、汗を吸収するなど、かゆみを増強するような形や素材を避けることを利用者の好みをふまえて考えます。室温が高く、湿度が低いとかゆみが強くなります。室温の急な上昇を避けることも心がけます。いずれにしても利用者に適した環境を整備します。

4 事例で学ぶ――肝臓機能障害に応じた生活支援の実際

事例

Mさん（80歳、男性）は、妻（85歳）と2人で自宅で暮らしています。肝硬変が進行してきていますが、訪問介護（ホームヘルプサービス）と訪問看護を利用して在宅生活を継続しています。主たる介護者である妻は、高齢のため、介護力が低下してきています。

ある日、訪問介護の際に介護福祉士が着替えの支援を行っているとき、Mさんの身体に引っかき傷があり、下着に血液が付着していることに気がつきました。Mさんに確認すると「身体がかゆくて仕方がない」といいます。介護福祉士は、次のような支援内容を検討しました。

Mさんと妻に確認すること

まず、Mさんと妻に次の点を確認しました。
① かゆみの程度や範囲
② 最近の生活状況での変化

食事内容：アレルギー症状を引き起こしそうなものを摂取していなかったか
　　排泄状況：排尿、排便時に尿や便に変化がなかったか
　　入浴状況：入浴時にかゆみが強くなったり、強く洗いすぎたりしていなかったか
　　入浴後の皮膚の保湿状況：入浴後に保湿剤を使用していたか
　　睡眠の状況：かゆみのために眠れないような状況はなかったか

介護福祉士の対応

　また、Mさんと妻の話をふまえて、次のように対応しました。
① 　Mさんの妻から、最近、視力が低下してきて、爪切りがうまくできないという話があったため、Mさんの爪の様態を確認し、これ以上、皮膚の損傷がひどくならないように、爪を切ってやすりをかけました。
② 　かゆみを増強する因子として、衣服や寝具による皮膚刺激等はないか、素材を確認しました。また、室温の急な上昇などがないかを確認しました。

多職種連携のポイント

　これらの状況を確認したあと、介護福祉士は訪問介護事業所に戻り、サービス提供責任者に支援の実施内容と観察状況を報告しました。その際に、肝硬変によりかゆみが生じることがあると、以前、訪問看護師から聞いていたことも加え、現在のMさんの健康状態とかゆみの原因を確認したい旨を伝えました。
　訪問看護ステーションからは、訪問時の状況を再度、確認するとともに、かゆみが肝硬変によるものである可能性があること、その場合は医師の指示を受けて対応する必要があること、服薬等も考えられることが伝えられました。また、妻の介護力が低下してきているので、引き続き爪の状態の確認と対応、環境整備を行ってほしいなど、具体的な連携内容の確認を行いました。
　その後、主治医の訪問があり、肝硬変からくるかゆみが考えられるということで、服薬の指示が出されました。服薬によりかゆみは徐々に軽減してきました。

　Mさんの事例では症状が改善してきましたが、状態によっては、生活行動が制限される場合もあります。その場合、制限が必要な理由を利用

者や家族にどのように説明しているのかを医療職に確認しておくことが重要です。利用者の生命維持に必要な制限もあるため、なぜその行為をしてはいけないのかを介護福祉職も理解し、同じ目標に向かって介護福祉職にできることを考える必要があります。

食事療法が必要な場合には、管理栄養士と連携して利用者の状態にあった食事を提供する支援を行います。

利用者の健康上の不安が生活に影響し、精神的な不安につながるような場合には、他職種と連携し、不安を解消していくことも大切です。

◆ 参考文献
- 池西静江・小山敦代・西山ゆかり編『プチナースBOOKSアセスメントに使える 疾患と看護の知識』照林社、2016年
- 小田正枝・山口哲朗編『プチナースBOOKSチャートでわかる！症状別 観察ポイントとケア』照林社、2016年
- 白井孝子『基礎から学ぶ介護シリーズ 改訂 介護に使えるワンポイント医学知識』中央法規出版、2011年
- 最新医学大辞典編集委員会編『最新医学大辞典 第3版』医歯薬出版、2005年

第12節 重症心身障害に応じた介護

学習のポイント

- 重症心身障害について医学的・心理的側面から理解する
- 重症心身障害のある人の生活上の困りごとを理解する
- 重症心身障害のある人への支援において、多職種連携のなかで介護福祉士が果たすべき役割を理解する

関連項目

⑤『コミュニケーション技術』▶ 第3章第2節「さまざまなコミュニケーション障害のある人への支援」

⑭『障害の理解』▶ 第2章第7節「重症心身障害」

1 重症心身障害の理解

1 重症心身障害とは

　重症心身障害とは、重度の肢体不自由と重度の知的障害が重複した状態をいいます。ほとんど寝たままの状態で、寝返りや起き上がること、座ることがむずかしく、移動も自力では困難で車いすを使用するなど、生活のほとんどの行為に支援が必要になります。食事については、自力で食べることはむずかしく、誤嚥を起こしやすいため、ソフト食・ミキサー食等が必要です。

　重症心身障害のある人は、基本的にはADL（Activities of Daily Living：日常生活動作）およびIADL（Instrumental Activities of Daily Living：手段的日常生活動作）で規定される生活行為については全介助を必要とします。ただし、さまざまな感情を抱き、その気持ちを伝えたいと思う能力まで閉ざされてしまう人はごく少数です。したがって、その気持ちを察したり、伝えようとする力を引き出したりすることにより日常生活のコミュニケーションや心理的なかかわりを深めること

ができます。声に出せない気持ちを理解することや利用者の自己決定のサインをみつけることが、支援する力に大きく作用します。

 重度の知的障害とは

　日本においては、知的障害の認定を「ビネー式」または「ウェクスラー式」と呼ばれる検査方法で行うことが一般的です。この検査でIQ（intelligence quotient：知能指数）35以下は重度とされます。なお、IQ20以下を最重度とし、区分している自治体もあります。

　また、日常生活活動と知的能力で判断する**大島の分類**❶により判断されることもあります（『障害の理解』（第14巻）第2章第7節を参照ください）。

　しかし、考えてみるとIQ35とは5〜6歳児レベル、IQ20は3歳児レベルです。3歳児でも自己主張はしますし、6歳になれば自己主張は当然です。たしかに重症心身障害のある人は身体障害を合併するために、言語表出が苦手であり、言葉を使った意思表示が困難かもしれませんが、介護する側がていねいにたずねたり、写真等のツールを用いて選んでもらったりすることでかなりの自己選択、自己決定が可能になります。最近ではスマートフォンやタブレットを活用して自己選択、自己決定を支援することも多くなっています。

❶大島の分類
重度の知的障害と重度の肢体不自由が合併した状態を定義づけるために都立府中療育センターの大島一良氏によって考案された分類法。

 原因

　重症心身障害の発生原因はさまざまであり、分類として、生理的、病理的、心理・社会的の3つの要因に分類する考え方があります。また、出生前、出生時・新生児期、周産期以後に分類することがあります。発生率は増加傾向にあり、その理由の大きな要因は医学・医療の進歩といえます。

 環境整備

（1）医療的ケアを必要とする児・者

　医療的ケアを必要とする児・者の場合、命を守るという視点から、医療職の配置、医療的ケアの研修を受けた介護福祉士等の配置、緊急時の

連絡体制（すぐに駆けつけてくれる、電話等で適切な助言が受けられる、定期的な情報交換の場の設定（連携・協働））がもっとも重要です。

重症心身障害のある人は、多くの場合、退院後も、医療行為を自宅で継続することになり、家族は病院で訓練を受けてさまざまなケアを自宅で行うことになります。これらの<u>医療的ケア</u>については、一定の条件を満たせば、介護福祉士が行うことができるようになり、家族の負担が軽減することが期待されています（『医療的ケア』（第15巻）を参照ください）。

2021（令和3）年9月には、医療的ケア児及びその家族に対する支援に関する法律が施行され、基本理念のなかで医療的ケア児は社会全体で支える旨が明記されました。

（2）医療的ケアを必要としていない児・者

今のところ医療的ケアが必要でなくても、体調の変化を自分で表現することが困難な児・者については、専門的な支援が必要であると考え、医療職との連携が必要になります。

❶ 学校における整備

学校では、医療・生活援助（排泄・食事など）も含む特別な教育内容であり、人としてあたりまえの教育を受ける権利を支援します。看護師の配置、教員の専門性の向上のための研修、リハビリテーションに特化した専門職（理学療法士・作業療法士など）の配置、<u>バリアフリー</u>、<u>ユニバーサルデザイン</u>による施設環境、災害時の福祉避難所機能の整備などが必要となります。最近は介護福祉士等の福祉の専門職が食事・排泄を中心とした生活にかかわる支援を行うことが増えてきています。

❷ 家庭における整備

住み慣れた地域で暮らし続けていく支援が中心になります。生活を継続していくための支援として、訪問介護（ホームヘルプサービス）の導入を検討します。また、制度を利用するために必要な申請や<u>相談支援専門員</u>の導入（サービス等利用計画）、日常生活用具（ベッド・リフト・車いす等）の必要性の検討・申請、多面的な支援（介護・医療・リハビリテーション・ボランティア等）の整備が必要です。

2 生活上の困りごと（観察の視点）

利用者が自分の言葉で意思をはっきり表現することがむずかしい場合が多いので、本人の意思を見立てるために観察がとても重要です。

（1）食事
- 食欲があるか、おなかがすいているか、本人の様子をよく確認する。
- 食べたい物があるか、何を食べたいのか、写真等を見てもらう。
- 自分で食事ができるか、どうしたら食べられるか（手段）。
- 食べ物を口の中でかむこと、飲みこむために丸めることができるか。食べ物がきちんと口の中に納まるのかなど、食べこぼしなどで確認する。
- 飲みこむことができるか、しっかり飲みこんでいるか、喉の動きに注意する。

（2）入浴・清潔保持
- 適温がわかるか、水に触れたときの表情と湯に触れたときの表情・発声・サインを確認する。
- からだや髪を洗うことができるか、どこから洗うと心地よいかを表情で確認する。
- 首もとやひじの内側、足の付け根のあたりなど、皮膚が重なっているところはかぶれやすいため、直接、目で見て確認する。

（3）排泄
- 尿意・便意があるか、ある場合にはそのサインを確認する。おむつを使用することで意思表示の必要がだんだんなくなり、定時の交換により、声を出しても無駄だとあきらめてしまうこともあるため、おむつは最終手段と考える。「快・不快」のサインを決め、小さなサインを見逃さないようにする。
- 排泄物で健康状態がわかる。排泄物に異物が入っていないか、色やかたさ、量を見て確認する。変化があるときは医療職に報告する。

（4）身じたく

・自分で着たい洋服を選ぶことができるか確認する。
・衣服の着脱、歯みがき、整髪など、何をどこまで、自分でできるのか実際に行ってもらい確認する。

（5）睡眠

・昼間ウトウトしていたり、居眠りをしていたりしないか。夜間に眠れているかを確認する。夜間に眠れなければ昼と夜が逆転する。
・いつもはできるサインができなかったり、いつもよりあくびが出たりしていないか、生活場面での様子を観察する。

（6）車いすへの移乗

・支えれば立つことができるのか確認する。支えることで少しでも立つことができれば支援する。
・適切な福祉用具がある場合は、利用者に使用についての意向を確認する。利用者が福祉用具を望まない場合でも福祉用具のメリットなどの情報を提供する。

（7）外出

・車いすが必要か、車いすが合っているか、車いすを動かすためにからだのどの部分を使うことができるのか確認する。
・車いすに座った状態でからだが安定しているか、少し離れて確認する。長い時間、車いすに座っていると疲れるため、姿勢が安定しているか利用者にも確認する。

（8）心理面

・利用者の表情を見る。ふだんの表情や様子を知っていることがとても大切で、ふだんとの違いがみられる場合は、その理由をさぐる。
・利用者のサイン（指、手、足、目、口、表情など意思を表現できる方法）を確認する。

3 支援の展開

自分のことは自分の意思で決めていくことが重要です。介助者は利用者の意思を尊重し自律❷を支援します。具体的に支援を行う際には次のような流れを基本とします。

① 利用者がこれから何をするのかを確認する。
② その際の動作等を説明する。
③ 同意を確認する（視線・表情等）。
④ 実際に行う。
⑤ その際の表情を確認する。
⑥ 不具合の有無を確認する。

❷自律
自分の意志で決めること。

（1）コミュニケーション

くり返しになりますが、利用者の意思を確認するには、その人のコミュニケーション手段（**サイン**）を知ることが大切です。

たとえば、目を閉じることで「Yes」の意思を伝えるというコミュニケーション手段をもつ人がいます。その人にたとえば「何を飲みますか？」「レモンとミルクはどちらがいいですか？」と聞くことは意味がありません。なぜなら、YesかNoかで答えられない質問は、まばたきをコミュニケーション手段とする人にとって答えられない質問だからです。

では、どのように利用者の意思を確認すればよいでしょうか。まず、目を閉じる事が「Yes」であることを確認します。そのうえで「今日は紅茶でいいですか？」「レモンは入れますか？」等の返事が可能な質問にしなければなりません。

次に、介護福祉職は「Yes」のなかの細かい気持ちを察していく必要があります。つまり、この場合の「Yes」は「うれしい、いいよ」なのか「仕方ない……、いいよ」なのかを見きわめることです。それには、少し利用者から離れて全体の様子や表情をしっかり観察することが必要です。利用者を一番困らせることが、介護福祉職側の勝手な思いこみによる勝手な解釈です。利用者のかかえる障害の基本的な部分を理解したうえで、年齢・性別・育ってきた環境を鑑み、介護福祉士としての専門性をいかし、利用者が何を求めているのかを理解した支援や情報提供を

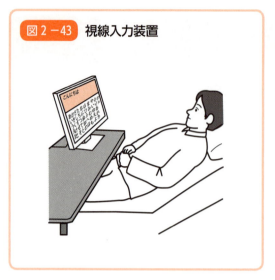
図2-43 視線入力装置

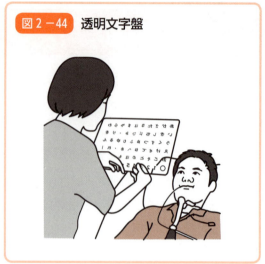
図2-44 透明文字盤

行っていくことが重要です。

（2）食事の支援

利用者の嚥下・咀嚼能力により、**ソフト食**[3]にしたり、適切な大きさにカットしたりと食形態を変更します。

摂食時の姿勢は、食物が食道をきちんと通過するためにもとても大切です。

一方で、今まで利用者が家族とともにつちかってきた食事の方法もあるため、まずはその方法を大切にします。もし不都合のある場合（危険な状態になることが考えられる場合など）は、利用者とじっくり話し合いながら進めます。

（3）入浴・清潔保持の支援

入浴・清潔保持では、できることはできるだけ自分自身で行ってもらいます。

入浴・清潔保持の支援方法として、まず利用者の意向を確認しながら行います。たとえば、髪の毛から洗い始めるのか、からだからなのか、洗う力の強さは適切かなどです。また、その際は利用者の身体状況の変化、傷の有無などを観察することも必要です。

入浴時は、湯温に注意します。長湯は体力の消耗につながるので注意が必要です。

機器には、一般浴槽・特殊浴槽・シャワーキャリー等があり、利用者

[3] ソフト食
食べ物を自力でかみくだくことがむずかしい人のための食事。食べ物をやわらかく煮こんだり、1度ミキサーにかけてからかためたりなど工夫された食事のこと。

の身体状況に合ったものを使用します。プライバシーへの配慮（タオルをかける等）も重要です。

（4）排泄の支援

　重度の障害のある人にとって、排泄行為は快・不快が大きく分かれます。「気持ちよく・さっぱり」できるように支援することが大切です。

　どうしてもおむつが必要な人は、排泄物が横から漏れないように配慮します。おむつ交換の技術習得には練習が必要です。エアマットを使用しているのか、マット上なのか、ベッド上なのか、排泄の場面を想定して練習します。プライバシーへの配慮（カーテンを引く・タオル等をかけるなど）は重要です。

　夜間に関しては、睡眠を優先する際は、夜間の排泄介助が少なくてすむ方法を検討します。睡眠と排泄介助のどちらを優先するのかは、利用者と相談して決めます。この方法は障害者（とくに女性）が気軽に外出できる技術にもつながります。高齢者に対しても有効です。

　障害者（とくに女性）は外出したくても、排泄が気になって遠出しにくかったり、水分をひかえたりしてしまいがちです。そのような場合、障害者用トイレの場所をあらかじめ確認しておくほか、おむつのあて方を工夫してみましょう。ポータブルトイレを利用する場合は、プライバシーへの配慮として、ひざにタオルをかける等の工夫・配慮をしてください。

（5）身じたくの支援

　身じたくについては、利用者の身体状態により介助の内容が異なります。

　動かない部分はどこなのか、関節のかたくなっている部分はあるのかなど、実際に利用者のからだを少しずつ動かしながら確認します。さらに、その時々で利用者の体調は変化します。また、天候によってもからだの動きは違ってくるので配慮が必要です。

　着衣の際は、利用者の手足を動かすというより、服を動かしながら着てもらいます。介護技術の基本的な手技として、**脱健着患**（脱ぐときは健康なほうから、着るときは動かしにくいほうから）といわれますが、障害の重い人には必ずしもあてはまらないこともあります。その際は利用者の表情等で判断することが必要です。

写真2－2 顎（あご）（チンコントローラー）で操作している

（6）睡眠の支援

質のよい睡眠は健康に暮らすうえで欠かせません。夜間しっかりと睡眠をとるために、日中の活動は必要です。また、夜間の排泄の負担を少なくするために、パッドのあて方、折り方の工夫をします。

（7）車いすへの移乗の支援

立位がむずかしい人でも、一瞬でも、つま先を立てることのできる人は、車いすの角度を変えることで移乗をスムーズに行うことが可能です。

車いすのアームサポートがはずせる場合で、座位が比較的保てる人は、からだをすべらせるボード（スライディングボード）を使うと移乗することができます。

からだに変形等がある人や筋肉の緊張が非常に激しい人は、安全・安心のために2人で介助して移乗・移動することもあります。また、リフトを使用することで、介助者が1人でも安全に移乗・移動ができます。その際は身体を包むスリングシートの取り扱いや機械操作を十分把握しておくことが必要です。

（8）外出の支援

重い障害があっても、気分転換のできる外出はあたりまえの社会参加の1つです。

ただし、重症心身障害のある人の多くは1人で歩くことができません。そこで足のかわりとなるのが車いすです。車いすにはいろいろな種類があるため、その人にあう車いすを選ぶことが重要です。

車いすがあっても、環境により外出が困難な場合もあります。本人の動かせる部分（足・顎・舌・呼吸など）により、電動車いすを操作し1人で外出することが可能な人もいます（写真2－2）。

外出の際は事前に経路の確認、使用可能なトイレの場所、エレベーターの場所等の情報を提供して相談し、シミュレーションをしておくことが重要です。

（9）安楽な姿勢（座位保持装置）

　全介助の利用者にとって**安楽な姿勢**は重要です。個々に合ったいすは、多くの重症心身障害のある人たちに利用されています（**写真2－3、写真2－4、図2－45、図2－46**）。

写真2－3　前から見たところ

写真2－4　自宅でテレビを見る様子

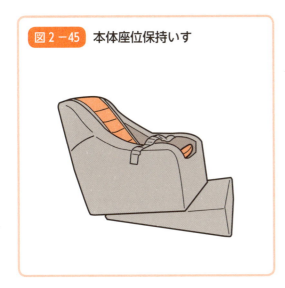

図2－45　本体座位保持いす

図2－46　座位保持いすを利用する子どもたち

4 事例で学ぶ──重症心身障害に応じた生活支援の実際

1 知的障害の要素がより大きい人

事例

Nさん（19歳、男性）は生後2か月ごろからしっかり呼吸ができず、人工呼吸器を使用しています。歩行は可能で自分の興味のあるところにはどんどん歩いて行きます。人工呼吸器を使用しているので吸引が必要な状況ですが、自分で吸引することができないため、家族はNさんを追いかけながら吸引している状態です。両親は安全に吸引を行うためにも何とかおとなしくしてほしいと好きな本やお気に入りの遊具で誘いますが、まったく効果がありません。Nさんの介護に体力的にも精神的にも疲れを感じた両親は居宅介護（ホームヘルプサービス）を利用することにしました。

相談支援専門員を通じて、吸引ができる居宅介護を依頼し、その他入浴や食事、排泄時の支援も受けています。サービス等利用計画のなかにNさんが好きなこととして「テレビ・アンパンマン」と記載されているほか、食物の食感が気になり、気に入らなければ口からすぐ出してしまうとの記載もありました。

介護福祉士が確認すること

① サービス等利用計画に記載されている内容を相談支援専門員に確認する。
② 生活の様子を家族に確認する。
　食事の様子：落ち着いて食べているのか、自分で食べているのか。
　入浴の様子：湯船に入っているのか、自分で洗える部分はあるのか、衣服の着脱は自分でできるのか。
　排泄の様子：トイレでできるのか、おむつを使用しているのか。

介護福祉士の対応

Nさんの安全を第一に考えた介護福祉士は、一番じっとしていられるのは、テレビを観ているときであることを確認し、その際にそっと寄り添う吸引方法を研修で習得して行うようにしました。

食事に関しては、遊んでしまう場面が多く、また、食感が気になってしまい栄養がかたよってしまうことが心配でした。そこで、保健セ

ンターの管理栄養士に献立のアドバイスを依頼できることを、両親に情報提供しました。食感を変化させたり、色合いを変えたりすることで、少しずつ食べられるようになりました。

身体障害の要素がより大きい人

事例

Pさん（35歳、女性）は、重度の身体障害と知的障害があります。納得がいかないときには水分をとらないことで意思表示をします。手動の車いすを使用していて、自分では動くことができません。おなかがすくと「う〜」という声を発します。その声は満たされるまで延々と続きます。糖尿病があり、Pさんの要求のままの食事はむずかしい状態です。

両親はPさんのことがかわいくてしかたない状況であり、Pさんの切ない声を聞くと食べさせてしまうことが続いています。Pさんの体調の悪化を心配した介護福祉士は、家族・本人の状態を相談支援専門員に報告し、対応方法を検討するためにケアカンファレンスの開催を依頼しました。

わが子を大事に思うがゆえに、すべて両親が世話をしており、大人としての時間も経験もないままに過ごしている状態は、今後、両親が亡くなった際に、Pさんが一番つらい状況となることは、支援するだれもが感じています。だれもがわかっていて言えない状況にありました。

介護福祉士が確認すること
・糖尿病の数値、必要なカロリー等を確認する。
・おなかがすいて声を上げるタイミング、食事をした時間、食事の量、しっかりかんでいたか。
・副食をとってよいか、おやつは食べてよいか、どのような食品がよいか。
・どのようにしたら次の食事まで待つことができるのか（調理の場面を見ていると落ち着くのか、何か別のことをしていると気がまぎれるのかなど）。

介護福祉士の対応
相談支援専門員にケアカンファレンス開催の依頼をした介護福祉士は、家族の協力も得て、自宅での支援場面で食事量や食事時間等を記

録しました。
　ケアカンファレンスでは、主治医や看護師から糖尿病の正しい知識を得て、具体的な支援方法、支援内容についてＰさん、家族も含めて確認しました。また、運動不足についての指摘もあり、相談支援専門員は、Ｐさんと家族にリハビリテーションについて情報を提供しました。その後、理学療法・作業療法を行うことになり、医療と福祉の連携チームが発足しました。定期的に理学療法・作業療法を行うことで、Ｐさんは適切な運動の機会を得ることができました。また、主治医・看護師の定期的な訪問や検査を受け、その結果をきちんと説明することで、家族のかかわりにも少しずつ変化がみられるようになりました。

3 連携と協働

　人は１人では生きていけません。また、介護福祉職だけで支えることもできません。自分１人でかかえこまずに、市区町村の窓口、各機関へ相談したり、配布されているパンフレット等を活用して情報収集をすることも大切です。

　障害者の支援では、在宅においても施設においても、**意思決定支援**、**権利擁護**の視点から専門職としての介護福祉職の役割が重要になります。また、近所の人の力等の公的ではないサービスも含め、さまざまなサービスがあるなかで利用者にとって、現在・未来に必要な支援は何か、10年・20年先を見すえて考えていくことが重要です。

　また、重度の障害のある人を家族のみで支えていくのは非常に厳しい現実があります。短期入所、日中一時入所等を利用し、家族がリフレッシュする時間をもつことも大切です。

　人は必ず亡くなります。面倒をみてきた両親が亡くなったとき、家族以外の人と、どのくらいかかわってきたかが利用者のその後を左右していくことを想像する必要があります。

　現在は、複数の障害をかかえている人も、長生きできる時代です。障害のない私たちには、障害のある人の本当の心はわからないかもしれませんが、障害について思いを寄せること、自分におきかえたらどんな気持ちだろうと意識すること、わかろうと努力することこそ必要であるといえます。

◆ 参考文献
- 小山内美智子『あなたは私の手になれますか──心地よいケアを受けるために』中央法規出版、1997年

演習2−1　肢体不自由のある人の理解①

　脊髄損傷などにより、四肢および体幹を動かすことができない人の「食事」や「着替え」を体験してみよう。

① 2人1組になり、「利用者」と「介護者」の役割を決める。
② いす、テーブル、簡単な食事を用意し、「利用者」はいすに座る。「利用者」は、自分の思いどおりに食事ができるように、言葉のみを使って介護者に伝える。
③ 役割を交替して体験したあと、お互いに気づいたこと、感想を伝える。
④ 同様に、着替えについても体験してみよう。

演習2−2　肢体不自由のある人の理解②

　脊髄損傷などにより、下肢を動かすことができない人の「移動」を体験してみよう。

① 2人1組になり、「利用者」と「介護者」の役割を決める。
②「利用者」は、自走式車いすに座る。
③「利用者」は、上肢のみを活用して移動する。「介護者」は見守りを主として同行する。
④ スロープ、自転車置き場などバリアのある場所で移動してみる。
⑤ 役割を交替して体験したあと、「どのような力がどのくらい必要だったか」「見守りをしていて感じたこと」など、お互いに気づいたことを伝える。

演習2-3　視覚障害のある人の理解

視覚障害のある人の歩行、自動販売機での購入を体験してみよう。
① 2人1組になり、「利用者」と「介護者」の役割を決める。「利用者」は目隠しをする。
②「介護者」は、p.36－37の方法で近くの自動販売機まで「利用者」を誘導し、「利用者」が好みの飲み物を自分で購入するために小銭を準備し、いすに座り、飲むまでを支援する。
③ 役割を交替して体験したあと、お互いに気づいたこと、感想などを伝える。

 演習2-4　聴覚・言語障害のある人の理解

聴覚・言語障害のある人のコミュニケーションについて、「うまく聞き取れない状況」「うまく伝わらない状況」を体験してみよう。
① 2人1組になり、1人はイヤホンをつけて、少し大きめに音楽を流す。もう1人は、イヤホンをつけた人に向かって、同じ内容（たとえば、朝食に何を食べたかなど）を「スピード」「声の大きさ」「表情」などに変化をつけて伝える。
② 役割を交替して体験したあと、お互いに気づいたこと、感想などを伝える。

演習2-5　盲ろう重複障害のある人の理解

p.66に紹介されているヘレン・ケラー（Keller, H. A.）の自伝を読んでみよう。

演習2-6　人工ペースメーカーを使用している人への支援

人工ペースメーカーを使用している人の「生活上の留意点」を次の項目ごとにまとめてみよう。
①入浴
②運動
③買い物や旅行
④日常生活（家庭内）

演習2-7　呼吸器機能障害のある人の理解

鼻カニューレをつけた生活を想像してみよう。
①鼻カニューレを装着して、「食事をする」「入浴をする」「外出する」場面を想定し、どのような不便があるか、どのような気持ちになるか考えてまとめる。
②どのようなことを考えたか、想像したか、グループで話し合ってみよう。

演習2-8　腎臓機能障害・肝臓機能障害のある人の理解

塩分制限のある食事を体験してみよう。
①刺身、餃子、おひたし、とんかつなど、ふだんしょうゆやソースをかけて食べているものを、何もかけずに食べてみる。
②「ふつうのしょうゆ」「減塩しょうゆ」「酢やレモン」で、食べ比べてみる。
③体験後の感想をグループで共有する。

 演習2-9　膀胱・直腸・小腸機能障害のある人の理解

パウチに「みそ」や「とろみ剤」を入れて、ストーマ装着の体験をしてみよう。
①とろみ剤を使って、みそをさまざまなかたさに調節する。
②パウチにかたさの異なるみそを入れ、からだにパウチを貼り、重さやにおい、装着した感じなどを確認する。
③多目的トイレなどで、パウチ内の「排泄物」（みそなど）を洗う。
④体験して感じたことをまとめてみよう。

 **演習2-10　標準予防策（スタンダード・プリコーション）の理解**

標準予防策（スタンダード・プリコーション）の基本的な考え方および3つの原則についてまとめてみよう。

第3章

障害に応じた生活支援技術Ⅱ

第 1 節　知的障害に応じた介護
第 2 節　精神障害に応じた介護
第 3 節　高次脳機能障害に応じた介護
第 4 節　発達障害に応じた介護
第 5 節　【難病】筋萎縮性側索硬化症(ALS)に応じた介護
第 6 節　【難病】パーキンソン病に応じた介護
第 7 節　【難病】悪性関節リウマチに応じた介護
第 8 節　【難病】筋ジストロフィーに応じた介護

第1節

知的障害に応じた介護

> **学習のポイント**
> - 知的障害について、医学的・心理的側面から理解する
> - 知的障害のある人の生活上の困りごとを理解する
> - 知的障害のある人への支援において、多職種連携のなかで介護福祉士が果たすべき役割を理解する

関連項目
⑤『コミュニケーション技術』 ▶ 第3章第2節「さまざまなコミュニケーション障害のある人への支援」
⑭『障害の理解』 ▶ 第3章第1節「知的障害」

1 知的障害の理解

(1) 知的障害の特徴

　知的障害の定義は明確に示されていません。厚生労働省が実施している調査では、「知的障害とは、知的機能の障害が発達期（おおむね18歳までにあらわれ、日常生活に支障が生じているため、何らかの特別の援助を必要とする状態にあるもの」とされています。**療育手帳**の交付対象は都道府県によって若干の差異がありますが、多くの場合、軽度・中度・重度・最重度に分類されています（『障害の理解』（第14巻）第3章第1節を参照ください）。知的障害者福祉法の対象は、「発達期までに生じたもの」とされており、発達期以後に生じた知的能力の低下や若年性認知症とは区別されています。

　知的障害では、知的機能の障害により日常生活に支障をきたすことはありますが、運動制限がある訳ではなく、障害の有無や程度を外見から判断することができないという側面があります。とくに、発語があり会話が可能であると、能力的に実際よりも高く印象づけられる傾向があります。見た目ではわかりにくい知的障害の人の障害の程度を理解することは介護福祉職にとってとても重要です。

（2）医学的理解

　知的障害の原因は、未解明のものが多いといわれています。明らかな病理作用によって脳の発達に支障が生じたものを病理型、とくに病理が見つからないもの（原因不明）を生理型と呼んでいます。

　病理型は知的障害全体の約4分の1で、生理型が約4分の3を占めています。

■1 原因と主症状

　病理的な原因としては、染色体異常、遺伝子疾患、代謝異常、内分泌系の疾患、栄養不良、出生時の障害、その他の疾病や障害による脳障害などがあります。

　おもな症状としては、抽象的な事柄についての理解に制限が生じることと、短期記憶に制限が生じることがあげられています。抽象的な事柄とは、時間、空間、数量、因果関係、コミュニケーション（言語使用）の理解などをさします。知的障害があるということは、これらについての理解や記憶に支援を必要としているといえます。

■2 ダウン症候群

　ダウン症候群は、染色体の分離がうまくいかないという突然変異が原因で、90～95％は、21番目の常染色体が3本あるために生じます（通常は2本）。また3～4％は、ほかの染色体の一部が21番の染色体に結合することで起こり、1～2％は21番目の染色体がモザイク状に交わっている場合で、いずれも知的障害があるといわれています。発症率は出生1000人に対し1人の割合で、高齢出産の場合は100人に1人といわれています。

　知的障害の程度は、重度から軽度までさまざまですが、社会生活能力は知能の程度より高い場合が多いといわれています。

　ダウン症候群には多くの合併症があり、とくに先天的な心疾患、難聴を合併している割合が高いことがわかっています。一方、同じダウン症候群といっても、人によって発揮できる能力は多様です。さまざまなジャンルで活躍している人が大勢います。ダウン症候群の人とのかかわりでは、身体的な病気に配慮することはもちろんですが「障害がある」という目で見るのではなく、何が得意で何が不得手なのか、何が好きで何が嫌いなのかという「その人自身がどういう人であるか」を見るという姿勢がとても大切です。

（3）介護の視点

1 意思決定の支援

　知的障害のある人とのかかわりでは、長い間「保護」が優先されてきました。障害のために話ができない、十分に判断できない知的障害の人に代わって、家族や福祉従事者が、本人の意思に関係なく、施設に入所させたりすることもありました。

　しかし、今日では、意思決定支援がもっとも優先されるべきこととされています。介護福祉職には、いかにして知的障害のある人の意思を確認したうえで暮らしを調整していくかが問われます。知的障害のある人の意思決定を支えるには次のような視点が重要です。

> ・知的障害のある人が自分自身で考えることができるような適切な情報の提供
> ・自分自身で選択するための環境づくり（選択できる事柄について）
> ・決定した内容を表明し、伝達するためのコミュニケーション手段の開発
> ・意思を聞き取るための支援者の技術の向上

2 その人らしい暮らしの支援

　知的障害のある人の支援では、その人らしい暮らしとは何か、それを支援していくためには何が必要なのかを考えることが必要です。そのためには、①利用者が身のまわりのことをどのように認識しているのかを把握すること、②利用者がどのような人なのかをじっくり見ること、さらに、③いろいろな経験を積み重ね失敗しても受け入れてもらえる環境をつくっていくこと、が必要です。

2 生活上の困りごと（観察の視点）

　知的障害のある人は、自分の思い（気持ち）をそのまま素直に表現することがむずかしい場合が多いといえます。また、現に起こっていることより、以前の環境によって行動が制限されたり、または解放されてしまうことが多いという特徴もあります。したがって、各生活場面では利

用者の表情や全体的な様子から心理的状況を推測し、かかわる必要があります。

　その他、自分や他人を傷つけてしまうことがあるかどうかを知る必要もあります。そのような行動がある場合には、なぜ傷つけてしまうのかを把握するため、様子を観察する必要があります。必ず何らかの理由があって行動は起こりますが、理由は人それぞれ異なるということを意識することが大切です。その人の知的障害の特徴として、**自閉的傾向**（1つのことにこだわりが強いという特徴）があるのか、ないのかを見ていきます。特徴として命にかかわることがあるときには、どのように対応するのかを検討する必要があります。

（1）食事

- 「食べたい」と感じているか、おなかがすいているか。利用者の表情や様子を観察する。
- 自分で食べられるか。
- 好き嫌いや食わず嫌い等があるか。

（2）入浴・清潔保持

- 湯の温度がわかるか。発語のない利用者の場合は、表情を確認する。
- からだや髪を洗うことができるか。できるところは、自分でやってもらう。
- 衣服の着脱がどの程度できるか、実際にやってもらう。できないところを手伝う。

（3）排泄

- 行きたいときに自分でトイレに行くことができるか。
- ズボンや下着を下ろして排泄することができるか。
- 陰部を適切にふくことができるか。
- トイレを流すことができるか。

（4）身じたく

・衣服を決めることができるか。
・自分で衣服の着脱ができるか。
・季節に合った衣服を選択できるか。
・清潔なものを着ているか。

（5）睡眠

・昼間ウトウトしていることがないか。
・夜間はしっかり眠ることができているか、睡眠中の様子を確認する。

（6）外出

・自分で電車やバスに乗ることができるか。
・自分で切符や交通系ICカード等を使うことができるか。
・場所や行き方がわからないとき、まわりの人に聞いたり、自分の名前・住所を伝えたりできるか。
・歩行が可能かどうか。

（7）心理面

　知的障害のある人に「大丈夫？」と聞くと必ず「大丈夫」と答えが返ってきますが、その表情を見ると、怒っていたり泣きそうであったりすることが多くあります。幼いころから指導・教育されている人は、「人に迷惑をかけてはいけない」「自分の思いを言うことはわがままなのではないか」と思いこんでしまっていることも多く、自分の本当の思いを限られた時間のなかで他の人に伝えることがむずかしくなっていることもあります。その結果本当の思いを封じて「大丈夫」と言っている人もいます。言葉だけでなく、表情や全体の雰囲気をよく観察し、利用者の心理面を理解する努力が求められます。

3 支援の展開

　知的障害のある人への支援では、利用者がどうしたいのかを見きわめることが重要です。利用者より家族の意見が強い場合もあります。

　知的障害のある人は**永遠の子ども**として扱われてしまうことがあります。人は、失敗や成功、悩みや喜びを経験しながら大人になりますが、親や介護者などが先回りしてしまい、利用者の代わりに選択・決定し、失敗させないように利用者の行動の結果をすりかえてしまうと、自分の決定がどういう意味をもつのかを体験することができません。何かに取り組む際には、経験があるか、ないかを確認する必要があります。経験していてもできないのか、経験したことがないからできないのかを確認しなければ、適切な支援はできません。

　言葉の発声がむずかしい人は、表情から意思や感情を推測することが重要です。人はうれしいときは笑い、いやなときは眉をひそめたり、口をとがらせたりします。

　他の支援者の意見も取り入れる必要があります。利用者の近くで支援している第三者の視点も重要です。また、さまざまな場所でのアセスメントも必要です。その場の雰囲気やその場にいる人により発信が異なることもあるからです。

　利用者が極端に食べない場合は、低栄養になる危険があります。味そのもののほかにも見た目や食感など、必ず食べない理由が存在します。介護福祉職は、その理由を見つけることができるかどうかが大切です。

　具体的な支援の場面では、「2　生活上の困りごと（観察の視点）」にあげた項目をていねいに観察し、対応を検討することが求められます。ここでは、利用者の**暮らし**を見る視点が大切です。通所事業所の職員であれば、利用者の家庭を訪問し、自宅での生活の様子を知ること、家族に話を聞き支援にいかしていくこと、などが求められます。

　一方で、家族には、自分たちのそばで、ずっと育てていきたいという思いが強くある場合もあります。しかし、両親の加齢や病気等により、それがむずかしくなる時期は必ずきます。成長の段階に合わせて、利用できるさまざまなサービスもあります。それらの利用を提案するなど、両親が介護をすることがむずかしくなった場合の利用者の生活について、いっしょに考えるきっかけをつくる必要もあります。

4 事例で学ぶ──知的障害に応じた生活支援の実際

> **事例**
>
> A君（3歳）は、両親が共働きで、認可保育園に通園しています。
> 保育園の保育士から、「お友達の輪のなかになかなか入れず、1人で遊んでいることが多い」と伝えられた母親は、A君に障害があると感じ、絶望的な気持ちになりました。トイレに関しても、まだ1人ではむずかしく、おむつを使用しています。おむつをしていることを友達から指摘されると、くやしくてたたいてしまうこともあります。
> A君の母親は、療育を受けることを決め、相談支援事業所に計画の作成を依頼しました。しばらくして、居宅訪問型児童発達支援の担当者が紹介され、自宅での支援が開始されました。その際に運動機能の遅れ（スプーンやフォークがきちんと持てないなど）の指摘もあり、訪問リハビリテーションも開始されました。最近では、くやしいとかんしゃくを起こすことも増え、母親では対応できないことが多くなり、行動援護の資格をもつ介護福祉士を依頼することになりました。
>
> ---
>
> **介護福祉士が確認すること**
>
> ・サービス等利用計画にあげられている内容について相談支援専門員に確認する。
> ・A君がどのようなときにたたいてしまうのかなど、生活の状況を母親に確認する。
> ・母親の精神的な状態（不安やストレスなど）を確認する。
>
> **介護福祉士の対応**
>
> A君は、並ぶことができなかったり待つことができなかったりと、まわりの子から見ると理解しづらい場面では、非難されてしまうことも多くありました。そのようなA君のつらさを感じた介護福祉士は、A君の心が騒ぐのはどのようなときなのかを探りました。保育園の保育士と連携し、相談支援専門員に保育園や家庭での様子について情報提供した結果、相談支援専門員が保育園に出向いてA君の様子を確認することになりました。そして、A君は、「早くして」とせかされると動きが不自然になり、近くにいる人をたたいてしまう傾向があることがわかりました。
> 自閉症の特徴の1つに、刺激に敏感であるということがありますが、A君は聞きたくない音が大きく聞こえてしまうこともわかりました。

> そこで、防音のためのイヤホンを装着すると、音の強い刺激からは解放され、少しおだやかに過ごすことができるようになりました。
> 　母親にはすべての支援について詳細に情報提供し、必要な書類の作成や提出を行ってもらいました。

　知的障害は発達期に起こることがわかっており、早い人で生後すぐ、それ以外の人でも3歳児健診のころには障害の告知がされることが多いようです。その時点から、本人・家族は長い期間にわたり障害と向きあうことになります。

　子どもに障害があるかもしれないと思ったときに、まず、医師を探す人、役所に相談する人など、さまざまですが、多くの場合、いずれかのタイミングで「療育」を知ることになります。

　療育は決められた時間のなかで専門家による支援が受けられるメリットがあるサービスです。ただし、そのためには**受給者証**❶が必要です。

　「知的障害者の親の会」の歴史は古く、同様の悩みをもつ親同士の**ピア・カウンセリング**の場としての役割をになっています。この事例では、介護福祉士に行動援護の知識があったことで、適切な連携と情報提供ができました。介護福祉職として支援を行う際には、保育士や支援相談員、親との協働がますます重要になってくると予測されます。

　また、「親亡き後」の不安は常に課題となってきましたが、「親亡き後も生まれ育った地域で暮らしていけるように」という目的もあり、福祉制度の充実・**成年後見制度**による知的障害のある人の**権利擁護**が進められています。たとえば、選挙制度に関して、自分で決めて自分で投票するというしくみが広がってきていたり、地域で暮らす手段の1つとして、グループホームが増えてきていたりします。

❶**受給者証**
福祉サービスを利用する際に必要なもので、どのくらい利用できるか（支給量・期間）が記載されている。

第 2 節

精神障害に応じた介護

> **学習のポイント**
> - 精神障害について医学的・心理的側面から理解する
> - 精神障害のある人の生活上の困りごとを理解する
> - 精神障害のある人への支援において、多職種連携のなかで介護福祉士が果たすべき役割を理解

関連項目		
⑤『コミュニケーション技術』	▶	第3章第2節「さまざまなコミュニケーション障害のある人への支援」
⑫『発達と老化の理解』	▶	第5章第3節「高齢者に多い疾患・症状と生活上の留意点」
⑭『障害の理解』	▶	第3章第2節「精神障害」

1 統合失調症の理解

　統合失調症という精神疾患による障害とは何でしょうか。精神障害者の場合、身体構造における障害はあまり多くなく、日常生活に必要な動作について、解剖学的な機能の制限はみられません。しかし、**幻覚**と**妄想**という症状により、知覚・認知の面において変調をきたし、適切な日常生活行動が行えない、という障害が起こります。
　一般に人の行動プロセスは、「刺激（情報）」→「思考」→「感情」→「行動」という流れになっているといわれています（図3－1）。
　しかし、統合失調症になると、さまざまな感覚器官からの「刺激」が幻覚によってゆがめられたり、それを解釈する「思考」と「感情」の一部が妄想によって変調をきたしたりします。そしてそれらの症状は本人には自覚することが困難です。そのため、統合失調症の人のふるまいは、周囲の人には理解しにくいもので、奇異に見えてしまうのです。これは心身機能の障害による活動の障害といえます。
　統合失調症の症状には、陽性症状と陰性症状があり、特徴は以下のと

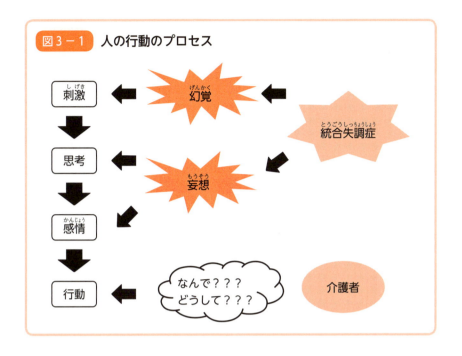

図3-1 人の行動のプロセス

おりです。

(1) 陽性症状

　代表的なものは幻覚や妄想などで、外からでも見えやすいものです。それ以外にも、自己の欲求をコントロールできないといった自我の弱さや合理性のないこだわりなどもあります。幻覚や妄想に左右された状態にあるときは、私たちと同じことを見たり感じたりしても、それを正しく理解できず、現実的な判断ができなくなります。また精神症状への対応に追われて実際の生活に気がまわらないことにより、日常生活を適切に営むことがむずかしくなります。

(2) 陰性症状

　無為・自閉が中心となる症状で、外からは見えにくいものです。この状態にあるときは、まわりや自分にも無関心になり、また、意欲の低下も重なって、必要な行動をとれず、日常生活に支障をきたします。

2 生活上の困りごと（観察の視点）——統合失調症

統合失調症の症状は、実際には存在しないにもかかわらず、本人にとっては実感があり現実的である感覚に支配されていることや、それに自分自身で気がつくことができないことが問題です。そのことが生活をむずかしくしているといえます。またどれくらい調子がよいのか悪いのかが、まわりからもわかりにくいのも現状です。

さらに、精神症状ばかりでなく、これまでの社会情勢から、非常に長い入院生活を強いられていた人もおり、同じような年齢の人が社会のなかで身につけていた生活技能を獲得していない可能性もあります。人とのつきあい方や、自分の気持ちを表現する方法がわからない、あるいは交通機関の利用のしかたがわからない、ということもあるのです。統合失調症の人を理解するためには、このような視点を忘れないようにすることが大切です。

（1）食事

自我の弱さにより欲求がおさえられないことや生活リズムのパターン化、さらには、薬の影響による食欲増進や口渇のため、食生活が乱れることがあります。食事以外のおやつや、ジュースを飲むという生活から、肥満になる人が目立ちます。量や質に注意が必要です。

（2）排泄

身体的な機能に問題はありませんが、活動性が低いことや薬の影響により、便秘や尿が出にくい、といった症状が出ることがあります。そのため、単に排泄の有無や頻度ばかりではなく、量や性状にも注目する必要があります。

（3）清潔

他者とかかわることに興味がなかったり活動範囲がせまいことにより、清潔行動に関心がない人も多くみられます。本人にとっては「必要のないこと」であるので、本人なりの理由に注目する必要があります。

（4）睡眠

　睡眠状況は、精神症状の変化と連動していることが多くみられます。たとえば、精神運動が活発化すると眠れなくなったり、朝早く起きてしまったりします。そのため、睡眠の状況を確認することは、精神症状を知るためにとても重要です。

（5）コミュニケーション

　統合失調症の人の多くは、「悪口を言われているかもしれない」という<u>被害妄想</u>の症状により、人と会うのが怖い、疲れると思っていたり、まわりに興味がないということから、自分から積極的に話すことはあまりありません。また、伝えたいことを上手に伝えられないこともあります。そのため、相手のペースに合わせて距離をとったり、言葉をそのまま受け取ったりするのではなく、「なぜだろう？」と言葉の意味を考えることも重要です。

（6）外出

　統合失調症の人の多くは、精神症状の影響により「人と会うのが怖い」「疲れる」「まわりに興味がない」ということに加え、「行く場所がない」ということから家の中に閉じこもりがちになったり、活動範囲がせまくなったりすることがあります。それぞれの背景因子を把握しながら考えることが大切です。

（7）就労

　近年、統合失調症の人も、働くことを考えることができるようになりました。しかし、就労には、責任をもつことや人とのかかわりという点で大きなストレスがともないます。相談にのる場合は、本人の状況を確認しながら慎重に対応する必要があります。

（8）服薬

　統合失調症の人にとって、精神症状をコントロールしながら生活を送るために、薬をきちんと飲むことは非常に大切です。しかし、状態が悪くなってくると薬を飲む意欲が薄れたり、自分で調整してしまうこともあるので、服薬状況を把握することが重要です。

3 支援の展開──統合失調症

　精神症状は目に見えるものではないので、言動や表情から推しはかることになります。したがって、いつもより口数が少ない、部屋が散らかっているなどふだんと違う様子がないか、という視点で観察することが重要となってきます。また、被毒妄想により食事がとれず、体調をくずす、入浴をしないなど非衛生的な生活により感染症にかかる、薬の副作用により尿閉や便秘などを併発するなど、健康に影響を及ぼすことがあることにも留意が必要です。

（1）食事の支援

　精神障害がありながらも、買い物や料理ができる利用者も多くいます。しかし、料理の手順を考えられない、意欲がわかないという状況から料理ができないことがあります。そのため材料を用意しておいて利用者につくってもらうなど、できるだけ本人の能力を伸ばすかかわりが大切です。また、食事がつくれなくても、近くの店に買いに行くことができれば、利用者の自立を支えることができます。その際には、栄養のバランスを考えながら買うことができるようにかかわってみましょう。

（2）排泄の支援

　陰性症状により活動的ではないことや、薬の影響で、尿閉や便秘が生じることがあります。それらを放置するとイレウスなど新たな疾患におちいる危険性があるので、利用者に確認してみましょう。また、反対に排便があるのに薬を飲み続けて下痢になり、つらい思いをしていることもあります。下着の汚れ具合を確認したり本人に聞いたりして、必要に応じて受診時に医師に伝えようううながすことが大切です。

（3）清潔の支援

　年齢にもよりますが、毎日入浴しなければいけないということではないので、利用者のペースを大切にすることが重要です。これまで清潔・整容についての習慣がない、関心がない、強いこだわりがあるなど、その人なりの理由があるので、介護福祉職の価値観で判断しないようにしましょう。

しかし、周囲に不潔な印象を与えたり、水虫など悪化する疾患があったりする場合は、利用者と相談しながら、入浴した日を確認できるようにするのも1つの方法です。また、入浴後は「きれいになりましたね」など、他者が見てどう感じるかを伝えることで、自分が周囲に及ぼす影響を意識するようになります。それらの行動を習慣化できるようかかわっていきましょう。

(4) 睡眠の支援

睡眠はとても大切です。統合失調症の人は多くの場合、睡眠導入薬を飲んでいます。理想的には、21～22時までには飲めるとよいです。それより遅くなると、朝起きるのが遅くなり、生活パターンがくずれる可能性があります。また、頓用薬❶としての睡眠導入薬を飲みすぎている場合もあります。日中の眠気について気になったら、睡眠状況や服薬状況を聞いてみましょう。

(5) コミュニケーションの支援

統合失調症の人は、人とのつきあい方や人の気持ちに配慮した言動が不得意なことが多いです。たとえば介護福祉職に「ここが気に入らない」と言えばいいのに、「あんたなんか嫌い」と言ってしまうことがあります。なぜ「嫌い」と言われたのかわからないときは、本当に嫌われたのではなく、表現力が不足しているための発言だと理解し、「どこがいやだったのでしょうか？」と冷静に聞きましょう。また「嫌い、と言われてしまって私は悲しい」と、利用者の言葉が相手にどのような気持ちを与えるのかを伝えることも、表現能力を養うために必要なかかわりです。

その他、人との関係で困っていることがあれば、どのように対応すればよいのか、具体的な言葉（言い方）までいっしょに考えてみるとよいでしょう。利用者の表情もよく観察し、つらそうな様子、心配ごとがありそうに思われたら声をかけるようにしましょう。

なお、コミュニケーションがとれなかったり暴力的であったりするときは、落ちついて対応しましょう。対応がむずかしい状況であれば、専門機関へ連絡しましょう。

---

❶ 頓用薬
定期的に飲む薬ではなく、症状が出たとき、一時的に飲む薬のこと。たとえば、歯が痛いとき、おなかが痛いときにだけ飲む鎮痛薬（痛み止め）や便が出ないときだけ飲む下剤などがある。睡眠導入薬については、精神障害のある人は特に、しっかり睡眠をとることが大切なため、定期的に飲む「定時薬」として処方され、さらに、どうしても眠れないときに飲む「頓用薬」としても処方されている場合がある。

（6）外出の支援

　精神症状により、人とのかかわりが苦手な人だからこそ、家以外に居場所があることはとても大切です。精神科デイ・ケアや地域活動支援センターなど、日中の居場所が地域にはありますが、積極的に探すことは不得意なので、負担にならない程度に紹介し、いっしょに行ってみるとよいでしょう。

　また、利用者が精神障害者保健福祉手帳を持っていれば、公共機関、たとえば美術館やスポーツ施設などが無料や割引料金で利用できたりします。しかし、その使い方がわからなかったり、またバスや電車の乗り方がわからなかったりするため外に出ない、ということもあります。精神保健福祉センター、保健所、市町村の福祉課窓口で利用可能な施設を聞いたり、いっしょに出かけてバスや電車の乗り方、切符の購入方法などを練習してみると利用者の行動範囲が広がっていきます。

（7）就労への支援

　精神障害者の就労を支援する制度があるため、必要に応じてすすめてみるのもよいでしょう。しかし、本人が「できる」と思っていることと実際にできることが違う場合もあるので、やみくもにすすめるのはよくありません。家族を含めた周囲の人たちの意見も聞きながら、本人に無理のない就労をいっしょに考えてみるとよいでしょう。本人の自信やプライドを傷つけないように提案することが大切です。

（8）服薬の支援

　統合失調症では、薬物治療が中心となるため、指示どおりに服薬できているかを確認する必要があります。きちんと飲めていない場合は、どのような理由で飲めていないのかという「本人なりの理由」に注目することが大切です。薬を飲むことが治療なので、その必要性を「説得」したくなりますが、飲めていない理由を知らないままの説得はほとんど本人には届きません。

　利用者によっては、多くの薬を内服しています。そのため、自分の勝手な考えで服薬をやめてしまう人ばかりでなく、飲み続けることに疲れたり、どこに置いたのかわからなくなる人もいます。このように、本人なりの考えや理由があるため、まずはその把握に努め、その思いを共感的に受け止めることが大切なのです。

もしも、薬について何か不満がある場合は、話をよく聞きながら、医師に相談するよう受診をすすめましょう。利用者のなかにはどうやって医師に自分の考えを伝えたらよいかわからない人もいるので、具体的な言い方を提案してみるのもよいでしょう。

(9) 緊急時の対応

他の疾患と同様に統合失調症の人も緊急性の高い状態におちいることがあります。それは、自傷他害といわれ、**精神運動興奮**❷により自分を傷つけようとしたり、他者を傷つけようとしてしまうものです。このような状況は、日々のかかわりの様子から、ある程度は予測することができます。たとえば、いつもよりも落ちつかない、部屋が散らかっている、イライラしている、など活動性が上がったり、逆に、口をきかない、閉じこもっている、などの大きな変化がみられたりしたときは、急変のサインかもしれません。

以下のことを念頭におき、利用者、介護福祉職の安全を確保することが大切です。

❷**精神運動興奮**
精神的な興奮、気分の高揚がみられ、行動面でも多弁、多動、抑制のきかなさがみられる状態。

> **対応のポイント**
> ・不用意な刺激を避ける。
> ・なるべく1人では対応せず、まわりに人がいる場合は声をかける。
> ・連絡先（家族、かかりつけの病院、その他の関係機関などの場所と電話番号）を把握し、すぐに連絡をとる。

(10) かかわりの際の留意点

介護福祉職が、統合失調症の人とかかわる際の留意点は**表3-1**のとおりです。

表3-1 介護福祉職が統合失調症の人とかかわる際の留意点

- 統合失調症の人は基本的に対人関係に自信がないことを理解しておく。
- 「できるのにやらない」「整理整頓していない」などには何らかの意味があるため、常識的な価値観を押しつけないようにする。
- 介護福祉職は積極的なかかわりをしたくなるが、ペースがあわないと利用者が介護福祉職を「利用しにくい」と感じてしまうことがあるため、相手のペースを大切にする。
- 精神障害者はTPO（時（time）と場所（place）と場合（occasion））にあわせた表現が苦手であり、いろいろな不満などを怒りで表現することもある。そうなると介護福祉職は敬遠してしまうためかかわりにくくなる。また、拒否で表現されるとかかわること自体ができなくなり、利用者の不利益になるため、言葉の裏にある気持ちを理解する。
- 介護福祉職は時間単位でかかわることになるため、一定の成果を求めてしまうが、「次回できれば……」くらいの気持ちで接するとよい。利用者の状態によっては居宅介護のメニューが実行できない場合もあるが、その際は次回サービスに入る介護福祉職に誤解が生じないよう、きちんと状況を伝えるなど、介護福祉職同士で共通理解をして連携をとりあう。

4 事例で学ぶ──統合失調症に応じた生活支援の実際

事例

　Bさん（45歳、男性）は、18歳のときに統合失調症を発症しました。長く精神科病院に入院していましたが、5年前に退院しました。退院後は、短時間のアルバイトをしたりしながら1人暮らしをしていましたが、薬の飲み忘れが原因で精神症状が悪化し、再入院をくり返したため、現在は家族といっしょに暮らしています。2週間に1度、精神科病院に通院しています。

　時折、「悪口を言われている」という被害妄想が出現し、最近ではひきこもるようになり、精神科デイ・ケアを欠席することもあります。興奮したり、暴力的になったりすることはありません。意思疎通はしっかりしていて、質問をすると、少し時間はかかりますが的確な返事が返ってきます。本人は精神科デイ・ケアに気が向いたらまた行こうと思っている、と話しています。

　服薬に関しては家族が管理しており、本人もとくに不満を言うことはありません。また食事、排泄、清潔、睡眠等には今のところ大きな問題はあ

りませんが、インスタント食品とお菓子を好んで食べるので、少し太り気味です。本人はとくに困ったことはないと言います。家族は、ひきこもっていないで、そろそろ仕事をしてもらいたい、と思っています。

介護のポイント

　Bさんは日常生活におけるサポート（食事・洗濯・掃除等）を家族から受けることができていると考えられます。また45歳という年齢は、まだ社会に出て仕事ができる年齢であり、社会生活を営むことができ、自立した生活をめざすこともできるでしょう。しかしながら、成長の過程における長い期間を入院という環境で、人の助けを借りて過ごしていたことが推測できます。そのため、社会で暮らす「常識」を再獲得する段階でもあることを意識し、「本人ができること、できそうなことは、自分でやってもらう」というかかわりが必要となってきます。このとき、できないことには本人なりの理由があるため、そのことに配慮しながら対応することが大切です。また、本人は「今はとくに困ってはいない」と言っているため、今後は本人に対し、自立に向けた考え方を理解してもらうかかわりが必要となってきます。

　一方、家族においては、ひきこもっていることは気になっており、働いてほしいという希望があります。

　これは、介護福祉士など、専門職からみるとかかわる必要性が感じられますが、本人自身には困ったことがなく、家族には少々困ったことがある程度で、積極的な介入の必要性を感じていない、というケースです。

介護福祉士の対応

食事

　大きな問題はないようですが、食事以外のおやつの摂取も多いようです。その理由として「やることがないから食べてしまう」ということもありますので、何かを始めてみることをいっしょに考えてみましょう。また、訪問看護師などとも連絡をとり、食に関する情報を共有しながら、協力して食事状況の把握をすることが必要です。

コミュニケーション

　「悪口を言われている」という被害妄想は残っているようですが、それによって興奮したりすることがないということは、自分なりに症状に対処できていると考えられます。口数は少ないですが、質問をすればそれに見あう答えが返ってくるようですので、たとえば本人に質問をして「わからない」という返事があった場合は、「○と△では、ど

ちらがよいですか？」と、答えが選択できるようにするとよいでしょう。会話が発展すると、本人の自信にもつながり、他者と交流しようという気持ちが芽生えてきます。このような試みから、利用者に合った方法が見いだせた場合は、家族や訪問看護師などとも情報を共有して、コミュニケーションがスムーズになるように調整しましょう。

外出

　現在ひきこもりがちであるので、活動範囲を広げられるようかかわりたいところです。ただし、「悪口を言われている」という思いを無視することはできません。共感的に受け止め、無理のないようにすすめましょう。そのあとに、1人では不安なようであれば、いっしょにどこかへ出かける計画を立てたり、地域活動支援センターを利用したりするのもよいでしょう。現在Bさんは、精神科デイ・ケアを休みがちですが、嫌いではないようなので、デイケアスタッフと情報共有しながら連携をとり、参加できるように調整することも有効です。本人の慣れている環境で不安も少ないと思われますので、まずはそこにきちんと通うことをすすめましょう。

就労

　Bさん自身にそのニーズはありませんが、家族としては仕事をしてほしいと思っているようです。しかし、Bさんのコミュニケーション状況を考えると、現段階ですすめることはむずかしいでしょう。そのことを家族に理解してもらえるように、Bさんの現状とこれからのことについて話し合いをもつとよいでしょう。「デイケアなどでもう少し人に慣れて、きちんと通えるようになってからにしましょう」「今後のため就労支援事業を確認してみましょう」などと福祉施策について具体的に伝えることがよいでしょう。家族は今後の見通しが立つと安心できます。

服薬

　再入院のきっかけが「きちんと服薬できない」ということですので、薬の管理をだれがどのように行っているかを確認することが大切です。現在は家族が管理しており、本人もとくに不満を訴えていないため、薬物療法は順調であると思われます。しかし、いつまた「飲まない」という状況になるかわからないので、これからも確認することを続ける必要があります。このような重要な確認に関しては、家族、介護福祉士、訪問看護師などが連携して、実際に飲めているかだけでなく、Bさんの服薬に関する考えなどに関しても注目することが重要です。

5 気分障害の理解

(1) 気分障害の特徴

気分障害[3]は、気分あるいは感情に大きな変化がみられる精神疾患です。一般に、抑うつ的な症状のみを認めるものを**うつ病**、気分高揚的な症状のみを認めるものを**躁病**、両方の症状をくり返すものを**躁うつ病**と呼んでいます。躁うつ病のなかで、双極性障害Ⅰ型は、典型的な躁状態とうつ状態をくり返し、双極性障害Ⅱ型は、軽躁状態とうつ状態をくり返す病気をいいます。

うつ病は最近、日本において、受診者数が増加しています。男性より女性に多く発症しています。初老期のうつ病も増加しており、認知症の初期症状と間違われることもあります。発病に関連する因子として、遺伝的要因、生活状況の変化（たとえば転勤、転居、昇進、失業、結婚、離婚など）や暴力被害、経済的問題、病気、ストレスなどの環境要因、もともとその人に備わっている気質や病前性格、脳内伝達物質であるセロトニンの減少などの生物学的変化が考えられています。

[3] 気分障害
厚生労働省の患者調査では、気分障害の患者数は2002（平成14）年は、約71万人。2017（平成29）年には、約127万人と増加している。

表3-2 気分障害の症状

	躁状態	うつ状態
気分	気分高揚（理由もなく爽快な気分）	抑うつ気分（落ちこんだ気分）
睡眠	睡眠欲求の減少（眠らなくても平気）	不眠（眠りたくても眠れない）
体調	好調	不調（易疲労感、倦怠感、頭痛など）、体重減少をともなう食欲低下
行動	多弁・多動、浪費行動、性的逸脱行動	集中困難、決断困難、焦燥、思考運動制止
思考	観念奔逸（考えが次から次へと駆けめぐる状態）、肥大した自尊心、誇大妄想	興味や喜びの喪失、自信喪失、自責感、希死念慮（死にたいと思うこと）、貧困妄想

（2）気分障害の症状

　うつ病では、どの年代でも、**睡眠障害**（不眠や中途覚醒、早朝覚醒など）が初発症状としてあらわれることが多いですが、高齢者の患者では抑うつ的な症状を自覚していないことも多いです。抑うつ気分の症状が目立たず、食欲の低下や倦怠感、清潔行為の不足、集中力や記銘力の低下などから、認知症と間違われることも多くあります（**仮性認知症**）。

　躁病では、気が大きくなり楽観的で上機嫌になったり、ささいなことですぐに怒りだしたり、口数が多く活発に動きだしたり（**多弁・多動**）、次から次へと考えが浮かび話題もころころと変わる**観念奔逸**や**誇大妄想**、**嫉妬妄想**などもあらわれることがあります。

（3）気分障害の治療

1 薬物療法

　うつ病で生じるさまざまな症状は、セロトニンやノルアドレナリンなどの脳内神経伝達物質のバランスがくずれることによって生じます。そのバランスを整えるために、**抗うつ薬**❹を中心に服用します。また、不安や焦燥感が強いときには抗不安薬を、**罪業妄想**❺が生じているときには抗精神病薬を、睡眠障害には睡眠導入薬をというように、あらわれている症状にあわせて治療薬が選択されます。

　躁病では気分安定薬が使用されます。炭酸リチウムが有効とされていますが、治療必要量と中毒量の境界が近く、治療により手指の振戦などの影響が出る場合があります。気分安定効果のある抗精神病薬（統合失調症の治療薬）や抗てんかん薬も用いられます。

2 心理療法（精神療法、カウンセリング）

　気分障害の心理療法として**認知行動療法**❻が広く用いられています。この療法により、うつ病の人に多くみられるネガティブな考え方をポジティブな思考に変えていき、前向きな気持ちへと導いていきます。躁病では、状態が落ちついてきたら、これまでの自分をふり返るとともに、カウンセリングなどを行います。

3 m-ECT（修正型電気けいれん療法）

　難治性のうつ病では、**修正型電気けいれん療法**（modified electroconvulsive therapy：m-ECT）が用いられることも多く、それにともなって綿密な治療スケジュールが組まれます。現在は、全身麻酔下で身体の侵襲をできるだけ少なく行います。

---

❹**抗うつ薬**
おもな抗うつ薬としては、SSRI（選択的セロトニン再取りこみ阻害薬）、SNRI（セロトニン・ノルアドレナリン再取りこみ阻害薬）、NaSSA（ノルアドレナリン作動性・特異的セロトニン作動性抗うつ薬）がある。

❺**罪業妄想**
ささいな過失、違反などを深刻なものととらえたり、実際には何の落ち度もないのに自分は大変なことをしたと考え、強い罪の意識や自責の念にかられる妄想。

❻**認知行動療法**
行動や情動の問題に加え、認知的な問題も治療の目標とする。利用者の自己理解を促進し、問題解決能力を向上させ、セルフコントロールをめざす治療法。

第 2 節　精神障害に応じた介護

6 生活上の困りごと（観察の視点）——気分障害

（1）食事

　抑うつ状態により、何を食べてもおいしくないという訴えが多く聞かれます。味がしない、砂をかんでいるようだなどの訴えもあります。その結果、食事に向かおうとしない、見向きもしないという状況におちいり、食事摂取量がいちじるしく減少することがあります。抗うつ薬の副作用から、身体的な症状（悪心・嘔吐、便秘、下痢など）が起こり、食事量が減少し体力が低下することもあります。意欲の減退のために摂食行動が十分にとれないこともあります。また、さまざまな妄想によって、摂食行動に結びつかないことも多々あるので、症状の観察を密に行うことが重要です。

　躁状態では、多動や活動増加のために落ちついて食べられないことがあります。また、そのような症状のため食事に集中することができなくなります。一方で、多動により空腹感が増し、食欲が亢進するため、間食が増え、栄養のバランスがくずれることもあります。

（2）排泄

　うつ状態で抗うつ薬を服用している場合は、薬剤の副作用により便秘や尿閉などの障害を起こしやすくなります。便秘や下痢、下剤調整❼への過敏な反応が出現することもあります。また、頻回にトイレに行く姿がみられたり、自分の便の状態にこだわりが強くなる症状があらわれたりすることもあります。

　躁状態に関連した排泄行動の特徴はあまりありませんが、ある物事に集中しすぎて、排泄行動を積極的にとらないということがまれにあるので、注意が必要です。

（3）清潔行動

　うつ状態では、思考が制止したり意欲が減退するため、みずから行動することが困難になります。したがって、顔を洗う、歯をみがく、入浴する、洗髪する、トイレの後始末をする、着替える、洗濯をする、爪を切る、ひげをそるなどの清潔行動がおっくうになることがあります。またうつ状態の場合、思考制止や意欲減退などの症状が、1日の時間帯に

❼ 下剤調整
抗精神病薬の副作用で便秘やイレウスを防ぐために下剤を使用することがある。利用者1人ひとりに微妙な下剤量の調整を行うことをいう。

よって変化することがあります（日内変動）。日内変動による症状は一般的には、朝方から午前中に強くなる傾向があります。

躁状態では、注意集中困難、多動などのために清潔動作を忘れることがあります。また、1つの行動に集中してしまうため、介護福祉職が清潔行為をすすめても、拒否をして清潔行動がとれなくなることがあります。

（4）睡眠

うつ状態では、入眠困難、早朝覚醒、中途覚醒のため、睡眠が不十分になります。また、一見眠っているように思える人でも、眠れないと訴えることがあり、熟眠感を得ることが困難になります。不眠にこだわり、眠れないとどうにかなってしまうのではないかと心配し、眠ろうとあせることもあります。

躁状態では、利用者は十分休息したように見えますが、活動性が亢進しているために、体力は消耗していることが多いです。利用者は何度も「寝なくても大丈夫」などと言いますが、身体的疲労は増していると考えられます。

（5）行動

抑うつ状態では、行動が抑制されて、おっくうそうに見えます。また動作が緩慢になり、表情の豊かさは減少します。寡黙で閉じこもりがちになり孤立することがあります。仕事の能率が低下し、社会性が低下することもあります。症状によっては、**昏迷状態**❽になることもあり、場合によっては自殺企図にまでいたることがあります。

一方、躁状態では行動は活発になり、多弁で他者への干渉、命令的行動が増加します。落ちつくことがなく、行動がまとまりません。興味が移りやすく、何にでも手を出したがるという行動の変化があります。

（6）服薬

うつ状態では、行動が抑制されて動作が緩慢になりますが、比較的、服薬については、納得し、自分の意思で行うことができます。抗精神病薬の副作用（頭重感、眠気、口渇など）により、薬を飲みたくないという人もいますが、どうして服薬しなければいけないのかを、根気よく説明すれば理解してくれる人が大半です。

---

❽**昏迷状態**
精神運動性が完全に抑制されて、自発的行動が認められない状態。発語もなく、刺激に対する反応もないようにみえるが、意識は清明である。

躁状態では、反対に楽観的で優越感が強く、自信過剰の傾向があり、反面、おこりっぽくもあるので、服薬に関する理解度や病識はないことが多いです。

（7）就労

うつ状態でも、躁状態でも、病状自体が回復してくると就労は問題なくできます。しかし、うつ病の急性期では、**微小妄想**⁹といわれる、罪業妄想・**貧困妄想**¹⁰・**心気妄想**¹¹が出現する人もいます。「会社で悪いことをして、警察に捕まってしまう。だから私などは辞めたほうがよいのだ」などの思いが先行してしまうこともあります。本人の思いに介護福祉職が左右されずに、その問題を先のばしにすることも重要です。また、就労に関する不安が出現することもあるので、介護福祉職も就労支援について理解しておくことが大切です。

❾微小妄想
自分自身に対する過小評価を内容とした妄想。

❿貧困妄想
自分が事業に失敗してすべての財産を失う、貧乏で路頭に迷うという強い思いがある妄想。

⓫心気妄想
自分自身が治療の見こみがない重い病気になってしまったといった、自分の身体障害についての妄想。

7 支援の展開──気分障害

（1）食事の支援

うつ状態では食欲低下が出現するので、食べることをせかさず、おだやかにうながすことが大切です。食べることが困難なときは、食べ物を口元まで運び、「口を開けてください」「飲みこんでください」と指示し全面的に介助することも必要です。悪心、嘔吐などの症状があるときには、食べやすいものを用意して少しでも食事がとれるように工夫しましょう。場合によっては、少量ずつ分食とすることも考えます。体力低下や栄養状態が悪いときには、補液や栄養補給を必要とする場合もあるので、医療職につなぎましょう。妄想状態ではその状況に支配されてしまっていることもあるので、**現実見当識**¹²を高めるなどの支援をし、病的な世界からの脱却をはかったうえで、食事を再度すすめることも重要です。たとえば、「お金がないからごはんが食べられない」と訴えている人には、「お金」のことに焦点を合わせるのではなく、今ここにある、「おいしいごはん」に焦点化していきます。

躁状態では、食事に注意を向けられるように「おいしそうですよ」「一口食べてみませんか」などと言葉をかけて注意を引きつけることも必要です。行動に落ちつきがない場合には、早食いによるむせを防止す

⓬現実見当識
自分が生活している状況を世界の客観的関係のなかで、自分の個人的経験に結びつけてとらえること。

るために食形態の検討も必要でしょう。

（2）排泄の支援

　うつ状態では、行動が抑制され、あまり身体を動かさなくなることがあります。その結果、排泄面では便秘になりやすくなります。介護福祉職は、まず、排泄状況を的確に把握することが大切です。利用者が排便があると言っていても、少量しか出ていないこともあるので、詳細に状況を把握しましょう。3～4日排便がなければ、腹部の状態を観察して、腹部膨満があるのか、おなかの動き（腸蠕動音）はどうかを確認して医師等に相談しましょう。

　下剤を服用した際も腹痛はないか、激しい下痢をしていないか、気分の不快はないかなどを観察します。また、便秘をよく起こす人には、腹部のマッサージなども行いましょう。これらのことは躁状態の利用者にも適応します。

（3）清潔行動の支援

　清潔行動に関する意欲の減退があるため、行動をうながし、介助し見守ることを行います。また行動が抑制されることで、皮膚の自浄作用もおとろえるため、皮膚の状態や感染の有無を確認します。うつ症状が激しいときには、具体的な行動をうながすことも必要になります。「皮膚のかゆみやかぶれがある部分をきれいにしましょう」などと、うながします。実際に入浴できたときには、「気持ちよかったですね」「さっぱりしましたね」とそのときの感覚や爽快感をわき起こさせるような言葉かけを行うと、現実見当識を高めることにもつながります。

　うつ状態では、できない自分を責めることにもつながるので、できたことを認めて支持し、自信を取りもどせるように援助していきます。躁状態の場合は、利用者の注意が清潔保持の行動に向けられるように、逸脱行動になりそうなときには今は何をしているときなのかを伝えるなど、利用者を引きつけておく工夫をすることも大切になります。

（4）睡眠の支援

　眠らせようとあせらず、心配や気がかりなことがないかどうかをたずねるなど、利用者の眠れなくて苦しいという気持ちに寄り添います。眠れない理由を聞いてもその場で解決することはむずかしいかもしれませ

んが、利用者にその問題を言語化してもらうことが解決の糸口になる可能性はあります。

また就寝前に行う深呼吸や軽いストレッチ体操、足浴などのリラックス方法を利用者とともに考えることもよいでしょう。読書や静かに音楽を聴くこと、また日中の活動量を増やすことをすすめたり、いっしょに行ったりします。

利用者がどのような睡眠状況かを観察し、入眠時の困難なのか、中途覚醒なのか、早朝覚醒なのかを把握します。その情報をふまえて、医師に相談し、より適した睡眠導入薬の選択にいたることもあります。

（5）行動の支援

うつ状態では、決してせかすことはせず、自分のペースで生活してよいということを理解してもらいます。また、決断をせまるような話題（退職、離婚、結婚など）を避けることも大切です。躁状態では、ゆっくり話してもらうようにうながしたり、話が逸脱するときなどは、話を元に戻すようにうながしたりもします。

（6）服薬の支援

うつ状態では、服薬行動で問題になることはあまりありません。一方、躁状態では、極度に服薬を拒否したりすることがあります（拒薬・怠薬）。その際は、なぜ服薬したくないか利用者の話をよく聞き、あくまで本人の思いをくむようにすることも重要になります。

（7）就労への支援

就労では、本人がどうしたいのかということが重要になります。介護福祉職は就労までは、なかなか支援することはむずかしいかもしれません。しかし、本人からの相談があったときには、何らかの対応をすることが必要になるでしょう。

利用者が、障害者の日常生活及び社会生活を総合的に支援するための法律（**障害者総合支援法**）のサービスを利用するのであれば、自立支援給付のなかの、**就労移行支援**や**就労継続支援**などのサービスが利用できます。就労については介護福祉職が1人で支援することは困難ですので、施設の社会福祉士や精神保健福祉士、また、社会福祉協議会等に相談することも必要になります。

8 事例で学ぶ――気分障害（うつ病）に応じた生活支援の実際

事例

　Cさん（78歳、女性）は1人暮らしをしています。22歳で結婚し、1男1女を育てました。Cさんは専業主婦で、夫は市役所の職員でしたが、夫が定年退職したあとは自宅の近くに畑を借りて、夫婦で野菜をつくることが趣味でした。季節を問わずさまざまな野菜をつくり、息子・娘家族に送ることが生きがいとなっていました。夫婦で旅行に行ったり、老人クラブの行事に参加するなど、夫婦仲良く、おだやかな老後を送っていました。

　しかし、1年前、夫が病に倒れ、2か月ほどの療養生活ののち、あっけなく亡くなってしまってからは、何もする気が起きず、あれほど好きだった野菜づくりや、老人クラブの行事にもまったく参加しなくなってしまいました。この数か月は、何をしても集中できなくなり、食事のしたくや、洗濯などにも支障をきたすようになりました。記憶障害も目立つようになり、通帳を銀行のATMに忘れたり、同じ歯みがき粉を毎日買ってきてしまうといったこともありました。Cさんは、「何もやる気が起きない」「何をしても楽しくない」「消えてしまいたい」などと言い、心配した娘が受診をすすめたところ、2週間以上抑うつ気分が続いていること、活動への興味が減退していることなどから、うつ病と診断され、同じ市内の病院に入院となりました。

　入院時は、目の下にクマがあり、睡眠障害がある様子でした。また、食事があまりとれていないようで、夫が病気になる前より体重が5kg減少していて、下腹部の膨満がみられました。洋服も何日も着替えていないようでした。

介護のポイント

　この事例では、まずどのような背景でうつ病になったのかをアセスメントする必要があります。配偶者との死別や、それにともなう生活環境の変化が大きな要因となっていると考えられるため、介護福祉士はさりげなくCさんに寄り添い、こちらから家族関係や生活のことなどを根掘り葉掘り聞くことがないように注意が必要です。Cさん本人から話をするようであれば、夫のこと、趣味のことなどを少しひかえめに聞くことも大切です。

　また、何をしても集中できなくなり、記憶障害もあるということなので、認知症との関係性が疑われます。このように多角的な視点はおおいにもつべきです。同時に、認知症のような症状が進んでくるのか、または改善傾向にあるのかを把握することも大切です。介護福祉士は

日ごろの状況を医師や看護師に伝え、他職種と話し合いをもち、Cさんの現状の把握を行います。抑うつ状態のときには、周囲の状態や物事に対して悲観的になりやすく、絶望的になり**自殺**[13]を考え、実行しやすい状況にあります。とくにCさんは、「消えてしまいたい」と訴えています。これらの訴えには十分に耳を傾け、Cさんの言動に注意し、精神科医に報告し適切な処置を行う必要があります。

日常生活の支援

Cさんの課題として、①睡眠障害、②食事・栄養状況の悪化、③清潔行動の不足があげられます。

睡眠障害

介護福祉士は、Cさんの睡眠状況の把握に努めます。就寝時間、起床時間、睡眠時間（何時間寝ているのか）を把握します。また本人に熟睡感があるのかなどを確認します。睡眠障害があるとすぐに、睡眠薬に結びつけてしまいますが、本人の不安感や焦燥感もあって睡眠障害を引き起こしている可能性もあるので、時間のあるときにゆっくりと、話を聞くことも大切です。

睡眠状態が改善しないときは、医師や看護師に報告し、本人に合った睡眠薬を処方してもらうことも重要です。急性期の状態では、作業を積極的に行うことはないと思いますが、日中の活動不足も夜の睡眠に影響を及ぼしている可能性があります。作業療法士などと連携し、活動量を増やすなどの支援も必要になります。

食事・栄養状態の悪化

3度の食事を適切にとっているか、その食事量を観察します。Cさんは、不安感や焦燥感によって食べられないという状況にあります。Cさんが落ちついた状況で食事ができるように、食べる場所を固定したり（特定の場所で食べるなど）、時間的余裕をもって食事をすること（食事時間を決めないなど）も、安心感をもって食事ができるきっかけになります。また、介護福祉士などが時々話しかけることが、ゆっくり食べることにつながり、それが誤嚥の予防にもつながります。

Cさんは下腹部の膨満があるということでした。低栄養で下肢や腹部がむくむということも考えられます（低アルブミン血症）。また、管理栄養士と相談し、かむ力や飲みこむ力をチェックして、本人が食べやすい食事を考えることも重要です。

清潔行動の不足

うつ病では何もかもがおっくうになります。しかし、徐々に本人の

---

[13] **自殺**
2020（令和2）年度における自殺者数は2万1081人であり、10年ぶりに増加に転じた。また、特徴として女性の自殺が増加したことがあげられる。新型コロナウイルス感染症の影響によって、生活が不安定になったことが原因の1つであると考えられる。

活動力も出てくることが多いので、少しずつ清潔行動をうながしていきます。たとえば、最初は歯みがき、洗面程度から始め、Cさんの状態を考慮して、入浴まで広げていくことを行います。介護する側の都合で利用者の行動を左右してしまいがちですが、うつ症状が激しいときには、朝ごはんからしっかり食べる、朝の洗面からしっかりするということは、利用者にとっても負担が大きいことになります。うつ状態の急性期には「もう1〜2時間してからやりましょうね」という言葉が、利用者を楽にすることもあります。

◆ 参考文献
- 宮崎和子監、川野雅資編『看護観察のキーポイントシリーズ 精神科Ⅰ 改訂版』中央法規出版、2010年
- 萱間真美・野田文隆編『看護学テキストNiCE 精神看護学Ⅱ 臨床で生かすケア——こころ・からだ・かかわりのプラクティス』南江堂、2015年

第3節 高次脳機能障害に応じた介護

学習のポイント
- 高次脳機能障害について医学的・心理的側面から理解する
- 高次脳機能障害の人の生活上の困りごとを理解する
- 高次脳機能障害の人への支援において、多職種連携のなかで介護福祉士が果たすべき役割を理解する

関連項目
- ⑤『コミュニケーション技術』 ▶ 第3章第2節「さまざまなコミュニケーション障害のある人への支援」
- ⑭『障害の理解』 ▶ 第3章第3節「高次脳機能障害」

1 高次脳機能障害の理解

(1) 高次脳機能

人間の脳は、大脳、間脳、脳幹（中脳、橋、延髄）、小脳に分けられ、大脳のなかでも大脳皮質と呼ばれる部分が発達しています。大脳皮質の大部分は大脳新皮質で、おもに、学習・感情・意思など高次の神経活動に関連しています（図3-2、表3-3）。

(2) 高次脳機能障害

高次脳機能障害とは、病気や事故などで脳に損傷を受け、その後遺症として生じた認知障害のために、日常生活や社会生活に支障がある状態をいいます。認知障害のおもなものとして、**記憶障害**、**注意障害**、**遂行機能障害**、**社会的行動障害**と、局所の損傷で生じた障害（巣症状）の失語・失行・失認などがあります（表3-7）。

高次脳機能障害は、外見からはわかりにくいため、見えにくく気づかれにくい障害といわれています。さらに、自分の障害に気づくためには、記憶や注意などの認知機能のはたらきが必要です。その機能に障害があることで、本人が自覚していないことが多いのです。そのため、周

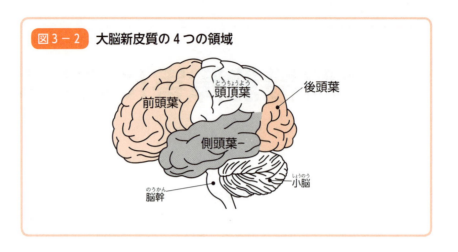

図3-2 大脳新皮質の4つの領域

表3-3 大脳新皮質の領域とおもな高次脳機能

前頭葉	記憶、計画遂行、問題解決、注意、判断、意欲・自発性、運動性言語中枢
頭頂葉	体性感覚、知覚・視空間の認知、場所・環境などの認知、思考、判断
側頭葉	記憶、聴覚性言語情報の理解、視空間認知
後頭葉	視覚情報の理解、空間認知・文字の意味の認知

囲が気づいて適切な対応をとる必要があります。症状は多岐にわたり、脳の損傷部位によって特徴があるため、障害や症状を理解することが大切です。

(3) 高次脳機能障害のおもな症状と特徴

　高次脳機能障害は、複数の障害が重なっていることが多く、年齢や職業、元々の生活など1人ひとりの背景にあわせた対応が求められます。そのためには、基礎知識として、症状と特徴を理解することが大切です。

　記憶障害は、とくに前頭葉や側頭葉の損傷で起こりやすく、障害の程度は軽度から、直前のことを忘れてしまうような重度までさまざまです。記憶に障害があるということは、自分が体験したことを忘れるために日々の生活体験が残らず、生きている実感がとぼしくなることがあります。

注意障害があると、にぎやかな場所での話が聞き取れない、刺激がすべて目に入るために必要な物が探せない、疲れてしまうといったことがあります。遂行機能障害では、簡単な段取りができないため、不可能な計画を実行しようとするなど、指示されないと行動できない場合があるため、適切な行動に誘導するような支援が必要です。

表3-4　高次脳機能障害支援モデル事業による行政的診断基準

Ⅰ．主要症状等
1. 脳の器質的病変の原因となる事故による受傷や疾病の発症の事実が確認されている。
2. 現在、日常生活または社会生活に制約があり、その主たる原因が記憶障害、注意障害、遂行機能障害、社会的行動障害などの認知障害である。

出典：厚生労働省社会・援護局障害保健福祉部・国立障害者リハビリテーションセンター「高次脳機能障害者支援の手引き（改訂第2版）」2008年

表3-5　ICD-10　国際疾病分類第10版

高次脳機能障害診断基準の対象となるもの
- F04　器質性健忘症候群，アルコールおよび他の精神作用物質によらないもの
- F06　脳損傷、脳機能不全および身体疾患による他の精神障害
- F07　脳疾患、脳損傷および脳機能不全によるパーソナリティおよび行動の障害

高次脳機能障害診断基準から除外されるもの
- F40　恐怖症性不安障害
- F43　重度ストレス反応および適応障害

表3-6　高次脳機能障害の特徴

- 見えない障害である。
- 人それぞれ障害の特徴が異なることを周囲が理解してサポートする。
- 何年もかけて変化していくので、回復の状況によって支援が変わる。
- 受傷前との違いを本人や家族が理解し受け止めるのに時間がかかることがある（障害受容）。

表3-7　高次脳機能障害とおもな症状

障害	おもな症状
記憶障害	自分が言ったことや人に言われたことを忘れてしまう。少し前の出来事や約束を思い出せない。体験したことを忘れてしまう。どこに物を置いたか忘れてしまう。
注意障害	話しかけられてもすぐに反応できない。半側空間無視など、半側に注意が向かず、半側が認識されない。落ちつきがない。気が散りやすい。注意を集中し維持することができない。同時に複数のことをすることがむずかしい。
遂行機能障害	行動に要する時間の見当がつけられず、約束の時間に間にあわない。段取りができない。計画を立て効率的な行動をとることや急な計画の変更に対応することができない。優先順位がつけられない。
社会的行動障害	感情や欲求のコントロールができず、思いどおりにならないと怒りやすい。物事にこだわりやすい。臨機応変に対応できない。無気力、やる気がない。
失語	言語情報を理解する能力の障害。言葉がうまく話せない、理解できない。読む、書くことに困難がある。
失行	正しい手順や動作ができず失敗してしまう。衣服の着方がわからない。運動障害や感覚障害がないのにできない。
失認	視覚的に見えているが、それが何かわからない。知っているはずの物や人を認知できない。聴力は保たれているのに、音の区別ができない。

2 生活上の困りごと（観察の視点）

　高次脳機能障害の特徴の1つとして、**気づきの障害**（自分の障害を意識できないこと）があります。本人が意識していない生活上の不具合に気づくためにも、観察が重要になります。生活しやすい環境や行動を実現するためには、生活のどのような場面でどのようなことに不具合が生じているのか、日々の生活を観察することや、家族や多職種と連携しながら、情報を集めます。そのときには、障害や失敗がストレスになり、

自尊心が低下している場合があることも考慮して、できないことだけではなく、できることにも目を向けることが大切です。そのことで尊厳を保ち自立支援にもつながります。また、現在の困りごとの背景や原因は何かを考え分析することや、どの部分を支援すると困りごとが解決に向かうのかを考えることが、適切な支援につながります。以下に生活動作ごとに観察の視点をまとめました。しかし、それぞれ障害特性や症状によって対応は一様ではありません。

（1）身じたく

- 洗面、歯みがき、髭そり、化粧、整容、更衣などをどのような順序で行っているか。
- 元々の習慣や手順と現在の状況の違いがないか。
- 季節に合った服装をしているか。
- 動きが途中で停止していないか。

（2）移動・移乗

- 起きあがり、移動時にからだのバランスが保たれているか。
- 移動時に空間の半側を認識できているか。半側をドアや壁にぶつけていないか。
- 移動・移乗は生活のあらゆる場面に関係するため、食事、排泄、入浴などの場合と合わせて観察する。

（3）食事

- 食事の食べ方や集中力はどうか。気が散って落ちつかない様子はないか。
- 患側に置かれた食べ物に手をつけていない、患側にいる人に無頓着などの状況はないか。
- 自分の口と食べ物の距離感覚をつかめずに、うまく口まで運べないことがないか。
- 箸やスプーンの使い方がわかっているか。

（4）排泄

- 尿意、便意があるか。
- 失禁の有無と原因について、排泄の動作や手段がわからずに失禁して

- いることはないか。
- 排便後の後始末がわからずに、手や衣類に便が付いていないか。
- トイレに行ったあとに、部屋に戻れなくなることはないか。

（5）入浴（清潔）

- 入浴しているか。
- 脱衣して浴室に入るまでの行動の流れが円滑にできているか。
- からだや髪を順序よく洗えているか。
- 入浴後に濡れたからだをふいているか。
- 脱衣と逆の順番に着衣できているか（下着→衣服）。

（6）心理面

- 気が散って落ちつかない様子はないか。
- 行動の失敗や以前と違う自分の状態について精神的な落ちこみはないか。
- 思うように行動できないことへのいらだちはないか。
- 自分の気持ちがわかってもらえないことへの落胆はないか。
- 感情をおさえられず、怒りやすい、攻撃的になることはないか。
- 意欲がなくぼおっとしていないか。
- 予定や手順がわからず不安な様子はないか。

（7）多職種との連携

　日常生活のそれぞれの場面にかかわる職種が、利用者の状況をどのように観察し分析したのか、統合することで、多角的な視点でアセスメントすることができます。とくに、高次脳機能障害では、入院中のリハビリテーションの情報について、把握するように努めましょう。

　たとえば、介護福祉職が支援した入浴場面のアセスメントと、リハビリテーションの場面で理学療法士や作業療法士が観察した移動・移乗の動作について情報共有することで、お互いの専門的な知識がえられ、アセスメントの質が高まります。生活場面に密接にかかわる介護福祉職が、多職種から積極的に情報を集めて整理することは、生活全体のアセスメントについて深めることにつながります。

3 支援の展開

　高次脳機能障害では、手足が不自由なためにできないのではなく、自分でやろうとしない、あるいはやり方がわからないことなどによって「できない」状況になっているため、支援の必要性は1人ひとり異なります。また、障害や症状によって、日常生活、対人関係や仕事などに影響が生じて、うまくいかずに自信をなくしたり、混乱して不安になっていることがあります。支援を展開するときには、そのような心理面の理解や配慮も必要です。たとえ障害があったとしても、その人らしい生活を継続するためには、これまでの生活やその人らしさ、価値観を尊重することを忘れずに、周囲と協力してサポートする姿勢が大切です。

（1）身じたくの支援

　意欲や**発動性**❶が低下している場合には、日常生活動作の1つひとつに声かけをして行動の開始をうながします。約束の時間に間にあわない場合や、最後まで1人で行うことが困難な場合には支援が必要になります。たとえば、途中で動きが止まったときには声をかけ、次の動作に移れるようにうながします。伝えるときには、同時に複数のことを伝えて混乱することのないように、動作に合わせて1つひとつ伝えます。また、身じたくの準備として、透明な衣裳ケースに入れて中身がわかるような文字や絵のラベルを貼ることで、衣類が認識しやすくなります。身

❶**発動性**
自発的・意欲的に動こうとすること。

図3－3　ラベルを貼って中身がわかる衣装ケース

> **表3－8　支援の工夫、ポイント**
>
> - 簡潔でわかりやすい表現で。
> - 本人がイメージできる言葉で。
> - ゆっくり伝える。
> - 視覚的効果（メモ、絵・写真・図など）の活用。
> - シンプルにする（手順を簡潔に、日課をシンプルに）。
> - 疲労やイライラの様子がみられたら、いったん休んで気分転換をはかる。

じたくが円滑に行えるよう、順番をわかりやすく書くなどして、困難な部分に対して工夫や支援を行います。

（2）移動・移乗の支援

　高次脳機能障害では、麻痺をともなうことが多く、注意の集中と持続がむずかしいために、危険動作や事故のリスクが高くなります。そのため、起きあがり、移乗、移動の際には、1つひとつの動作を順番にわかりやすく伝えながら支援することが大切です。

（3）食事の支援

　半側空間無視の場合は、障害のある脳と反対側の空間を認識することができないため、半分だけ食事に手をつけない状況が生じます。これは皿や食膳の位置を、認識できる側に移動することで対応できます。また、欲求のコントロール低下による「あるだけ食べてしまう」という食行動の問題がある場合には、1人分を小分けにして置く、食べ物は見えない場所に保管するなどの対応をします。

（4）排泄の支援

　生理的欲求である排泄は、時間や場所を問わず、必要にせまられて早くすませたい、というあせりが生じます。そのため、トイレまでの移動や排泄行為の順序立てたプロセスがうまく実行できないと、それが失敗や転倒のリスクになります。利用者が混乱することなく円滑に排泄できるように、常に同じ方法で支援することが大切です。そのためには、排泄の支援にかかわる人たちが情報を共有して伝え方や支援方法を統一

し、支援方法の変更が必要な場合にも関係者で話し合うなど連携してかかわる必要があります。

　具体的な支援としては、トイレにつきそい、動作が止まったときには、声をかけたり、次の動作を伝えるなどします。また、慣れた場所でも自分がどこにいるのかわからなくなることがあります。そのようなときには、トイレまでの通路にテープを貼ったり、トイレのドアや部屋の入り口に目印をつけ、迷わず戻ることができるようにするなど、視覚的にわかりやすく工夫します。

（5）入浴（清潔）の支援

　入浴では、浴槽に入ることやからだを洗うこと自体はできても、からだの一部しか洗わなかったり、からだを流さずに泡だらけのまま出てきたり、髪を洗ったことを忘れて何度も洗う、または髪を洗う手順を忘れることなどがあります。このような場合は、声かけや確認が必要になります。やりたくないのか、やり方がわからないのか、障害や症状によって必要な支援は異なります。入浴という一連の動作のなかで、どの部分にどのような困難を感じているのかをていねいに観察します。たとえば、「足も洗いましょう」と声をかける、泡だらけで立とうとしたときに、「シャワーを出して流しましょう」と声をかける、濡れたまま出てきたらタオルを手渡すなど、困難な部分に対して声かけや介助をします。

　また、すすめても何日も入浴しない場合は、無理強いせずに、その背景や原因と障害特性を合わせて対応を検討します。

（6）心理面への支援

　高次脳機能障害は、障害に対する周囲の理解不足のために、「努力が足りない」「なまけている」などと言われ、自尊心が低くなることや、「自分はだめなんだ」と本人が思いこんでしまうこともあります。また、自分の思いが伝わらないいらだちや精神的な落ちこみ、将来に対する不安などを感じていることもあります。

　病識が低く気づきが得られにくいため、本人が言葉にしない内面を知ろうとすることが大切です。表情や言動を常に気にかけて観察しながら、どのような心理状態にあるのかをアセスメントし、適切にかかわる必要があります。一方で、障害程度によっては、障害に気づくにつれて気持ちが動揺してくることもあり、不安や心理的ストレスも視野に入れ

た支援が必要となります。

　さまざまな場面や症状を把握するためには、家族も含めた多職種のチームで情報を集め、いっしょに考えることが大切です。得られた情報から障害や障害のある自分自身をどのようにとらえているかを理解するように努めます。本人の受けとめ方に応じて、障害特性や症状をふまえた工夫や支援を行うことで、安心して行動できるような環境を整えることが可能になります。

　心理面を理解して支援するためには、利用者の個別性を理解することも大切です。成育歴（生まれ育った環境、どのように生きてきたか）、家族歴、障害の状況、経済状況などの情報をつないでいきながら、これまでの生活や人となりを理解します。寄り添い、共感し、否定や批判をせず傾聴するといったコミュニケーションによって信頼関係を構築することが、安心につながる心理的な支援となります。

　また、易疲労、動作緩慢、怒りっぽく攻撃的な状態や、自己中心性などによって、家族もストレスをかかえていることを理解し、家族への心理的サポートも利用者の支援の1つと考えます。

(7) 多職種との連携

　食事、排泄、入浴を行うためには、食堂、トイレ、浴室まで移動する必要があります。食事であれば、調理・配膳、箸やスプーンを使う、咀嚼・嚥下、片づけや食器洗いなどの家事もともないます。入浴では、着替えを用意して浴室まで移動し、着脱、洗身・洗髪、髪の毛を乾かす、髭をそるなど、入浴を終えるまでにいくつもの動作が含まれています。ADL（Activities of Daily Living：日常生活動作）は1つの動作だけで完結するのではなく、複数の生活動作がかかわっているのです。そのため、利用しているサービスやかかわっている職種を早期に把握して、互いにもっている情報を伝え合い統合することで、利用者を多様な視点から理解することが可能になります。そして、さまざまな職種が専門性を発揮して、日常生活上の不具合に対する工夫や解決策をいっしょに考える、といったことのくり返しが連携につながり、よりよいチームが形成されます。

　たとえば、食事、排泄、入浴、移乗・移動や身じたくについて、介護福祉士がケアを通して把握している生活場面ごとの情報を、理学療法士・作業療法士・言語聴覚士などリハビリテーション職に伝えることで、

生活動作につながるリハビリテーションが可能になります。

通所サービスの場合は、自宅での支援方法を通所サービスの担当者（相談員や介護福祉士）に情報提供することで、通所介護（デイサービス）や通所リハビリテーション（デイケア）でも慣れた方法で統一して支援することができます。各担当者が、もっている情報を互いに伝え合うことは、利用者の混乱を防ぎ、継続した支援の展開につながります。また、服薬の場合は、飲み忘れや薬に対する本人と家族の認識を訪問看護師に情報提供することで、薬を処方どおりに飲んでいるか確認や指導するといった服薬管理は看護師、薬を飲むことに対する服薬支援は介護福祉士など、役割分担しながら連携して一体的にかかわることができます。

支援の展開において、多職種との連携を行うことは、利用者をより深く理解することができ、介護福祉士の役割を発揮することになります。

4 事例で学ぶ──高次脳機能障害に応じた生活支援の実際

事例

　Dさん（72歳、男性、要介護2）は、6か月前に脳梗塞を発症し入院しました。回復期リハビリテーションを経て杖歩行ができるようになり、自宅で妻と2人で暮らしています。

　Dさんは、通所介護（デイサービス）と訪問介護（ホームヘルプサービス）を週1回ずつ利用し、入浴や食事の支援を受けています。通所介護を利用し始めて1か月経ったころ、Dさんに次のような様子がみられるようになりました。

＜通所介護での様子＞
・午後のお茶の時間になると、落ちつきがなくそわそわして急に怒り出すことがある。
・トイレの出入りの際に、左腕をドアにぶつけそうになる。
・昼食時に左側にある料理を残す。

　このような状況をふまえて介護福祉士は、Dさんへのかかわりについて検討するためにカンファレンスを開くことを提案しました。カンファレンスには、相談員を通して、Dさんの妻にも参加を依頼しました。

　カンファレンスでは、Dさんの通所介護での様子を報告したあと、Dさんの妻に、自宅での様子を教えてもらいました。妻からは次のような話がありました。

＜妻からの情報（自宅でのかかわり）＞
- 自分で身じたくできるように、上から「肌着・シャツ・ズボン・靴下」と、身に着ける順番に衣服を重ねて、目につきやすいベッドの横に置いている。
- 「遂行機能障害により、段取りよく行動することがむずかしい」と主治医に説明されたので、「何時に、何を、どの順番でやるのか」をホワイトボードにわかりやすく書いている。
- 入浴のときは、訪問介護員（ホームヘルパー）が見守っていて、動きが止まったときに声をかけ、次の行動をうながしている。

通所介護での状況と自宅でのかかわりについて参加者で共有し、Dさんへのよりよい支援について話し合いました。まず、Dさんの障害特性として、次の点を確認しました。
- 「注意障害」のため、騒がしい音や人の動きで気が散って落ちつかないのではないか。
- 見ている空間の片側を見落としてしまう「半側空間無視」のために、左側のドアを見落としてぶつかりそうになったり、食事の左半分を残してしまったりするのではないか。

介護福祉士の対応

観察の視点として、次のことを確認しました。
- 落ちつかないとき、怒り出すときの状況（利用者の表情や言動）や環境（場所、時間帯、周囲の状況）、その前後の出来事についてふり返る。
- ぶつかりそうになる、食事を残す原因について、疾病や障害の特徴との関連を考える。
- ADLのなかで円滑に実施できない部分はどこなのか、「できていること」「うまくできないこと」について動作を細かく観察する。

そのうえで、①午後のお茶の時間は、静かな部屋で過ごせるよう環境を整えることにしました。また、②トイレのときは、出入り時に声かけをしてぶつからない位置で移動できるように支援することにしました。さらに、③食事は右側に置き、食べ残しがあるときは声をかけ、空間認識をうながすことにしました。

多職種連携のポイント

多職種連携の視点から、Dさんの妻もケアチームの一員と考え、妻が自宅で工夫していることについて、情報共有し、通所介護でも同じやり方で継続して介護できるようにしました。一方で、通所介護で工夫したり、変更したりしたことは、そのつど、妻に報告することを確

認しました。
　また、障害や症状について、必要に応じて看護師や主治医に相談することとし、カンファレンスで決まった支援のポイントについては、通所介護計画に反映し、介護福祉職が統一してケアできるようにしました。
　同時に、カンファレンスで話し合った内容は、担当の介護支援専門員（ケアマネジャー）に報告したことで、ケアプランにも反映されました。

　Dさんの事例のように、障害の特性や家族のもっている知識や技術によっては、家族が工夫して介護できていることもあります。利用者のアセスメントとあわせて、家族関係や家族の介護力をアセスメントすることも大切です。自宅と通所介護での情報共有については、カンファレンスに参加していない職種に情報提供することを忘れてはいけません。ケアチームとして利用者について共通理解してかかわることは、連携の強化につながります。

　利用者の生活支援にかかわる周囲の人々（家族、通所介護の職員、訪問介護の担当者、介護支援専門員など）は、かかわる時間や場所が異なるため、それぞれのもっている情報は、利用者の日々の生活の一部にすぎません。専門的視点からの気づきを互いに共有することで、利用者の状態についてより広く全体像をとらえることができます。そして、支援の展開後のモニタリングの結果について話し合うことで、支援の振り返りと互いの役割を理解する機会になります。利用者を取り巻く人々の専門性を発揮するためには、他者を尊重し、自分の役割に責任をもつ姿勢が望まれます。
　できないことや生活での困難については、利用者が今できていることや心理面も考慮しながらかかわることが、住み慣れた地域での生活を支援するうえで大切です。

第4節 発達障害に応じた介護

> **学習のポイント**
> - 発達障害について医学的、心理的側面から理解する
> - 発達障害のある人と家族の生活上の困りごとを理解する
> - 発達障害のある人への支援において、多職種連携のなかで介護福祉士が果たすべき役割を理解する

関連項目
- ⑤『コミュニケーション技術』 ▶ 第3章第2節「さまざまなコミュニケーション障害のある人への支援」
- ⑫『発達と老化の理解』 ▶ 第2章第3節「身体的機能の成長と発達」
- ⑭『障害の理解』 ▶ 第3章第4節「発達障害」

　発達障害のある人の支援において、介護福祉職は、社会生活への参加や余暇活動、自宅での生活場面にかかわり、その人らしく生きることを支援することが求められます。また、家族にとって、日常的に特別な配慮を要する発達障害のある人との家庭生活は、精神的緊張をともないます。そのような家族にとって、発達障害のある人に介護福祉職が付き添い、本人が楽しむ姿を見ることはうれしく、何より、家族がほっと一息つくひとときにもなっています。発達障害のある人の介護は、本人とその家族の人生を支えるものといえます。
　発達障害に応じた介護の場合、利用者の発達的観点からの理解がとても大切な領域です。本節では、発達障害の理解とその1人ひとりに合った生活支援技術、そして、その根拠について学びます。

1 発達障害の理解

(1) 発達障害の定義

　発達障害について、**発達障害者支援法**❶では「自閉症、アスペルガー症候群その他の広汎性発達障害、学習障害、注意欠陥多動性障害その他これに類する脳機能の障害であってその症状が通常低年齢において発現するもの」と定義されています。

　発達障害は認知、情緒、行動、運動上の問題や異常が乳幼児期に起こった場合をいい、脳機能の未熟性や障害が想定されています。そして進行性ではない障害をいいます。つまり、成長とともに、認知や情緒が発達し、できることも増え、その状態像は変化していきます。また、認知発達レベルによって状態像が異なります。したがって、認知発達レベルを知ることは適切な生活支援技術を考えるうえでとても大切になってきます。

(2) 発達障害の診断の考え方

　発達障害という概念を理解するにあたって、子どもを対象にした精神医学的診断では1人の子どもに1つの診断名が存在するのではなく、複数の診断名がつくこともある、というところにむずかしさがあるように思われます。

　発達障害は、血液検査など生物学的な方法では診断できず、認知、情緒、行動、運動といった4つの領域で、さまざまな症状の集まりによって分類されます。だからこそ、教育現場や家庭での情報が不可欠です。この4つの領域のどこに着目した診断かということがわかると、1人の発達障害のある人に、いくつかの診断名がついている場合でも、その意味がわかりやすくなります。このことについて、児童精神科医である太田昌孝は、図3-4のように説明しています。

　このように考えると、いくつかの診断名が重複して存在することや知的障害や発達性協調運動障害、チック障害などが併存するということ、発達障害の1人ひとりはこれらが重なり合った状態であることがわかります。1人ひとりの個性と障害による特性と家庭および教育環境とが複雑にからみ合い、その症状が強められたり弱められたり、**二次的な障害**❷が生じてしまうこともある、というのが発達障害の特徴です。

❶**発達障害者支援法**
2004（平成16）年に制定。発達障害の定義を明らかにし、それぞれの障害特性やライフステージに応じて、自立および社会参加のための生活全般にわたる支援をすることを、国・地方公共団体・国民の責務として定めた法律。

❷**二次的な障害**
発達障害の特性が理解されず、いじめや叱責など不適切な対応をされた場合に、その反応として暴力的になったり自虐的になって自己評価が低くなる。そのことによって情緒の不安定やうつ、精神障害様の行動を引き起こす。

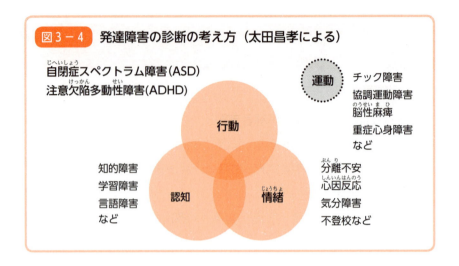

（3）発達障害の特性

　発達障害の特性として、とくに自閉症スペクトラム障害（ASD：autism spectrum disorder）と注意欠陥多動性障害（ADHD：attention-deficit hyperactivity disorder）について、その特性を理解しておくと対応を考えやすいと思われますので、この2つの疾患について簡単に説明します。

1 自閉症スペクトラム障害の特性

　自閉症スペクトラム障害とは、発達の初期からあらわれてくる、脳の機能障害に起因する社会性の障害です。親の育て方が原因ではありません。この障害の特性をよく知らないと、本人の行動をわがままであるとか、親のしつけや育て方の問題ととらえがちですが、このようなとらえ方では生活支援はうまくいきません。

　自閉症スペクトラム障害は、①「持続する社会的コミュニケーションと社会的交流の障害」と、②「限局した興味と反復行動」という、2つの特徴があります。

① 持続する社会的コミュニケーションと社会的交流の障害

　　人とのやりとりがうまくできない、自然な気持ちの交流がもちにくいといった状態が、一過性ではなく持続するということです。

　　社会的コミュニケーションや社会的交流の問題には、2つの側面があります。1つは言葉の面での問題です。たとえば1歳半を過ぎても言葉を話さない、言葉を話し始めてもコマーシャルのような決まり文句である、また言葉の意味理解が人と違っていて指示に応じられない、といった、言葉の表出や意味理解の問題です。

もう1つは、人と目を合わせてほほえんだり、人の表情を読み取ったり、人からの話しかけにうなずくとか首や手を振るなど、いわゆるボディランゲージといわれる、言葉ではない側面のコミュニケーションや感情交流の問題です。

② 限局した興味と反復行動

限局した興味と反復行動とは、興味が非常にかたよっている、また、同じ行動をくり返すなど独特な考え方や行動のパターンをもっているということです。これを自閉症の**こだわり**といいます。一般に使われる「私は〜にはこだわりがある」というような、ある事柄への好みがうるさい、という意味でのこだわりとは違います。自閉症ワールドともいうべき独自の世界があり、そのなかで関心のかたよりや、ある物事への執着、独特のやり方でのくり返し行動などがあるのです。この自閉症の「こだわり」に対して、どうつきあうか、どう対処するか、このあたりが発達障害のある人への支援のむずかしさになっています。

また、感覚に対する敏感さと鈍感さといった**感覚異常**や、過去のことをよく覚えており、それを何かのきっかけで鮮明に思い出す（**フラッシュバック**）という独特さも、特性として考えられています。

図3－5 限局した興味：標識や記号へのこだわり

出典：東京大学こころの発達診療部「自閉症——よりよい医療への手がかりを求めて」2003年

2 ADHD（注意欠陥多動性障害）の特性

ADHDには、①多動性、②衝動性、③不注意という３つの行動特性があります。

① 多動性

じっとしていられない、思いついたことをすぐに口に出してしまう、たとえ座っていてもどこかしら動いているなど、落ちつきがない状態です。加齢とともに、明らかな多動性は減少し、改善します。

② 衝動性

刺激に対しての反射的な反応をおさえることができず、すぐに行動を起こしてしまいます。順番を待てない、人の会話に割りこむ、授業中に勝手に発言してしまう、友達との言い争いですぐに手が出てしまう、などの状態です。

③ 不注意

気が散りやすい、集中できないなどの状態です。注意力をうまくコントロールすることができません。

以上①〜③にあげた、ADHDの多動性は加齢とともに減少していき、衝動性は自覚的にコントロールできるようになることもあります。それらに比べて不注意症状は年齢によって影響されにくいといわれています。忘れ物が多い、片づけが下手、スケジュール管理が苦手など社会生活を送るうえでの困難をしばしばもちあわせています。しかし同時に、ユニークな発想、エネルギッシュな活動性などが長所としていかされます。

3 自閉症スペクトラム障害とADHDの関連

自閉症スペクトラム障害（ASD）とADHDの症状は混ざり合うことも多く、最近の診断基準ではこの両者を同時に診断することが認められるようになりました。コミュニケーションや人との感情交流が苦手といった自閉症状と、ADHDの衝動性や不注意は、周囲からは突発的で奇異な行動であったり、マイペースさとして理解されます。両者は関連し合っているので、柔軟に判断して対策を考えていくことが大切です（表3－9）。

表3−9　発達障害の特性

	ASD (自閉症スペクトラム障害)	ADHD (注意欠陥多動性障害)
診断のベース	①持続する社会的コミュニケーションと社会的交流の障害 ②限局した興味と反復行動	①多動性 ②衝動性 ③不注意
知的レベル	最重度〜高い能力まで	中度・軽度〜高い能力まで
行動上の特性	話し言葉があっても一方的で会話になりにくい 気持ちの自然な交流がもちにくい 言葉の意味理解が一義的 自分の興味に没頭しがち 感覚過敏	刺激に反応しやすく気が散りやすい じっとしていられない 自己コントロールがうまくいかない 忘れ物が多い 片づけられない
共通点	脳機能の障害による 外観からは障害がわかりにくい 能力に凹凸がある 「なまけている」「わがまま」と誤解されがち 周囲の人の理解を得られにくいために、二次的なこころの問題をかかえやすい	

2　生活上の困りごと（観察の視点）

　介護を必要としている発達障害のある人は、知的障害をともなっていることが多いので、保護者からの情報と本人の行動観察をもとに、認知発達レベルと行動特徴を理解することが大切です。発達障害では、過去のことをよく覚えていたり、駅名を漢字やローマ字で読めたり、スマートフォンが操作できたり、できることがいろいろあるので、よくわかっていると思われがちです。しかし、できることと周囲の出来事を理解する能力にはギャップがあります。わかっていると思って接すると本人への要求水準が高くなり、パニックを起こしやすくなりますので留意する必要があります。

　生活上の困りごとと同時に、どんなことに興味をもつか、何が好きか、という情報もとても大切です。それらは、1人ひとり異なるとはい

表3-10 太田ステージ別の状態像

	認識や行動の特徴	コミュニケーション	好きなこと	行動上の問題
言葉がけに応じて絵を指さして応答することがむずかしい段階（太田ステージⅠ）	・言葉の理解がない、または、特定の場面で日常的に聞き慣れた言葉を理解 ・要求はクレーン※や指さし、または、単語が主 ・生活面では直接的な介助を要することが多い	・言葉がけへの反応はとぼしく、視線が合わないことが多い ・拒否の表現は、からだをそむける、手を払うなど行動で示すことが多い	・好きなキャラクターや電車の本、好きなCD・DVDをくり返し見る・聴く ・ドライブ	・手をヒラヒラさせてみる、ピョンピョン跳ぶなどの常同行動 ・物の置き場所や日課の変更へのこだわり ・自傷・他害
白黒の絵で物の名前や「〜するもの」という用途語がわかる段階（太田ステージⅡ、Ⅲ-1）	・身のまわりの物の名前や用途語（〜するもの）や動作語（食べる、飲むなど）がわかる ・わかる言葉があるので、特定のキーワードに反応しやすくなる ・基本的な身辺自立はできるが、適宜介助を要する	・興味あることをセリフのように一方的に言うことが多い。問いかけへの応答はむずかしい ・理解の手がかりとして絵カードを用いるとわかりやすい	・上記に加え、電車や鉄塔など好きなものの写真撮影 ・プールやゲームセンター、ボウリング	・あることへの固執、パターン的行動の変更や予測に反する事態への抵抗が強く、パニックを起こしやすい ・刺激に対する反応としての破壊行為がある
2つの物を比べて、大小など比べる対象が変わっても柔軟に比較し考える段階（太田ステージⅢ-2）	・物の名前、動作語に加え、形容詞の理解ができるようになる ・「これとこれはどっちが○○？」など、2つの物を頭において考えることができるようになる ・過去や未来のことをイメージできるようになる ・生活スキルそのものは獲得するが、社会的マナーという点で言葉がけや介助を要する	・簡単な日常会話が可能で、2語文、3語文を使える ・自分の興味あることに関する質問をしつこく一方的にすることが目立つ	・上記に加え、好きなキャラクターのイベントや地域のお祭りなどに参加する ・サイクリングやおめあての電車に乗る	・言葉の意味を文字どおりに理解して思いこみが激しくなり、思いと違う場合に激しく怒ることがある ・他者へのしつこいかかわり、同じ行為のくり返しなど、強迫的な行為がみられるようになる
物と物の関係を言葉だけで理解し、イメージできる段階（太田ステージⅣ）	・目の前に見えるものでなくても思い描けるようになり、言葉で物事を考えられるようになる ・思春期以降は、社会的マナーは未熟ながらも1人で行動することを好むようになる	・ある程度自然な会話ができるようになるが、言葉の意味を独特に理解したり、本人なりに意味づけて使用することがある ・自分の考えや気持ちの表現は不十分	・上記に加え、電車やバス路線で日帰り旅を自分で計画 ・プラモデル作成や絵を描く	・社会的に求められる水準も高くなりがちなことから、不安感や劣等感を抱きやすくなり、感情のコントロールがむずかしいことがある

※：人の手を取って目的のほうへ向けること。

え、**太田ステージ**❸により認知発達レベルおよび障害特性によってある程度共通の行動特徴がある、ということがわかっています。保護者からの情報や発達障害のある人とかかわるなかで、認知発達レベルと行動特徴を理解し、生活支援を考えていきましょう。太田ステージによる認知発達段階別の認識と行動の特徴は**表3－10**に示すとおりです。

❸太田ステージ
認知発達の不連続性に基づいた評価法。各段階で必要な発達課題が整理されており、自閉症スペクトラム障害以外の発達障害にも、そして、子どもから大人まで応用することができ、教育・福祉現場での活用も広がっている。問題行動に対しても発達的観点から対応を考えることができる。

（1）言葉の理解力

言葉の理解力で、太田ステージによる認知発達段階がわかります。

1 言葉がけに応じて絵を指さして応答することがむずかしい段階

太田ステージⅠの段階です。幼児期では、言葉がけしても知らんぷりしているかのように見えたり、絵本はページをめくるだけ、ミニカーは走らせるのではなくタイヤを回して見ている、といった状態が観察されます。学童期以降になると、日常生活でくり返される指示や具体的場面での指示には応じられるようになり、一見、言葉の理解があるように見えますが、人や場面が変わると、言葉がけだけでは理解がむずかしくなるという特徴があります。

2 白黒の絵で物の名前や「～するもの」という用途語がわかる段階

物の名前がわかれば太田ステージⅡ、用途語までわかれば太田ステージⅢ-1です（**図3－6**、**図3－7**）。日常生活の流れのなかで「靴、は

図3－6　名称による物の指示

図3－7　用途語による物の指示

いて」で靴をはくことや、「コップ、持ってきて」でいつも自分が使うコップを持ってくることができる、ということとは違います。白黒の絵を見て「コップ」という名前と同時に「飲むとき使う」ものでもある、ということがわかるようになるということです。これが言葉で頭のなかに物のイメージをもてるようになる最初の段階で太田ステージⅢ-1です。太田ステージⅡは、ⅠからⅢ-1への発達の移行期と位置づけられます。

3 2つの物を比べて、大小など比べる対象が変わっても柔軟に比較し考える段階

大・中・小の3つの丸について、端の丸を隠し、「どっちが大きい？（小さい？）」と問いかけ、中の丸が大と比べると「小さい」、小と比べると「大きい」というように、比べる対象によって、「大きい」にも「小さい」にもなる、ということを理解することができれば太田ステージⅢ-2です（図3-8）。

これは、バスを見て「大きい」、ありを見て「小さい」と言うこととは違います。乗用車と比べるとバスが大きい、飛行機に比べるとバスは小さい、というように、「大きい」と言ったものがほかとの比較では「小さい」になる、そういった頭のなかに2つの物を思い描いて考えることができるようになる、ということです。

4 物と物の関係を言葉だけで理解し、イメージできる段階

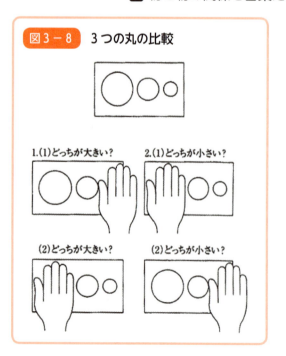

図3-8　3つの丸の比較

「本を鉛筆の上に置いて」など、ふだん経験しないような物と物の空間関係を言葉だけで理解できれば、太田ステージⅣです。「ティッシュを棚の上に置いて」など、経験上できることとは違い、たとえば、ピアノをテレビの上に置く、というような、現実にはありえない空間関係を言葉で頭のなかに描き出せるようになる、ということです。目の前に見えるものでなくても思い描けるようになり、言葉で物事を考えられるようになる最初の段階です。

(2) 話し言葉

1 要求手段

自分の要求手段として、何を用いるか、言葉で要求できるかどうかが大切です。言葉がない場合、人の手を取って目的のほうへ向ける、**クレーン**という要求手段があります。太田ステージⅠの段階に特徴的な行動です。

2 話し言葉の発達

言葉は、最初は単語から話し始めます。「水」という単語で、「水ちょうだい」「水だ」「水が流れてる」などという意味を伝える場合、単語といえども文章的な意味あいがあるので1語文といいます。それから、徐々に「ジュース、飲む」「アイスクリーム、食べる」などの2語文、「○○ちゃん、学校、行った」というような3語文、そして「○○ちゃんが学校に行きました」というように助詞が入った文章を話すようになります。

3 話し言葉の特徴

自閉症スペクトラム障害の場合、話し言葉があったとしても、問いかけられたことをそのまま返したり（オウム返し、**エコラリー**（図3-9））、どこかで覚えたセリフを言ったり（遅延エコラリー）することが

図3-9 話し言葉の特徴：エコラリー

出典：東京大学こころの発達診療部「自閉症——よりよい医療への手がかりを求めて」2003年

あり、必ずしもコミュニケーションに役立つ言葉になっていない場合があります。同じことをくり返したずねる、**質問癖**という特徴もあります。本当の意味でたずねているのではなく、本人なりのコミュニケーション要求ですので、優しく答えるようにしましょう。

　また、比較的長い文章で状況に合った言い方ができていても、介護福祉職に伝えたい簡単なこと（たとえば、おなかがすいた、のどがかわいた、疲れた、足が痛い、など）が言えずパニックになってしまうことがあります。

　話し言葉が必ずしも本人の意思表現になっていないことも多々あるので、本人の表情や身体の緊張具合を見て介護福祉職が推測することが大切です。たとえば、「疲れた？」とたずねられると「疲れた」とオウム返しで言う人に「じゃ休憩しよう」と活動を中止したところ怒り出した、とか、逆に「疲れてません」と答えるので活動を続けたら熱中症になってしまった、というようなこともあります。このあたりの判断は、最初はむずかしいと思いますが、太田ステージによる状態像を頭において利用者と楽しくつきあっていくと少しずつコツをつかむことができます。

（3）こだわり行動

　こだわり行動については、保護者からよく情報を得ておきます。こだわりの対象は何か、また、こだわりの強さはどの程度なのか、保護者はどう対応しているのか、という点について聞いておくとよいでしょう。こだわる対象そのものに近づかないようにすることや、あらかじめ言い聞かせればがまんできる、ということもあります。公共の場で人の迷惑にならないようなことならば、利用者が納得いくようにする場合もあります。

　外出の途中で、何かを見つけて、または思い出して突然走り出してしまうこともあります。保護者の考えを尊重し、それぞれの利用者の状態に応じて対応できるよう、情報収集しておくことが大切です。

（4）感覚過敏

　音に敏感、触られることをいやがる、特定の物を見ると怖がるなど、介護福祉職にとっては何がいやなのかわからないような刺激でも、利用者にとっては非常に不快であったり、苦痛でさえあったりするものもあ

ります。独特の感じ方があり、その反応の仕方が違う、ということを理解しましょう。

（5）本人の好きなこと

好きなこと、好きな物、好きな食べ物、やりたいこと、何をすれば落ちつくか、これらを知っておくと、利用者とのコミュニケーションやこだわり行動の制止、気分転換に利用できます。

3 支援の展開

（1）対応の心がけ

基本的には、利用者の様子を優しく見守る態度が安心感を与えます。「この子は何に興味があるのかな」「こんなことをするんだ、面白いなあ」と、温かい関心と心のゆとりをもつことが大切です。

（2）言葉がけ

ゆっくり、はっきり、短い文章で話しかけます。そして10秒くらい待つ気持ちで見守ります。次々に話しかけると混乱します。「それはだめ」という禁止や「〜しない」という否定語や「ちゃんと」「しっかり」などのあいまいな言葉は理解がとてもむずかしいです。「〜しましょう」と、肯定的かつ具体的に伝えましょう。

（3）コミュニケーションの取り方

人に関心がないかのように見えたり、自分の興味のあることを話すのが好きだったり、コミュニケーションの取り方は人それぞれです。まずは利用者が好きなことに関心をもって、いっしょに楽しみましょう。会話にはなりにくいですが、利用者が好きなキャラクターの名前や電車の名前を言ってみると、はっとしたように介護福祉職を見ることがあります。

表情の変化がとぼしくても心地よく感じていることもあります。間がもたないからと「昨日は何したの？」などの質問をするのはやめましょう。「どこ？」「どうして？」「どうだった？」などの質問に答えるのはむずかしいです。利用者の求めに応じて、同じことを言ってみたり、あ

いづちを打ったり、受け止めていくことが大切です。

（4）こだわり行動への対応

　事前にどこでどのようなことをするのか、保護者からよく情報を得て、利用者の行動を予測しておきましょう。駅や銀行に置いてあるパンフレットやチラシが大好きでごっそり取ってしまう、エレベーターを見ると突進してボタンを押してしまう、エレベーターには一番に乗らないと気がすまない、電車に乗ると混んでいてもドアのところに立つなど、どういった場面で何をするのかを知っておくと、あらかじめ「チラシは5枚だけね」というような言葉がけが有効な場合もあります。こだわる対象や、刺激となる場所を避ける、という対応方法もあります。

（5）パニックへの対応

　人混みでパニックを起こすと、介護福祉職はとまどってしまうことと思います。こだわり行動への対応と同様、保護者から情報を得ておくことが大切です。できれば、未然に防ぐことができるとよいのですが、理由がわからない場合も多いです。その場で起きた出来事ではなく、突然、過去のいやな体験を思い出しパニックになることもあります。これをフラッシュバックといいます。

　パニック時は言葉をかければかけるほど、また、力ずくで止めようとすればするほど激しくなってしまい逆効果です。できれば、まわりに迷惑をかけず、刺激の少ない安全な場所に連れていき、しばらく声をかけず落ちつくまで様子をみます。その後、静かな声で「何か飲みませんか？」などと別のことに誘ってみましょう。落ちついてからも、「どうしたのですか？」と理由をたずねるのはやめましょう。責められた、と感じたり、原因を思い出して再燃してしまいます。

（6）保護者への対応

　保護者は第三者にわが子をあずけることをとても不安に感じています。保護者には利用者の様子を簡潔に報告します。その際、大変なことがあった場合でも結果オーライであれば笑顔で伝えましょう。介護福祉職の楽しそうな表情が保護者に安心感を与え、信頼関係を築くことにつながります。

（7）精神状態への配慮

自閉症スペクトラム障害では思春期以降、てんかんの発作が起こりやすいことや、不適切な行動や身体症状が出現することが知られています。極端に気分が高揚したり、焦燥感や落ちこみがみられたりするような気分変動や、イライラ感やかんしゃくを起こしやすくなって、時には**自傷行為**や攻撃行動が激しくなることがあります。また、ある行動をくり返したり確認したりする**強迫行為**、動作の途中で固まってしまって動かなくなる**カタトニア**という症状がみられるようになることもあります。このような状態がみられたら、正確に保護者に伝え、医療につなげる必要について検討しましょう。

（8）緊急時の対応

発達障害のある人は、普段はおとなしく、1人でどこかへ行くことはないのに、何かの拍子に人混みにまぎれてしまったり、介護福祉職の隣にいっしょにいても動き出す気配をみせないまま見失うことがあったりします。1人で探していても見つからないこともあります。早めに関係機関（事業所、家族、警察など）と連絡をとります。日ごろから対応を頭においておくことが大切です。冷静な対応を心がけましょう。

（9）他職種・他機関との連携

よりよい介護のために必要に応じて連携をとっていくことが大切です。個人情報保護の観点から、保護者や本人の了解をえたうえで連携をとりましょう。所属している通園施設やデイサービス、学校、作業所での状態やかかわり、また、療育センターや医療機関とのつながりがある場合には、幼児期や学童期からの経過および現在の状態について、その人を支援する人たちが情報交換することで、よりよい支援を考えていくことができます。

専門機関とのつながりがない場合には、**発達障害者支援センター**❹を連携先の1つとして利用者に紹介することもできます。これは、発達障害者支援法にもとづいて全国の都道府県と指定都市に1か所ずつ設置されているものです。

> ❹発達障害者支援センター
> 発達障害者への支援を総合的に行うことを目的（発達障害者支援法）として、都道府県・指定都市、または都道府県知事などが指定した社会福祉法人などが運営する専門機関。発達に関するさまざまな相談、就労支援、関係機関との連絡調整、普及啓発と研修などを行う。

4 事例で学ぶ──発達障害に応じた生活支援の実際

事例

　Eさん（22歳、男性）は自閉症スペクトラム障害で、特別支援学校を卒業し就労継続支援B型事業所（以下、作業所）に通っています。幼児期に、言葉の遅れ、かんしゃくを起こしやすい、外出するとすぐ迷子になる、などの様子が見られ、療育センターを受診し、自閉症スペクトラム障害と診断されました。発達レベルは太田ステージⅢ-2（**表3−10**参照）、日常生活で簡単な指示は理解でき、「○○する」など2語文での言語表出があります。「何食べた？」「何乗った？」など簡単な問いかけには答えますが会話にはなりません。

　好きなキャラクターの絵本が好きでよく見ています。好きなものがいろいろあり、換気扇を見るために店舗の裏に走って行って店内に入りこんでしまったり、電車を見たくてすばやくホームの端まで走ったり、目ざとく踏切を見つけ近づいたりします。また、駅や店先のチラシを見ると大量に取ってしまいます。音への過敏さがあり、電車の中で突然流れるアナウンスや外国人の会話が苦手で耳をふさいで耐えています。基本的な身辺自立はできていますが、トイレに行くときに男性便器の前に立つ前からズボンのチャックを下ろしたり、暑いとおなかの上までシャツをめくり上げてしまったりするので適宜、注意することが必要です。レストランでは、いつも「すき焼き丼」を注文し、フリードリンクでおかわりすることが好きです。

保護者からの情報収集

　本節「2 生活上の困りごと（観察の視点）」で述べたように、言葉の理解力、話し言葉、こだわり行動と対応の方法、好きなこと、気分転換の方法について確認しておきましょう。こだわり行動は、家族には強く出るが、介護福祉士の指示にはよく応じる、またはその逆で、ふだん接している母親ならすぐに応じるがそれ以外の人の指示は入りにくいなど、人や場面で変化することがあります。

介護福祉士の対応
①危険性への配慮

　Eさんの場合は運動機能に問題がなく、むしろ予想していないときに急に動くすばやさやタフさがあります。スーパーマーケットや飲食店を見かけると換気扇を見に走り出す、踏切を見つけると走って近づくなど、場面によってはとても危険です。どのような場面でどのよう

な行動を起こすのか、そのときどのように制止するのが効果的か、保護者からの情報収集でシミュレーションし、準備をしておくとよいでしょう。

②社会生活上のマナーを教える

食事やトイレは自分でできますが、マナーという点では不十分です。トイレに入る前に「チャックはまだだよ、便器の前でね」と声かけすることや、レストランで「おかわりは2杯まで」とあらかじめ制限すること、また、おかわりをするときに人がいたら待つことなど、その場で適切な行動を教える支援が大切です。

③予定や予告を書いて確認する

出かける時間と帰宅時間、その間に何をするかの予定を、順番に文字や絵・マークで書いて視覚的に示すと見通しが立ちやすく、Eさんの納得を得られやすいです。いつもと違う場所に行くなど、変化がある場合にはとくに、あらかじめ視覚的に伝え、確認しましょう。保護者との打ち合わせもふまえたうえで、今日守ってほしいことを1つ書いて示しておくと有効な場合もあります。

④満足感をもてるような心配り

Eさんは、毎日作業所で職員の指示に従って一生懸命働いており、休日の外出をとても楽しみにしています。危険性や社会的にふさわしくない行動などで注意することが多くなると、本人にとってせっかくの楽しみがストレスになってしまいます。できるだけ温かく見守り、止めたい行動は、言葉だけで注意せず、適切な行動を優しくリードするつもりで接するようにします。

途中でパニックがあったとしても、好きなことで気分転換をして「楽しかった」という気持ちで満足感をもって帰宅できるように支援しましょう。介護福祉士自身が「今日は楽しかったね」とにっこり笑って言葉に出してみると、お互いの気持ちがなごやかになるでしょう。

⑤心理面への配慮

Eさんは環境の変化に弱く、作業所に新しい職員が入ったり、家のリフォームが始まったりと、いつもと違うことがあると落ちつかなくなります。ふだんは指示に応じられるところでも自分のやり方にこだわってパニックを起こしやすくなることがあります。こだわりの強さや指示への応じやすさは、本人の心理的安定と関係しています。不安感が高まっていないか、イライラ感が強くないか、その状態に応じて、注意や指示をひかえて見守ることが必要です。

◆ 参考文献
- 太田昌孝編著『改訂版 発達障害児の心と行動』放送大学教育振興会、2006年
- 太田昌孝編『こころの科学セレクション 発達障害』日本評論社、2006年
- 永井洋子・太田昌孝編『太田ステージによる自閉症療育の宝石箱』日本文化科学社、2011年
- 太田昌孝・永井洋子・武藤直子編『自閉症治療の到達点 第2版』日本文化科学社、2015年

第 5 節

【難病】
筋萎縮性側索硬化症（ALS）に応じた介護

学習のポイント
- 筋萎縮性側索硬化症（ALS）について医学的・心理的側面から理解する
- 筋萎縮性側索硬化症（ALS）の人の生活上の困りごとを理解する
- 筋萎縮性側索硬化症（ALS）の人への支援において、多職種連携のなかで介護福祉士が果たすべき役割を理解する

関連項目　⑭『障害の理解』▶第3章第5節「難病」

1 筋萎縮性側索硬化症（ALS）の理解

（1）筋萎縮性側索硬化症（ALS）とは

　筋萎縮性側索硬化症（ALS：amyotrophic lateral sclerosis）は、上位運動ニューロン（大脳皮質運動野の運動神経細胞）と下位運動ニューロン（脊髄前角・脳幹の運動神経細胞）が次第に脱落することにより、全身の筋力低下、筋萎縮が進行する**神経変性疾患**❶で、**運動ニューロン**❷疾患の1つです。

　四肢、体幹の筋のみならず、顔面、咽頭、呼吸器など、全身のあらゆる随意筋の筋力低下が起こります（図3-10）。

　ALSでは、原則的に運動系（上位および下位運動ニューロン）以外の系統は障害されません。感覚系、協調運動系、自律神経系、高次脳機能は保たれているため、感覚障害、自律神経障害、知能の障害はともないません。また、消化管平滑筋や心筋は随意筋ではないため障害されることはありません。運動神経のみが変性・脱落する原因は不明です。

　日本での有病率は、10万人あたり約8人、男女比は約1.3：1で男性に多く発症します。2019（令和元）年度の特定疾患医療受給者証所持者

❶**神経変性疾患**
ある系統の神経細胞が徐々に障害されていく疾患の総称。

❷**運動ニューロン**
軸索を中枢神経系から外へ出し、骨格筋に接続してその活動（筋収縮）を引き起こす神経細胞をいう。頸や四肢の筋を支配する運動ニューロンは脊髄に、顔や眼などの筋を支配する運動ニューロンは脳幹に位置する。

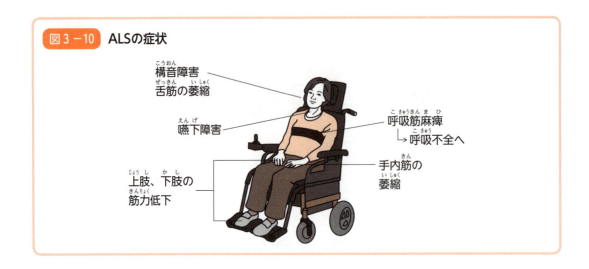

図3-10 ALSの症状

- 構音障害
- 舌筋の萎縮
- 嚥下障害
- 呼吸筋麻痺 → 呼吸不全へ
- 手内筋の萎縮
- 上肢、下肢の筋力低下

数は9894人、50～60歳代が発症のピークで5～10％が家族性といわれています。

（2）筋萎縮性側索硬化症（ALS）の症状

初発症状は、上肢あるいは下肢の**筋力低下**、**嚥下障害**、**構音障害**などさまざまで、その後、徐々に進行し、症状は全身の筋におよびます。進行のしかたやその速度はさまざまですが、一般に発症より1～5年（大部分の症例は2～3年）で呼吸筋麻痺による呼吸不全をきたすので、多くの場合人工呼吸器を使用することになります。

症状は、上位運動ニューロン障害と下位運動ニューロン障害による症状が組み合わされ出現します。主症状は筋力低下ですが、上位運動ニューロンが障害された場合には、筋緊張や**腱反射**❸が亢進し、**バビンスキー徴候**❹などの病的反射が陽性になります。下位運動ニューロンが障害された場合には筋萎縮や**繊維束性収縮**❺を認め、腱反射は減弱あるいは消失します。

咽頭、喉頭、舌などの筋群が障害されると、嚥下障害や構音障害を認め、舌筋の萎縮、咽頭反射の消失などがみられ、呼吸筋障害が加わると呼吸不全におちいります。

眼球運動障害、感覚障害、膀胱直腸障害、褥瘡などをきたすことは少なく、これらは4大陰性徴候と呼ばれています。しかし、人工呼吸器を装着した長期生存例では、これらの症状があらわれることがあります。

❸**腱反射**
深部反射の1つ。腱の叩打により起こる伸張反射。神経疾患の診断に用いられる。代表的なものに膝蓋腱反射がある。

❹**バビンスキー徴候**
足底の皮膚を刺激すると、正常と異なり親指が背屈したり、開扇現象がみられたりする。

❺**繊維束性収縮**
筋線維群でみられる急速な不随収縮で、局所的な筋収縮として皮膚上から観察できる。

第5節 【難病】筋萎縮性側索硬化症（ALS）に応じた介護

唾液の嚥下が困難なため流涎があり、**仮性球麻痺症状**❻として、**強制泣き**❼や**強制笑い**❽を認めます。また、自由に身体を動かせないことや筋力低下などから、身体の痛みや全身倦怠を訴えることが多くあります。最近では、ALSに認知症を合併するケースもあります（**表3-11**）。

❻ **仮性球麻痺症状**
唇と舌の麻痺、発語困難や嚥下困難がみられ、卒中様発作、感情不安定、痙性麻痺を示す。

❼ **強制泣き**
仮性球麻痺患者において、一過性に生じる顔面筋の過度の持続的収縮による泣き顔をいう。

❽ **強制笑い**
仮性球麻痺患者では、顔面筋に筋緊張の亢進があり、わずかな精神的興奮によっても、顔面筋の過度の持続的収縮が引き起こされる。このとき、感情とは無関係に笑い顔のようになる。

表3-11 厚生省（現・厚生労働省）の診断基準

1．神経所見
1）球麻痺所見：舌の麻痺、萎縮、繊維束性収縮、構音障害、嚥下障害
2）上位ニューロン徴候（錐体路徴候）：痙縮、腱反射亢進、病的反射
3）下位ニューロン徴候（前角細胞徴候）：筋萎縮、筋力低下、繊維束性収縮

2．臨床検査所見
1）針筋電図にて（1）高振幅電位、（2）多相性電位
2）神経伝達検査にて（1）運動・感覚神経伝達速度は原則正常、（2）複合筋活動電位の低下

3．鑑別診断
1）下位運動ニューロン障害のみを示す変性疾患：脊髄性進行性筋萎縮症
2）上位運動ニューロン障害のみを示す変性疾患：原発性側索硬化症
3）脳幹病変によるもの：腫瘍、多発性硬化症など
4）脊髄病変によるもの：頚椎症、後縦靭帯骨化症、椎間板ヘルニア、腫瘍、脊髄空洞症、脊髄炎など
5）末梢神経病変によるもの：多巣性運動ニューロパチー、ポリニューロパチー
6）筋病変によるもの：筋ジストロフィー、多発筋炎など
7）偽性（仮性）球麻痺

4．診断の判定
次の1）～5）のすべてを満たすものを、筋萎縮性側索硬化症と診断する。
1）成人発症である
2）経過は進行性である
3）神経所見で、上記の1）～3）のいずれか2つ以上がみられる
4）筋電図で上記の所見がみられる
5）鑑別診断で、上記のいずれでもない

出典：厚生省特定疾患神経変性疾患調査研究班報告書「筋萎縮性側索硬化症の診断・治療の手引き」1989年（2001年改訂）を一部改変

第3章 障害に応じた生活支援技術Ⅱ

2 生活上の困りごと（観察の視点）

筋萎縮性側索硬化症（ALS）は、進行性の難病であり、介護などにいちじるしく人手を要するために家族の負担が重く、精神的にも負担の大きい疾病です。利用者とその家族が安心して、満足した毎日を過ごしているか、**QOL**（Quality of Life：生活の質）はよい状態を維持できているかをアセスメントし、支援を展開することが重要です。

（1）コミュニケーション

病状が進行するとコミュニケーションが困難になります。事前に**意思伝達装置**[9]等で意思を伝える手段を確保して、利用者がきちんと思いや要求を伝えられるような工夫を考えておきましょう。

> [9]**意思伝達装置**
> 会話や筆談による意思伝達が困難な状態の重度心身障害者に対して、自己表現や文章作成などにより意思伝達を支援する用具。コンピューターを用いて文章作成や合成音声、録音した肉声により発話し、即時的な会話に適した機種や、簡単に用いることができるコミュニケーションボードとよばれる五十音文字盤などがある。

（2）食事

食べることは、人間の基本的欲求であり、生命を支えると同時に生きる意欲を高めることにつながります。しかし、嚥下障害や上肢筋力の低下が進むと、箸やスプーンを持つことや食事を口に運ぶ動作、咀嚼・嚥下にかかる時間の延長、集中力や疲労感など、総合的な摂食行動に支障が出てきます。また、誤嚥の危険性も高まります。そのため食事の楽しみは失われ、摂食そのものに対する意欲の低下から、十分な食事や水分がとれなくなることもあります。食事に対する本人の思いや習慣、嗜好などを把握し、嚥下障害への不安感の有無や栄養状態、咀嚼・嚥下機能、上肢機能等をアセスメントし、食べる意欲を高め、みずから食べることのできる環境を整えることが重要です。

嚥下困難やいちじるしい体重減少、誤嚥性肺炎等がみられる場合は、代替方法として経管栄養を選択することもあります。医療機関との緊密な連携が必要となります。

（3）入浴

入浴は、心身機能促進やリラックスなどの効果があります。しかし、入浴をすることで疲労感が増し、循環器や呼吸器に影響を及ぼし、からだに負担を与えることもあります。からだへの負担に配慮し、安全に気持ちよく清潔保持ができるよう適切な対応をとることが必要です。

清潔に対する利用者の希望、運動機能や精神機能など全身状態の把握と介助の必要性を見きわめ、入浴や清拭、手浴・足浴等を組み入れます。また、浴室等の環境、福祉用具の活用などを検討し支援する必要があります。

（4）排泄

ALSでは、筋力の低下や筋萎縮にともなう身体運動障害のために、排泄における一連の動作のなかで困難な行為が出てきます。その結果、排便動作が困難になったり、援助が必要になったりしますが、不安や遠慮から排便の意識的抑制がはたらくことがあります。また、自律神経失調により便を停滞させ、生理的刺激だけでは排便反射が起こらなくなってしまうことがあります。このような場合には、医師の指示により座薬、浣腸、緩下剤の使用などで対応します。しかし、肛門や尿道の括約筋は、ALSによる障害を受けにくいとされており、最後まで維持できる唯一の随意運動筋になる可能性もあります。本人のできる部分を最大限にいかし、自力での排泄が可能な期間をできるだけ延ばす支援が大切です。

（5）外出等

外出は、買い物や通院などの目的を果たすだけでなく、**気分転換**や**社会参加**という意味においても非常に大切です。病気が進行すると四肢の筋力低下により移乗や移動が不安定になります。移乗、移動の動作は、いずれも日常生活すべてにかかわる行為であり、この動作の自立度は、人間の行動範囲および社会活動に大きく影響を与えるものです。

外出に不安をおぼえるようになった場合には、外出を支援する介助者だけでなく、全身の状態にあわせて杖や歩行器・歩行車、電動車いす等の福祉用具を活用することで日常生活の活動の継続や拡大を可能にします。

3 支援の展開

（1）コミュニケーション

ALSでは、構音障害のためコミュニケーションがとりづらくなりま

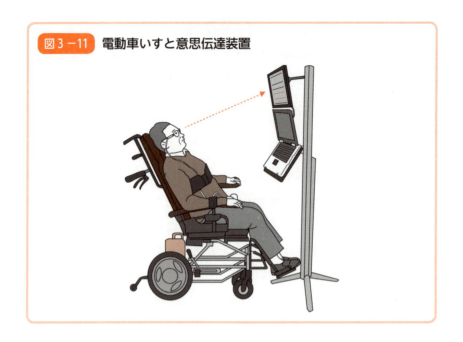

図3-11 電動車いすと意思伝達装置

す。できるだけ利用者が話しやすいように声をかけ、会話の時間に余裕をもち、焦らないような環境をつくり、根気よく利用者の伝えようとしている言葉を理解するようにしましょう。

　また、障害を補完する代替手段を維持できることが大切です。進行すると、人工呼吸器をつけるかどうかを決めるなど「意思決定支援」がより重要になるため、人工呼吸器装着の前に（話せるうちに）コミュニケーションエイドや文字盤の使用（単語、対面式、五十音）、ジェスチャー、筆談、瞬き、眼球運動、パソコン等のコミュニケーションツールの使用を検討し、練習をしておくことが大切です（図3-11）。また、ナースコールの工夫（センサーや足用コールなど）も必要となります。人工呼吸器装着の意思決定に関しては、診断時、おおむね自立した生活ができているとき、呼吸障害を自覚した時期と利用者の意思決定が変化していくことが考えられます。病状進行には時間的制限があることを念頭に「意思決定をする過程」だけでなく「決定した後」も利用者や家族がどのように生活を継続していきたいかという思いに寄り添いながら、きめ細やかな支援体制を構築していくことが大切です。

（2）食事

　嚥下障害が出現しても、食べる楽しみを支えるために、食事のバランスや栄養摂取量ばかりに重点をおかずに、利用者の食習慣や嗜好なども

大切にしましょう。

食事の摂取量や摂取状況、安全性を確認しながら、咀嚼や嚥下の状況にあった食事形態の工夫（普通食、軟食、粥食、きざみ食、ミキサー食、とろみ食、流動食など）や自力での摂取を維持するために、持ちやすいスプーンや箸の工夫、すべり止めマットや角度のある自助用皿などの福祉用具の利用を検討します。

また、正しい姿勢を保つために、食事はできるだけ座位での自力摂取をめざします。背もたれと肘かけのついたいすを使用し、足をしっかり床につけ**前傾姿勢**が保てるよう座面を調整できるものが最適です。座位が保てない場合は、背もたれや肘かけのある車いすを利用し、クッションで調整し、自然な前傾姿勢がとれるようにします。また、臥位の場合は、30度仰臥位、頸部前屈位が基本です。背部にクッションなどを入れ側臥位にすることもあります。いずれの姿勢でも食事を終えたあとは、胃からの逆流を防止し、誤嚥性肺炎を予防するために、30分から1時間はその姿勢でいることが望まれます。

食事は一度に食べずに、少量複数回で摂取することも効果的です。とくに呼吸困難がある場合にはこの方法で摂取するほうが息苦しさの軽減にもつながります。また、経管栄養をしている場合でも、経口摂取がまったく不可能ではないことも説明しながら、食事への楽しみを失わないような精神的ケアが求められます。

経管栄養をしている場合には、唾液の分泌量が低下し、口腔内は汚れやすく、乾燥し、誤嚥性肺炎を発症することも考えられます。誤嚥性肺炎を予防するための口腔ケアは大変重要です。

最期まで、自分で食べる、口から食べることができること、またそれを支える支援は利用者の尊厳を守ることにつながります。

（3）入浴環境の整備

身体状況にあわせた入浴方法や体調変化、転倒などの危険防止などを念頭におき、できるところは可能な限り自分で行えるような環境を整えることが大切です。

まず、浴室までの移動環境を確保し、脱衣室には、座位で着脱できるよういすや手すりを設置します。自力で浴槽内に入ることができる場合は、手すりや浴槽内のふみ台などを活用します。浴槽から立ち上がる動作を補助する昇降機などもあります（図3-12）。

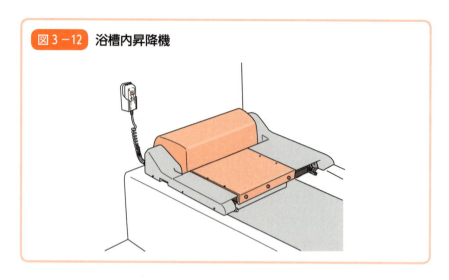

図3-12 浴槽内昇降機

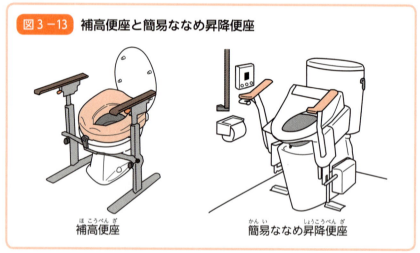

図3-13 補高便座と簡易ななめ昇降便座

補高便座　　　　簡易ななめ昇降便座

　四肢、体幹の筋力の低下により、立位や座位の保持が困難になると介助が必要になります。その場合には、シャワー浴や浴室リフトの設置も検討しましょう。

（4）排泄

　尿意や便意はあるものの運動機能の障害により排泄動作がしにくくなる場合は、羞恥心や機能維持、自立性に配慮してできるだけ自力で行えるように援助することが大切です。そのためには、まずトイレへ行くまでの環境や排泄用具の工夫などをします。和式トイレは、立ち上がりが困難なので、洋式トイレに交換することが望ましく、両サイドに手すりをつけることで、立ち上がりや着座の動作がより安定します。

補高便座は、便座の高さが低すぎる場合に、便座の上に取りつけて便座の高さを調節するものです。立ち座りの際のスムーズな動作や身体負担の軽減、転倒防止などに有効です。

簡易ななめ昇降便座は、便器からの立ち上がりを助けるため、座面をななめ方向に上下させ、0～20度の任意の角度に設定できます。排泄の自立を支えるには、早期に福祉用具を導入することが大切です（図3－13）。

トイレの入り口の段差をなくし、歩行時のつまずきや転倒を防止します。ドアは引き戸かアコーディオンカーテンにすることで、車いすでも出入りがしやすくなります。また、トイレ移動が困難なときや夜間は、ポータブルトイレや尿器を利用することもあります。おむつは、最終手段であると同時に効果的な使い方をすることで、安心・安楽が得られることも理解しておきましょう。

（5）外出

外出に不安をおぼえるようになった場合には、外出を支援する介助者のほか、杖や歩行器・歩行車、電動車いすや意思伝達装置等の福祉用具を検討します。介護保険法および障害者の日常生活及び社会生活を総合的に支援するための法律（障害者総合支援法）を利用し選定していきます。

（6）家族への支援

ALS利用者の在宅生活では、家族が24時間体制で介護を行っている場合もあり、家族の負担が大きくなります。その負担の軽減を図るために、利用者が家族の介護のみに依存しなくても、円滑な在宅生活を送ることができるように、医療福祉サービスとの適切な連携や住宅改修、福祉用具の利用、また家族の休息(レスパイト)などを利用し、継続的なケア環境の向上を図ることが大切です。

（7）さまざまな社会資源の活用

利用者の症状や障害の程度にあわせて、かかりつけ医、訪問看護ステーションや訪問介護事業所（ヘルパーステーション）、介護支援専門員、理学療法士（PT）や作業療法士（OT）、言語聴覚士（ST）等のリハビリテーションスタッフや難病相談支援センターなどのフォーマル

表3-12 疾患の進行度合いとそれに応じた介護の注意点および進行度合いでとくにかかわることとなる多職種

進行レベル	重症度分類	介護の注意点	かかわる職種
初期	1 家事・就労はおおむね可能 2 日常生活（身の回りのこと）はおおむね自立	・進行性のため日々できなくなることが増えてくる。自分でできることは自分で行うことで、筋力の低下や生活意欲の維持につながる。 ・進行性に対しての不安な気持ちに寄り添う。	かかりつけ医 難病相談支援センター 保健所 福祉事務所
中期	3 自力で食事、移動のいずれか1つができず、日常生活に介助を要する	・嚥下障害などの症状があるときは、食事姿勢や食事形態、自助具（介護用のスプーンや箸等）を利用する。 ・栄養状態の低下を防ぐための食品選びや調理を工夫する。 ・衣類の着脱が簡単なジッパー式の洋服や下着を利用する。 ・入浴、トイレの場合は手すりやスロープ等を取り付け、自力でできる行為を確保し筋力を維持する。 ・気分転換になるような外出支援や機能改善につながる福祉サービスを活用する。	訪問看護師 ヘルパー 理学療法士 作業療法士 介護支援専門員 福祉用具専門相談員 当事者組織 かかりつけ医 管理栄養士 言語聴覚士 訪問歯科 歯科衛生士
後期	4 呼吸困難・痰の喀出困難あるいは嚥下障害がある 5 気管切開、非経口的栄養摂取（経管栄養、中心静脈栄養等）、人工呼吸器使用	・筋力低下にともない意思疎通が難しくなるため、はやめに意思の確認の手段を確保する。 ・筋力低下にともない、自力で動くことが困難になるので、褥瘡予防のための安楽な体位の保持や福祉用具の選定が必要になる。 ・生活全般で呼吸状態や安楽な体位等を維持できるようなケアを実践する。 ・人工呼吸器使用や非経口的栄養摂取について本人の意思確認などを行う。	かかりつけ医 訪問看護師 ヘルパー 理学療法士 作業療法士 言語聴覚士 管理栄養士 訪問歯科 歯科衛生士 福祉用具専門相談員 ボランティア 当事者組織

サービスの利用だけでなく、ボランティアや当事者組織（日本ALS協会）等の自主的なインフォーマルサービスを有効に活用することで、きめ細やかな生活支援を継続することができます。

第5節 【難病】筋萎縮性側索硬化症（ALS）に応じた介護

4 事例で学ぶ——筋萎縮性側索硬化症（ALS）に応じた生活支援の実際

事例

Fさん（55歳、男性、要介護3）は、妻（49歳）と2人暮らしです。営業マンとして第一線で仕事をしていましたが、1年前に筋萎縮性側索硬化症（ALS）を発症しました。徐々に手足の運動機能低下が進行してきて、自力で立ったり、座ったりする動作がむずかしくなってきました。食事も自力摂取がむずかしくなり、妻が介助をしています。

最近、妻が腰を痛めてしまい、入浴や排泄などの介助がつらくなってきたとのことで、訪問介護事業所に相談がありました。

介護福祉士は、サービス提供責任者とともに改めてFさんを訪問し、次のような支援内容を検討しました。

現状の把握

食事：ご飯とおかずはやわらかく煮て、妻がスプーンでつぶしながら食べさせています。しかし、最近、お茶を飲むときにむせが出てきているとのことです。

排泄：トイレを和式から洋式にかえ、室内に手すりを設置し、ドアを引き戸にかえています。最近、下肢筋力の低下が進んできて、着座した勢いで便器を割ってしまうことがありました。また、トイレに間に合わないこともありました。

入浴：現在、妻が腰を痛めているので、身体をふくだけにしています。Fさんは体格がよいので、入浴介助は大変で、Fさんも妻もできれば訪問入浴サービスの利用を望んでいます。

Fさんの思い：自身がまだ若いので通所介護（デイサービス）は利用せず、訪問介護（ホームヘルプサービス）等を利用して、何とか今の生活を続けていきたいと思っています。

介護福祉士の対応

① 食事介助の場面で、食事の姿勢や食事内容および嚥下状態等を観察しました。食卓のいすの肘かけは低く、体幹が不安定になることもあったので、肘かけの高さがあるいすにかえ、背もたれにクッションをはさみ、食事の前傾姿勢を安楽に保持できるようにしました。

② 発語も少し不明瞭で聞こえにくいことやお茶を飲む際に少しむせがみられたので、口腔機能の低下が考えられました。そこで食事前の体操や1回の食事量の調整を助言しました。
③ 今後、生活全般にわたって介助量が増える可能性があるので、まずは介護支援専門員(ケアマネジャー)に相談をすることを提案しました。

多職種連携のポイント

　Fさんの状況と対応内容を介護支援専門員に報告し、Fさんと妻、主治医、訪問看護師、介護福祉士、介護支援専門員でケアカンファレンスを行いました。その結果、入浴は、訪問看護事業所と訪問介護事業所が週2回サービスに入るほか、トイレでの立ち上がりや着座の補助のために昇降便座を導入することになりました。

　介護福祉職は、医療職をはじめとして多職種と連携をとりながら、症状にあわせて、利用者が自分でできることを続けていけるような環境を整え、日常生活を安全に豊かに過ごすことができるように対応することが大切です。

　その対応や工夫が利用者の生活をよりよいものにしていくことにつながります。とくに運動能力を低下させないためのリハビリテーションや福祉用具の選定、住宅改修などの決定では、理学療法士、作業療法士、介護支援専門員などの専門職との連携は欠かせません。

　利用者の生活を支援する介護福祉職は、生活上の課題についていち早く気づき、多職種と連携して利用者の安心、安全な生活の支援を行う必要があります。

◆ 参考文献

- 日本神経学会監、「筋萎縮性側索硬化症診療ガイドライン」作成委員会編『筋萎縮性側索硬化症診療ガイドライン2013』南江堂、2013年
- 井上智子・窪田哲朗編『病期・病態・重症度からみた 疾患別看護過程＋病態関連図 第3版』医学書院、2016年
- LIVE TODAY FOR TOMORROWプログラム委員会「NO.1 ALSと診断されたら」日本ALS協会、2018年
- LIVE TODAY FOR TOMORROWプログラム委員会「NO.2 ALSの治療と生活支援」日本ALS協会、2017年
- 中島健二・小久保康昌「紀伊ALS/PDC療養の手引き」平成28年度厚生労働科学研究費補助金 難治性疾患等克服研究事業（難治性疾患克服研究事業）「神経変性疾患領域における基盤的調査研究」班、2016年
- 吉野英「在宅医療におけるALS患者意思決定のための寄り添い」『難病と在宅ケア』第26巻第3号、2020年
- 山本かよ「特集ALS患者の看護支援 入院生活から在宅療養へ移行したALS患者・家族の療養を支える訪問看護」『難病と在宅ケア』第25巻第9号、2019年
- 畑和枝「ALSをもつ人と家族の意思決定の過程に寄り添う多職種のアプローチ」『難病と在宅ケア』第26巻第3号、2020年

第6節

【難病】パーキンソン病に応じた介護

学習のポイント

- パーキンソン病について医学的・心理的側面から理解する
- パーキンソン病の人の生活上の困りごとを理解する
- パーキンソン病の人への支援において、多職種連携のなかで介護福祉士が果たすべき役割を理解する

関連項目
⑫『発達と老化の理解』▶第5章第3節「高齢者に多い疾患・症状と生活上の留意点」
⑭『障害の理解』▶第3章第5節「難病」

1 パーキンソン病の理解

❶神経伝達物質
微量な化学物質で、からだの環境をコントロールしている。

❷ドーパミン
中枢神経系に存在し、運動調節などにかかわる神経伝達物質。

❸誤嚥性肺炎
食物あるいは嘔吐した吐物があやまって気管内に入って生じる肺炎。

❹脱水
体内の水分が何らかの要因で失われ、不足した状態。

　脳から全身の筋肉に運動の指令が伝わることによりからだが動きます。からだが動くように調整しているのが**神経伝達物質**❶の**ドーパミン**❷です。

　パーキンソン病は、神経変性疾患で、中脳のなかの黒質という部分の神経細胞の数が減るためにドーパミンが十分につくられなくなって起こる難病です。不足する原因については、明らかになっていません。

　このドーパミンが不足すると、からだの動きに障害があらわれます。発症は中高年期以降に多くみられ、人口10万人あたり100〜150人程度、患者数は約16万人といわれています。高齢化にともない増加していく疾患ともいえます。

　ゆっくりと進行する疾患ですが、早期の治療によって、発症から長い期間にわたりよい状態を保つことが可能といわれています。

　パーキンソン病の進行により、日常生活では転倒や骨折が起こりやすくなります。また、舌の動きや飲みこむ動作が困難となり、**誤嚥性肺炎**❸や**脱水**❹を起こしやすくなります。さらに十分に食事をとることが

できなくなり、栄養障害による免疫力の低下のため肺炎を発症し亡くなることが多くなります。

（1）パーキンソン病の症状

パーキンソン病では、4大症状（図3-14）とそれに関連した症状がさまざまな程度であらわれます。

1 4大症状

① 安静時振戦
  安静にしているときに手足が細かにふるえる。
② 無動、寡動
  動作が遅くなったり、とぼしくなったりすること。寡動は無動より軽度の場合をいう。
③ 筋固縮
  筋肉の収縮と弛緩のバランスがくずれて筋肉がかたくなること。
④ 姿勢反射障害
  首を前方に突き出し、上半身が前かがみになり、膝を軽く曲げた前傾姿勢となり、つま先に重心がかかった状態でからだのバランスが悪くなり転びやすくなる。

これらに関連した症状として、顔の表情のとぼしさ（仮面様顔貌）、小声、小字症（字が小さくなる）などがあらわれます（図3-15）。また無動や姿勢反射障害によってさまざまな歩行障害を生じます。足を前に出すことができないすくみ足、上肢のふりはみられず、前かがみで床

図3-14　パーキンソン病の4大症状

①安静時振戦
（手足のふるえ）

②無動、寡動

③筋固縮

④姿勢反射障害

図3-15 運動症状

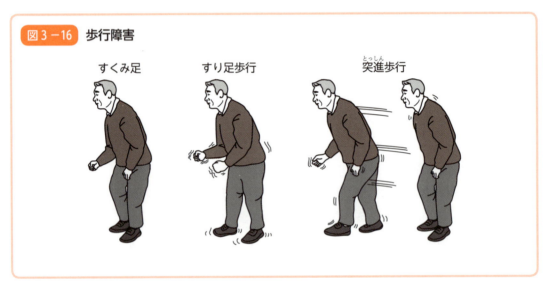

図3-16 歩行障害

をするように歩行する**すり足歩行**や小刻みに歩く**小刻み歩行**、いったん歩き始めると急に止まれない**突進歩行**など、いわゆるパーキンソン症状といわれる運動症状（**図3-16**）が生じます。

また、パーキンソン病では運動症状のほかにさまざまな症状があらわれます。便秘や頻尿、**起立性低血圧**[5]などの自律神経症状、気分の落ち込み、不安感が強くなる妄想・幻覚などの精神症状、認知機能障害、夜中に起きてしまう不眠などの睡眠障害、においがわかりづらくなる嗅覚障害、脳内のドーパミンの不足、姿勢の悪さ、筋肉のこわばりなどにより、腰などの痛み、しびれや疲れやすいなどの全身的な非運動性の症状もみられます。

[5] **起立性低血圧**
臥位から起立した際の血圧が低くなることで、立ちくらみや失神の症状を起こす。

第6節 【難病】パーキンソン病に応じた介護

表3-13　ホーエン・ヤールの重症度分類と生活機能障害度分類

	ホーエン・ヤールの重症度分類		生活機能障害度分類
ステージⅠ	一側性障害のみ、通常、機能障害は軽微、またはなし	Ⅰ度	日常生活、通院にほとんど介助を要しない
ステージⅡ	両側または身体中心部の障害、ただし、身体のバランスの障害は伴わない		
ステージⅢ	姿勢反射障害の初期兆候がみられるもの。これは、患者が歩行時に向きを変えるときの不安定や、目を閉じ足を揃えて立っている患者を押してみることで明瞭となる。身体機能はやや制限されているものの、職業の種類によっては、ある程度の仕事が可能である。身体的には独立した生活を遂行することができ、その機能障害度はまだ軽微ないし中程度にとどまる	Ⅱ度	日常生活、通院に部分介助を要する
ステージⅣ	病気が完全に進行し、機能障害高度。患者はかろうじて介助なしで起立および歩行することはできるが、日常生活は高度に障害される		
ステージⅤ	介助がない限り寝たきり、または車いすの生活を余儀なくされる	Ⅲ度	日常生活に全面的な介助を要し、独立では歩行起立不能

出典：厚生労働省資料を一部改変
注：厚生労働省の特定疾患対策の治療対象疾患として認定されるのは、「ホーエン・ヤールの重症度分類」のステージⅢ以上かつ、「生活機能障害度分類」のⅡ度以上

（2）パーキンソン病の重症度分類と生活機能障害度

　パーキンソン病の進行の度合いはホーエン・ヤール（Hoehn & Yahr）の重症度分類によって分けられます（表3-13）。

（3）パーキンソン病の治療

　治療法として薬物療法とリハビリテーションが中心となります。
　薬物療法ではL-ドーパ❻やドーパミン系の神経のはたらきを高めるドーパミン作動薬など、はたらきが異なる他の薬と併用することが主流となっています。パーキンソン病の治療には服薬が重要であり、利用者

❻ L-ドーパ
ドーパミンの1つ手前の化合物で、パーキンソン病の脳で不足しているドーパミンを補うための薬。

と家族が薬剤の効果と規則的な服薬の重要性を理解し管理していくことが大切です。L-ドーパの服用により、1日中安定した効果が期待できるハネムーン期と呼ばれる時期があります。しかし、L-ドーパの長期服用により、副作用として薬の効かない時間がでてきて急に動きが悪くなることがあります。このような現象を**ウエアリングオフ（wearing-off）現象**といいます。

　また、薬を飲んでしばらくすると、からだが勝手にくねくねと動く症状（不随意運動）が起きます。このような症状をジスキネジアといいます。ほかに、からだが突っ張るような姿勢になるジストニアという症状がでることもあります。

　このような現象は、薬の効果が低下したり、効きすぎた状態のときに起こりやすいといわれています。このような症状はQOL[7]（Quality of Life：生活の質）に大きく影響してきます。できるだけ服用の時間を守り、その症状の変動の様子について医師に報告できるようにしていきます。

　一方、ウエアリングオフ現象とは違い、薬の投与に関係なく急激に症状がよくなったり（on）悪くなったりする（off）、原因不明な**on-off現象**もあります。on-off現象は、服薬の時間に関係なく、突然に起こるため予測することが難しいといわれています。たとえば、散歩中に突然、歩けずに転んでしまうなど、1日のどのタイミングでon-off現象が起こるのかわからないので外出を控えてしまうなど、社会生活にも影響がでます。薬剤の効果や症状の起こり方に変化がないかを観察し、変化を感じたときは医師に相談します。介護福祉士は利用者が病気や治療と向き合い、うまく症状をコントロールできるように支援することが大切です。

　また、動かしにくいからといって動かさないと、より運動機能が低下します。そのため運動機能を低下させないためのリハビリテーションが重要です。姿勢反射障害や歩行障害による転倒は、ADL[8]（Activities of Daily Living：日常生活動作）やQOLの低下をまねきます。そのため、多職種による治療、リハビリテーションが必要とされます。外科的治療は薬物療法で改善しにくい運動症状を目的として行われるのでパーキンソン症状の全般の治療ではありません。

[7] QOL
p.19参照

[8] ADL
p.13参照

2 生活上の困りごと（観察の視点）

（1）移動

　パーキンソン病では、病気の進行による転倒などが原因で、ADLやQOLの低下をまねきやすくなります。パーキンソン病の症状では、からだのバランスが悪くなる、動作が遅くなる、倒れやすくなるなどがあります。病気の進行により立ち上がる、歩くなど運動機能の低下により、転倒しやすくなります。つまり、転倒により骨折すると「また転ぶのではないか」という恐怖心によって外出をひかえたり動かなくなります。その結果、生活に対する意欲が低下したり、筋力が低下したりすることで安定した姿勢の保持が困難になり、さらに転倒しやすくなるなどの悪循環が生じます。

　そのため、日常生活における動作や歩行、姿勢の観察とともに安全な移動ができるように工夫することがとくに重要となります。また高齢者は加齢による運動機能の低下によって転倒、骨折のリスクも高くなりますので移動、移乗時には注意が必要です。健康な高齢者ではバランスをくずした場合、転倒を回避しようと上肢が伸びて手首骨折となります。しかし、パーキンソン病では動作緩慢や姿勢反射障害などにより、転倒を回避する上肢が伸びずに頭部・顔面外傷になります（図3－17）。

　また、立ち上がりやからだを起こしたりした際に、ふらつきやめまいなどを起こす起立性低血圧の症状を起こすことがあります。このような場合もふらついたからだを自身で支えることが難しいため、転倒や骨折につながります。起床時や移動、移乗の際に、ふらつきやめまいの確認をし、一気に立ち上がらずに座ってから立つ、立ちくらみを感じたらすぐ座ってもらい転倒しないように注意します。

（2）食事

　パーキンソン病は進行すると舌の動きや飲みこむ動作が徐々に困難になります。口から食事をとることがむずかしくなることで、食物による栄養が十分にとれず、低栄養の状態をまねくこともあります。また、徐々に飲みこむ力が低下してくるため、誤嚥による肺炎も起こしやすくなります。日常の食事場面での摂食嚥下の状態、食事をとる量などの観察とともに体重の増減などにも注意します。

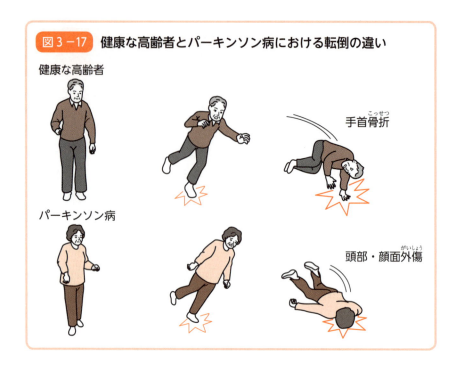

図3-17 健康な高齢者とパーキンソン病における転倒の違い

(3) その他

　パーキンソン病では、便秘や頻尿、自律神経の症状、睡眠障害、精神症状、認知機能障害などもみられます。なかでも、自律神経の症状である便秘は、パーキンソン病による自律神経の障害によって、腸の蠕動運動が減少することによって起こります。さらには意欲の低下、頻尿を気にして飲水をひかえたり、嚥下の障害により食事の摂取量が減少したり、臥床状態によって運動量が減少したりといったさまざまな要因が、腸の運動機能の低下に関与します。

　これらの症状は疾病そのものの症状でも起こりますが、治療として内服している薬の副作用でもあらわれることがあります。日常生活場面において、いつもと異なる状況がみられる場合は、医療職への報告、相談が必要です。そのため介護福祉職は、日常生活場面における活動・動作の状況を把握しておくことが求められます。たとえば安静時における手足のふるえや動作が以前よりゆっくりになった、ボタンなどの細かい動作がうまくできなくなった、表情がとぼしくなった、声が以前より小さくなった、小刻みな歩行をするようになった、姿勢が安定しないなどの身体的な変化のほかに、睡眠の状況やうつ症状などの精神的な変化にも気づくことが重要といえます。

3 支援の展開

パーキンソン病は、症状の進行にともない、からだを動かしにくくなり日常生活に何らかの支障をきたす全身の病気です。

しかし、日常生活における食事、入浴、排泄、移動などの場面において、それぞれに工夫した対応をすることで生活の不便さを少なくすることができます。介護福祉職には、医療職をはじめとして多職種と連携をとりながら、利用者の症状にあわせて、生活環境を整えることが求められます。自分でできることを続けながら日常生活を送ることが可能になるような工夫が利用者の生活をよりよいものにしていくこととなります。

とくに運動能力を低下させないためのリハビリテーションや福祉用具の選定や住宅改修などの決定では、理学療法士、作業療法士、言語聴覚士、介護支援専門員（ケアマネジャー）などの専門職との連携は欠かせません。

（1）生活環境への対応

パーキンソン病では、すくみ足や前かがみの歩行、姿勢の異常がみられ、転倒しやすくなります。転倒は屋内で起こることが多く、とくに寝室、居間、台所、トイレ、浴室が多いといわれています。

転倒は歩行時、立っているとき、移乗時に起こり、その原因としてつまずき、すくみ足、後方突進、高いところや低いところの物を取り出す際の不安定な動作、立位での洗面や着替えなどがあげられています。このようなことから生活環境を整えることは、とても大切であることが理解できます。

パーキンソン病は視覚的な刺激、リズムなどの外部からの刺激があるとすくみ足が改善され、歩行のリズムが整うことが多いといわれています。たとえばすくみ足などの場合、歩幅にあわせて床にビニールテープなどを貼ると歩きやすくなります（図3-18）。

転倒を予防するために電気コード類などはまとめて固定をしておきます。また、座布団やマットのわずかな段差でつまずくことがあるため、居室を整理しておきます。

寝室では、起居を容易にできるようにするためベッドの高さを調整し

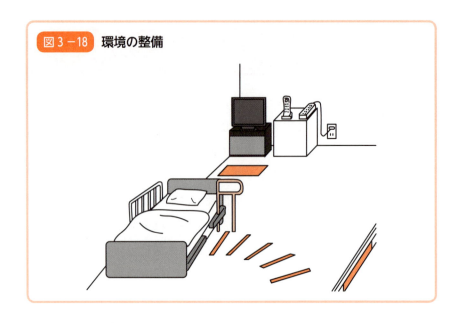

図3-18 環境の整備

ます。また、ベッド柵や介助バーなどの福祉用具を活用することで、移乗や移動の際の転倒を予防します。起き上がりづらさ、すくみ足、起立性低血圧等の症状により、屋内で起こる転倒が多く、起床時などとくに注意する必要があります。利用者自身のできる力は必要ですが、介護者が利用者の体調の変化に気づき対応することも安全な介護につながります。そのためには、介護者のリズムで行うのではなく、利用者１人ひとりのペースに合わせて、急に立ち上らないよう声をかけること、ゆっくり１つひとつの動作の確認を行い、急かさずに利用者の動ける範囲で行ってもらうことが大切です。すくみ足では、止まって深呼吸し落ち着くのを待ってもらう、「１、２、３」のかけ声をかけリズムをつくり、すくみ足を解除するようにします。

　着替えなどの出し入れの頻度にあわせて収納の配置や引き出しの高さを検討し、不安定な姿勢での物の出し入れで転倒することがないようにします（図3-19）。

（２）入浴への工夫

　パーキンソン病の場合、姿勢保持の機能が障害されるので浴室までの移動、浴室内での移動に注意します。浴槽の出入りの際には、とくに浴槽の高さに注意し、壁に取りつけた手すりや簡易浴槽手すり、台等を使用して片足ずつ浴槽に入れるよう、安全に配慮した動作への声かけや環境整備をすることが必要です。とくに、後方へのバランスが悪いので、

| 図3-19 | 安全な出し入れの動作 |

危険な動作　　　　　安全な動作

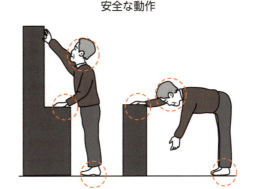

▲は危険なか所を示す

出典：Stack E, et al, 'Postural instability during reaching tasks in Parkinson's disease', *Physiother Res Int,* 2005(10), pp.146-153, 2005. より改変引用

浴槽への出入りの際のまたぐ動作に注意し、浴槽内には安全マットを敷き転倒を予防します。

浴室の床はすべりやすく、またせまい空間での移動となるため、たとえばからだの向きを変える際などに、転倒の危険が高くなります。急に動きが悪くなる場合もあるので、入浴時は、体調の確認をしながら声かけや安全の確認をすることが大切です。

（3）食事への対応

パーキンソン病は進行すると舌の動きや飲みこむ動作が徐々に困難になり、口腔から咽頭に食べ物を送りこむことがむずかしくなります。

飲みこむ動作（嚥下）が困難になることによって、誤嚥❾による誤嚥性肺炎❿が起こりやすくなるので食事の対応ではむせこみにとくに注意します。

嚥下機能が低下してくると食事の時間が長くかかります。そのため疲れてしまい、途中で食事をすることをあきらめたり、やめたりしてしまいます。口から食事をとることがむずかしくなる状態が続くことで、栄養が十分にとれず、低栄養の状態をまねくこともあります。

むせこみにより、十分な水分がとれないと脱水にもなりやすいので注意します。

安全、快適に食事をとる工夫の1つとして、嚥下の状態によって食事

❾誤嚥
p.16参照
❿誤嚥性肺炎
p.16参照

の形態を調整することで飲みこみやすくすることができます。嚥下の状態にあわせてかたいものはやわらかく煮たり、すりつぶしたりしておいしく安心して食べることができるように工夫します。むせこみやすい液体状のものはトロミをつけるなど誤嚥を予防します。調理や栄養面の管理では管理栄養士と連携をして、嚥下の状態にあわせて調理を工夫することも必要となります。最近ではユニバーサルデザインフード[11]など咀嚼・嚥下の機能にあった介護食も市販されています。

また、パーキンソン病の治療では服薬が大切ですが、飲みこむ動作が悪くなることで薬を内服することも困難になることもあります。

飲みこみの動作が悪く食事中のむせこみが多くなったり、食べたり飲んだりのあと声がかすれたり、小さくなったり、内服薬の服用がむずかしい様子が続くときは、医療職へ報告、相談します。

おいしく安全に食事をするために、肘かけのあるいすを準備し、足底が床につくよう安定した姿勢の保持を支援します。飲みこみの悪さや振戦による食べこぼしは、パーキンソン病によって引き起こされます。症状の緩和のためにも服薬の管理が重要です。また、食事を安全にとることができるよう工夫をします。その1つとして自助具を活用することも大切です。たとえばすべり止めのマットを使用して食器やコップを固定したり、にぎりやすく使いやすい箸、スプーン、フォーク、すくいやすい皿や飲みやすいコップなど食器の使用を工夫したりすることで、自分の力で安全に食事をとることができます。

（4）着脱への対応

着替えの動作は姿勢保持に障害があるパーキンソン病ではバランスをくずしやすいので、座って行うようにします。また、着替えがしやすいように衣服はゆったりとしたものや伸縮性のあるものを利用者の意向をふまえて選びます。手指の巧緻性も低下するので、着脱しやすいように面ファスナーを使用したり、ファスナーの先をつまみやすいように工夫することも提案してみましょう。

靴は着脱が容易にできて、足に合ったものを選び、バランスをとりやすくします。

（5）排泄への対応

パーキンソン症状では便秘や頻尿になりやすいので、排泄の回数や便

---

[11] **ユニバーサルデザインフード**
日本介護食品協議会が規格を定め、食品のかたさや粘度に応じて「容易にかめる」「歯ぐきでつぶせる」「舌でつぶせる」「かまなくてよい」の4段階に区分。高齢・病気などでかむ力や飲みこむ力が弱くなった人のために、食べやすく配慮された加工食品。

秘などの状態について把握します。とくに排泄には、起居、移動・移乗、着脱など多くの動作が必要となります。

パーキンソン病では、トイレへの移動で段差につまずいたり、すくみ足などで転倒しやすくなります。

頻尿でトイレへの移動が頻回になるなかで、動作がゆっくりであるために排泄に間にあわず、失敗してしまうと自尊心が傷つくこともあります。早めに移動できるよう、介護福祉職は排泄のリズムを把握しておくことも大切です。もしも失敗してしまった場合は、羞恥心に配慮した対応が求められます。

トイレなどのせまい空間でからだの向きを変えることは、すくみ足の場合ではバランスをくずしやすいので、大きく回って方向転換できるように声かけや誘導を行います。

トイレ内での移動や移乗は手すりなどを利用して、つかまることができるようにし、立位や座位の姿勢が安全にとれるように支援します。

パーキンソン病でみられるうつ状態や睡眠障害の治療に用いられる抗パーキンソン薬などの副作用で便秘がみられることも理解しておきましょう。

起床直後に水分摂取を行ったり決まった時間に余裕をもって排便を試みるなど、腸の蠕動をうながし、排便をうながすリズムをつくるようにします。

食事の内容については、**食物繊維**⑫の多い、ごぼう、こんにゃく、さつまいも、バナナ、プルーンなどは便をやわらかくする効果があり、乳酸菌が豊富なヨーグルト、牛乳、チーズ、豆乳、納豆なども便通を整えます。

運動も腸の運動をうながす方法の１つです。ラジオ体操や外出など、できる範囲で行い、からだをできるだけ動かすようにします。入浴時などゆっくり腹部を腸の走行に沿って「の」の字にマッサージを行い、便通をうながします。在宅では、訪問看護師等とも連携しながら定期的な排便の習慣をうながします。

（6）睡眠への対応

パーキンソン病では頻尿や睡眠障害が起こりやすいため、熟睡感が得られにくくなります。

十分な睡眠が確保できていない場合には、頻尿やうつによる精神的症

⑫**食物繊維**
人の消化酵素で分解されない食物中の繊維の総体。水に溶ける水溶性食物繊維と、溶けない不溶性食物繊維とに大別される。

状など、睡眠が確保できない理由を把握し、対応しましょう。たとえば、日中の活動量を確保することや入浴によりリラックスするなど心身の安定をはかることがよい睡眠につながります。また寝室の温度、湿度、照明などの環境を整えることも大切です。

4 事例で学ぶ──パーキンソン病に応じた生活支援の実際

事例

　Gさん（78歳、女性）は、10年前に夫を亡くし、自宅で1人で暮らしています。歩いて5分ほどのところに娘家族が住んでおり、時々様子を見に来ます。1年前にパーキンソン病と診断されました。デイケアを週2回利用していますが、このところ職員の言葉かけに対して表情がとぼしく、以前に比べて動作がゆっくりになってきています。食事のときには、途中で疲れた様子がみられます。食後の内服薬を飲み忘れることもあるため、声かけを行い服薬しています。

　娘から最近は前かがみの姿勢が強くなり、自宅でも転びやすくなっていると伝えられました。

介護福祉士の対応

　介護福祉士は、Gさんと娘に日常生活での変化について以下の点を確認しました。

① 安静にしているときの手足のふるえの程度
② ADLの状況（食事時のむせこみなど）
③ 歩行時、姿勢保持時の障害の程度
④ 会話時の表情や声の大きさ
⑤ 排泄について便秘、頻尿などの変化
⑥ 不安などの精神症状や睡眠状況、認知症症状など
⑦ パーキンソン病の薬の飲み忘れ

　その結果、次のような状況が明らかになりました。

・食事の際に、飲みこみにくくなって、食事をするのが疲れる。また以前よりかたいものが食べづらい。
・食事の量も減っていて、水分をとるとむせやすい。夜間、トイレに行く回数が増えたので水分をひかえている。そのためか、このところ便秘でもある。
・すくみ足などで室内での移動でも転びやすくなっているため、また

転ぶのではないかという不安もあり、あまり動いていない。

多職種との連携

　Gさんと娘に現在の状況を確認し、デイケアの職員間で情報を共有しました。食べ物を飲みこみにくくなってきていること、頻尿のため水分をひかえていること、歩行動作の不安定さや転倒などの不安のため、あまり動きたくないと思っていることなどがあり、このままの状況が続くとADLやQOLの低下につながってしまうことが考えられました。

　そこで、デイケアの職員と心身の状況を確認しながら、安全に食事をとる工夫と転倒に対する対応を話し合いました。

　食事の場面では、調理、栄養面での工夫が必要と考えられるので、管理栄養士と相談し、おいしく安全に食べることができるよう食事の形態を工夫しました。また、飲みこみの動作を観察し、食事だけではなく、服薬の状況について医師、看護師、言語聴覚士に報告し、相談しました。

　すくみ足のため、歩行時の姿勢が不安定で、動きたがらないGさんの不安な気持ちを理解し、移動時には安全な移動ができるように、手すりを活用する、床にクッション性のあるマットを敷く、移動時にぶつかることのないように家具の角を保護するなど、環境の整備を行いました。また、転倒予防に対して、理学療法士に相談し、リハビリテーションの必要性や移動時における動作の具体的な支援方法を確認しました。

　その後、Gさんと娘には、医師から飲みこみ動作のしづらさはパーキンソン病によるものであることを説明しました。また、治療においてきちんと服用することの大切さを伝えました。さらに、動かしにくいということで、動かないでいるとADLが低下していくので、リハビリテーションを続けていくことの重要性について説明しました。

　水分をとることは便秘の解消のためにも必要であることも説明し、Gさん自身に食事や水分をとることの必要性を理解してもらい、食事をおいしく食べられるような環境づくりを行いました。

　食事の形態を飲みこみやすいように変え、おいしく安全に食事ができるように環境を整えた結果、以前より食事を楽しんでいる様子がみられ、残さず食べられるようになりました。また、薬は服薬ゼリーなどを用いて飲みこみやすくしました。

　Gさんは、リハビリテーションを行うことが、病気による転倒の予

> 防につながっていくことがわかり、以前より積極的にリハビリテーションを行い、娘との散歩も楽しんでいる様子でした。

　介護福祉職は、医療職をはじめとして多職種と連携をとりながら、利用者の症状にあわせて、自分でできることを続けられるように環境を整えます。その結果、日常生活を安全に過ごすことができるような対応が求められます。

　その対応や工夫が利用者の生活をよりよいものにとしていくことにつながります。とくに、運動能力を低下させないためのリハビリテーションや福祉用具の選定、住宅改修などの決定では、理学療法士、作業療法士、介護支援専門員などの専門職との連携は欠かせません。

　利用者の生活を支援する介護福祉職は、生活上の課題についていち早く気づき、多職種と連携して利用者の安心、安全な生活の支援を行う必要があります。

◆ 参考文献
- 佐藤猛・服部信孝・村田美穂編『パーキンソン病・パーキンソン症候群の在宅ケア──合併症・認知症の対応、看護ケア 第2版』中央法規出版、2017年
- 協和発酵キリン株式会社ホームページ「パーキンソン病サポートネット」
- 医療情報科学研究所編『病気が見える Vol.7 脳・神経』メディックメディア、2011年

第7節

【難病】
悪性関節リウマチに応じた介護

学習のポイント
- 悪性関節リウマチ・関節リウマチについて医学的・心理的側面から理解する
- 悪性関節リウマチ・関節リウマチの人の生活上の困りごとを理解する
- 悪性関節リウマチ・関節リウマチの人への支援において、多職種連携のなかで介護福祉士が果たすべき役割を理解する

関連項目
- ⑫『発達と老化の理解』▶ 第5章第3節「高齢者に多い疾患・症状と生活上の留意点」
- ⑭『障害の理解』▶ 第3章第5節「難病」

　悪性関節リウマチは既存の関節リウマチに血管炎をはじめとする関節以外の症状をともなう場合をいいます。悪性関節リウマチは、胸膜炎、間質性肺炎、心筋梗塞、心筋炎、心嚢炎、多発性単神経炎、臓器閉塞、皮膚潰瘍などの血管症状が強く、難治性のため指定難病となっています。関節リウマチの関節の病変が進行し、重度の身体障害をきたした状態ではありません。

　難病に指定されているのは、悪性関節リウマチですが、介護福祉職がかかわる疾患としては、関節リウマチが多いため、本節では、悪性関節リウマチについて概要をまとめ、おもに関節リウマチを取り上げて解説します。

1 悪性関節リウマチ（MRA）の理解

　悪性関節リウマチ（malignant rheumatoid arthritis：MRA）は、難治性の内臓病変や全身の血管炎などの関節外症状をともない、免疫の異常が強くみられる疾患です。悪性関節リウマチは**指定難病**[①]として公費負担助成対象に指定されています。年間受療者数は約6000人で関節リウマチの患者の約0.6％です。男女比は1：2で年齢は60歳代に多くみ

❶指定難病
難病とは、①発病の機序が明らかでない、②治療法が確立されていない、③長期療養が必要、④希少な疾患という4つの条件を満たすものである。指定難病はこれに、⑤患者数が一定数を超えない（人口の0.1％程度）、⑥客観的な診断基準があるという条件が加わる。
2021（令和3）年11月1日施行の指定難病は338疾患である。

られます。

原因は不明ですが、約12％に家族内に関節リウマチの人がみられ、発症には体質や遺伝的素因の関与が示唆されます。

（1）悪性関節リウマチの症状

厚生労働省による悪性関節リウマチの診断基準では、既存の関節リウマチに血管炎をはじめとする関節外症状を確認し、難治性もしくは重篤な臨床病態をともなう場合を悪性関節リウマチと定義しています。

すでに罹患している関節リウマチによる多発関節痛に加えて、全身の血管炎による38℃以上の発熱、体重減少、眼の充血や痛み（上強膜炎）が生じ、皮膚に赤い斑点が出たり（紫斑）、皮膚にしこりができたり（皮下結節）、心臓の血のめぐりが悪くなったり（心筋梗塞）、腸から出血したり（消化管出血）、肺に水がたまったり（胸膜炎）といった症状がみられ、これらは急速に出現し悪化することがあります。また、末梢動脈炎により爪のまわりのごく細い血管がつまったり（点状梗塞）、皮膚に潰瘍ができたり、手足の先端部に壊死ができたり、手足がしびれたり（多発性単神経炎）することがあるなど、さまざまな症状がみられます（図3－20）。

悪性関節リウマチは症状によって、①全身性動脈炎型、②末梢動脈炎型、③非血管炎型の3つに分類されます（表3－14）。

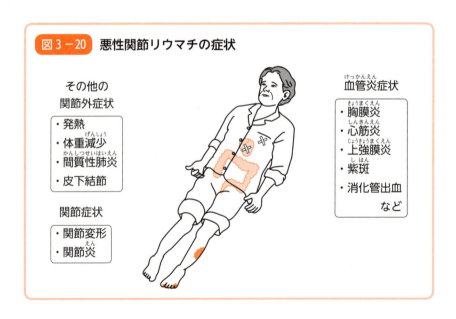

図3－20　悪性関節リウマチの症状

表3－14　悪性関節リウマチの分類

①全身性動脈炎型	②末梢動脈炎型	③非血管炎型
関節リウマチによる多発関節痛に加え、発熱（38℃以上）、体重減少をともなって皮下結節、紫斑、筋痛、筋力低下、間質性肺炎、胸膜炎、多発単神経炎、消化管出血、上強膜炎などの全身の血管炎にもとづく症状が急速に出現する。	四肢末端皮膚の潰瘍、梗塞、または肢端壊死や壊疽が出現する。	・血管炎をともなわない。 ・生命予後に大きくかかわるのは肺疾患および感染症 とくに間質性肺炎をきたした例では生命予後不良である。

（2）治療

　関節リウマチの治療の継続に加え、病型や重症度によって治療が追加されます。関節炎に対しては**生物学的製剤**❷なども使われます。血管炎に対しては**炎症**❸をおさえる作用のあるステロイド薬や免疫を抑制する免疫抑制薬が使われます。

　死亡の原因は呼吸不全がもっとも多く、次いで感染症の合併、心不全、腎不全などがあげられます。**メトトレキサート**❹治療の登場や禁煙の普及によって、悪性関節リウマチの発生は減ってきています。

❷**生物学的製剤**
化学的に合成したものではなく、生体がつくる物質を薬物として使用するもの。現在、関節リウマチに使用できる製剤は8剤ある。

❸**炎症**
発熱、発赤、腫脹、疼痛（痛みを示す医学用語）で定義され、炎症の4主徴といわれる。

❹**メトトレキサート**
免疫抑制作用のある抗リウマチ薬。

2　支援の実際 ── 悪性関節リウマチ

　社会資源として入院治療費、自助具、補助具等の経済的な支援が受けられるため、情報提供が重要です。
　また、悪性関節リウマチでは、炎症をおさえるステロイド薬や免疫抑制薬を服用することが多く、感染症に弱い状態にある場合が多いです。したがって、利用者だけではなく介護福祉職も手洗い・うがいなどを心がけ、環境を整備し風邪などをひかないように注意します。
　また利用者が、できるだけストレスのかからない生活を送ることができるよう心身の安定に配慮が必要です。薬の飲み忘れや、自己判断で服薬を中断することは病気の再発につながる可能性もありますので、必ず

医師の指示のもと服薬の支援を行います。

3 関節リウマチ（RA）の理解

　からだを動かすときに重要なはたらきをしているのが関節です。関節は互いに向き合ったかたい骨と骨をつなぎ、歩いたり、物をつかんだりなどの動きができるような構造をしています。かたい骨同士が直接触れ合うと、お互いのかたさで骨がすり減ってしまいます。そうならないように、正常な関節部分の表面は、**軟骨**というなめらかな層でおおわれています。軟骨は関節に加わる衝撃を吸収し、関節をなめらかに動かしています。

　さらに関節部分は、**関節包**という袋状のものでおおわれています。その内側にある**滑膜**という薄い膜の細胞から関節液が分泌され、関節の潤滑と栄養補給を行っています（図3-21）。このように、軟骨や関節液が機能することで、痛みを感じることなく自由に関節を動かすことができます。

　関節リウマチ（rheumatoid arthritis：RA）は、その関節の炎症が持続する病気です。関節の動きをなめらかにするための滑膜の炎症によって、関節の痛みや腫れが起こります。さらに関節内の骨が破壊され、軟骨がすり減るために、関節の変形や機能障害が起こります。

　慢性的に経過する関節炎によって起こる関節リウマチは、何らかの理

図3-21 **関節の構造**

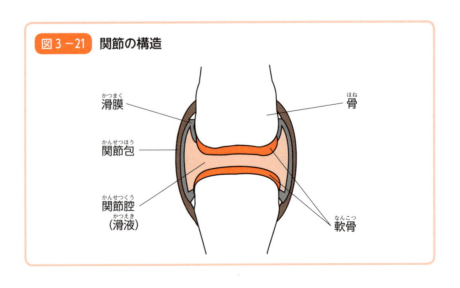

由で免疫⑤が自分自身のからだを攻撃してしまう病気で、**自己免疫疾患**⑥といわれています。発症の原因はいまだに特定されていません。

自己免疫反応によって関節包の内側にある滑膜が炎症を起こし、**血管新生**⑦を起こしながら増殖します。増殖する滑膜が**肉芽組織**⑧（パンヌス⑨）を形成し、骨や軟骨組織を破壊し最終的に関節の破壊をきたします。関節リウマチでは、関節に細菌やウイルスなど炎症を引き起こす原因の病原菌もいないのに関節炎が起こってしまいます。

日本では30歳以上の人口の約１％がこの病気にかかり、約60～70万人の患者がいるといわれています。男女比は１：３～４で、20歳代から50歳代の女性に多くみられる病気です。

（1）関節リウマチの症状

手指や足などの小関節の**腫脹**⑩、疼痛や朝のこわばりによって自覚されます。この朝のこわばりは朝起きてから１時間以上、関節が動かしにくくなる症状です。

病気が進行すると膝や腕、首などの大関節の炎症や全身症状も目立つようになります。関節リウマチの経過には個人差があり、発症や病気の進行の速度にも違いがあります。

関節リウマチは慢性的に続く炎症のため、37℃台の微熱、体重減少、倦怠感、食思不振などの症状があらわれます。また、関節外症状をともなうことが多く、眼、皮膚、腎臓、心臓、呼吸器、神経などに軽微な症状から臓器の病変にいたるまで、さまざまな症状が出現することがあります。

⑤**免疫**
人体に侵入してきた細菌などの異物を除去し、からだを守るはたらきをいう。

⑥**自己免疫疾患**
何らかの理由で免疫機能がはたらき、自分自身のからだを攻撃してしまう疾患。

⑦**血管新生**
もとの血管から新たな血管が枝のように分岐して新しい血管網がつくられること。からだに備わっている生理機能。

⑧**肉芽組織**
組織に創傷などで損傷した部位に、やわらかい組織が新生される。その組織のことをいう。

⑨**パンヌス**
肉芽組織で、増殖した滑膜細胞が軟骨、骨方向に侵入するもの。

⑩**腫脹**
炎症などによりからだの組織や器官の一部が腫れあがること。

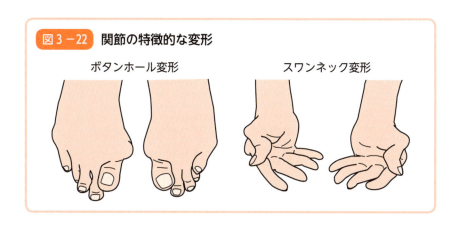

図3-22 関節の特徴的な変形

ボタンホール変形　　スワンネック変形

（2）関節リウマチの治療

　関節リウマチでは、治癒するための治療法が確立していないため、治癒した状態と同じような、症状のない状態（寛解）を達成することが、治療の目標になっています。

　炎症や疼痛などの症状が改善し、関節の破壊が停止し、身体機能が維持された状態（寛解）になることで、関節リウマチを発症する前とほぼ同じような生活を送ることが可能となり、QOL（Quality of Life：生活の質）を維持することができます。

　治療は関節の炎症および病気の進行をおさえることで、関節の機能障害の進行を緩和するために行います。そのため、炎症の原因となる免疫の反応をおさえる薬や腫れや痛みを緩和する薬が使用される薬物療法が中心となります。薬物療法といっても、薬の効能によって使用方法はさまざまです。薬のなかには注射薬で点滴や自己注射が可能なものもあります。

　また日常生活では、関節を保護し安静にすると同時に、痛みの軽減、関節の変形予防、日常生活の維持と改善などを目的にリハビリテーションを行います。

　痛みのために運動を避けてしまいがちですが、痛みがおさまったら関節の動きを改善し、筋力を維持するための適度な運動が必要になります。また症状によっては手術療法が必要な場合もあります。

4 生活上の困りごと（観察の視点）──関節リウマチ

　関節リウマチは早期から治療を積極的に行うことで、通院での治療で症状のコントロールが可能です。その一方、利用者は在宅で自己注射をする場合の注意事項を守り、服薬の自己管理をしなければなりません。

　介護福祉職は利用者の暮らしを把握し、病気をかかえながらも毎日の生活を前向きに送ることができるよう支援していくことが求められます。

　そのために生活場面で確認や観察が必要な点を理解します。生活の情報を把握し、多職種と共有しておくことは重要です。関節リウマチの経過には個人差があり、発症や病気の進行の速度に違いがあります。利用者の体調の変化などに気づいたときは医療職に報告、相談しましょう。

（1）朝のこわばり

　関節リウマチでは、朝のこわばりや長時間持続する関節のこわばりなどがみられます。たとえば関節リウマチの初期の症状では、朝起きてから1時間以上、関節が動かしにくく、ドアノブなどが回しにくいなどの生活場面での不自由さがあります。また高齢者の場合には、関節の変形や拘縮により、わずかな段差でもつまずき、転倒する可能性もあります。そのため生活環境を整えることは重要です。

（2）関節の痛み

　炎症によるこわばりや痛みなどは、手指の関節などの小関節からはじまり、膝や腕、首などの大関節や全身症状としてあらわれることもあります。利用者に痛みや関節の動かしにくさなどを確認することが大切です。さらに関節の腫れや変形など、介護する場面で症状を観察します。関節の腫れや変形などにより、内服薬を薬袋から取り出せない、自己注射がうまくできない、といった可能性もあります。そのようなときは医療職に報告、相談します。

（3）運動と安静のバランス

　関節の保護のため安静は大切ですが、関節炎を悪化させないような運動やリハビリテーションも必要です。リハビリテーションは理学療法士や作業療法士が医師の指示を受けて行います。利用者の生活場面でのADL（Activities of Daily Living：日常生活動作）の状況やリハビリテーションに対する気持ちなどは多職種と連携する際に、共有すべき大切な情報といえます。介護福祉職は関節リウマチによる心身機能・身体構造の変化によって、利用者の日常の活動にどのような影響があるのかを把握し、多職種と情報を共有しておくことが求められます。

　関節の症状以外にも、37℃台の微熱や倦怠感、食思不振などの全身の症状があらわれます。日ごろから日中の活動の様子や食事摂取量、体重の変化などを把握しておきましょう。

5 支援の展開——関節リウマチ

　関節リウマチでは、関節の痛みや病気の進行によって、関節の動きが制限され、手の変形、握力の低下などがみられ、ADLやIADL（Instrumental Activities of Daily Living：手段的日常生活動作）において困難な動作が出てきます。このような日常生活動作の困難に対し、自助具の活用がすすめられます。利用者の状態に応じた自助具の選定や判断は主に作業療法士が行います。関節リウマチの症状、身体機能など総合的に判断し、個人にあわせたオーダーメイドの自助具を作成し自立に向けた支援を行います。診断を受けた時期によって、結婚、妊娠や出産、育児、家事などそれぞれのライフサイクルにあわせた生活の場面での支援が必要となります。

　高齢者の場合は、たとえば関節の変形や拘縮によって歩行が不安定になり、転倒・骨折をしたり、認知症による薬の飲み忘れなどがあり、病気そのものを悪化させてしまうこともあります。

　日常生活のなかでは、関節を保護することが痛みの軽減や変形の予防につながります。そのため関節の負担の軽減を図る工夫と対応が必要です。また、病状によっては、生活に対して前向きな気持ちになれないなど、精神活動にも影響することを理解し支援します。

（1）日常生活での工夫

　朝のこわばりや関節の痛みなどの症状によって、仕事や家事、育児などがスムーズに行えなくなることもあります。活動しやすい午後に無理のない程度に家事などを行うよう助言しましょう。

　介護福祉職は、利用者の日常生活で不便なこと、できないことに気づくことが大切です。また、できないことに対する利用者のいら立ちなど、気持ちを理解しましょう。

（2）食事への対応

　食事の動作では、皿、コップ、箸などを使うため、手指の関節の動きが関係しています。関節の痛み、腫れや変形などで食事の動作が十分にできないときは、理学療法士や作業療法士に相談し、関節の保護の方法や自助具の活用を検討しましょう。また指などの小さい関節を使わず

に、手のひら全体を使ってコップを持つなど日常生活の具体的な動作の方法について助言し、支援しましょう。生活の不便さを改善していくことが利用者のQOL向上へとつながります。

（3）家事への対応

関節リウマチは、20歳代から50歳代の女性に多くみられる病気ということもあり、家事をになうことが多い女性にとっては、さまざまな不便さがあります。

介護福祉職は日常生活で、料理、洗濯、掃除などの家事を行う場面での不便さや不満について把握し、その課題を解決するために多職種と連携します。たとえば料理の際に、水道の蛇口やコンロのつまみがつかみにくい場合には、つまみをレバー式に変えたり、作業がしやすいように調理台の高さを調整したり、小さい力でも切ることができるよう包丁の柄に角度をつけたり、重い両手鍋に取っ手をつけて持ちやすいようにしたり（図3－23）など、自助具の活用について介護支援専門員（ケアマネジャー）や作業療法士に相談し、利用者のできることを検討していきましょう。

図3－23 自助具の活用の例（家事）

にぎりやすい包丁
持ち手が上向きと下向きに付け替えできる。角度も任意に設定できるので、調理台の高さや手首への負担を考え、使う人の状況に応じて調整することができる。

両手なべ

片手なべ取っ手つき

（4）排泄への対応

　関節リウマチは、朝のこわばりがあったり関節の動きがうまくいかないために、行動に時間がかかります。たとえば、起床後にトイレに行きたいと思っても布団からなかなか起き上がれないということがあります。

　さらに膝や足の関節に痛みや変形がある場合には、トイレへの移動にも時間がかかります。やっとトイレに着いても、ドアノブがまわしにくいという状況も起こります。トイレに入り、下着を下ろして便座に座るのにも苦労します。排泄を終えて立ち上がる際には、手首に痛みがある場合は、手すりがあってもつかむことができません。したがって、とくに高齢者では転倒に注意する必要があります。

　また、高齢者は夜間にトイレに行く回数を少なくするよう水分を制限してしまうこともあります。水分を十分にとらないことで便秘や脱水症をまねくこともあります。バランスのよい食事と水分をとり、排泄を整えられるように支援します。また、トイレまでの移動距離の検討や冷えや湿気から身を守るなど、排泄の行動がスムーズに行えるようにします。

（5）入浴への対応

　入浴時には服を脱ぐ、からだを洗う、髪を洗う、浴槽に入る、浴槽から出る、服を着るなどの一連の動作が必要です。

　肩や肘、膝などの関節の動きに制限がある場合、髪や背中を十分に洗うことができない、ズボンや靴下をはく動作ができない、足の指に変形があると指と指の間を十分に洗うことができないなど清潔や整容に関する動作に困難が生じます。また、関節の変形や痛みで爪切りが十分に行えないこともあります。

　浴室は居室とは違い、水や石けんで床がすべりやすくなっています。介護福祉職はこのような環境のなかで、利用者が関節の痛みや変形をかかえながら一連の動作を行う状況を理解し、とくに、転倒には十分注意しましょう。「すべりそうでこわい」「手が伸ばせずに髪が洗えない」など、利用者の不安な気持ちや困っていることも理解しましょう。

　介護福祉職は自助具の活用によって、利用者のできることが広がる可能性があることを認識しておきます。多職種とともに検討しながら自助具の活用を視野に入れた支援をしていきましょう（図3−24）。

第 7 節　【難病】悪性関節リウマチに応じた介護

図3-24　自助具の例

ソックスエイド

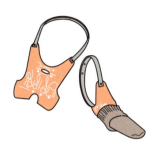

前傾姿勢を取らずに片手で靴下がはける。

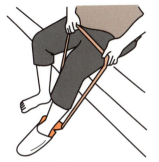

手元の操作で靴下をはくことができる。

ボディウォッシュ・ヘアウォッシャー

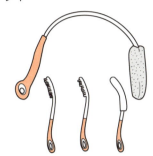

ゴムハンドル

丸ノブハンドルに取りつける。

マジックハンド（ピストルタイプ）

床に落ちた小物を拾う、届かないものを手元に寄せる、カーテンの開閉などに使える。

万能ハンドル

差しこんだ鍵やガスのスイッチ、つまみやノブなどに押しあて、回転させて使う。

ポケットリーチャー

携帯用の伸縮するリーチャー。先端の粘着ゲルにくっつけて落としたカードなどを拾うこともできる。

リーチャー

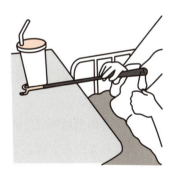

物をかぎ状になった先端（フック）で引き寄せる。

服を着る。

ペットボトル用飲み口付きキャップ	爪切り	メジャーカップ

軽くかむようにくわえると飲み口が開き、唇の動きで量を調節しながら飲むことができる。	刃の向きが自由に変えられるため、足の爪も楽な姿勢で切ることができる。手のひら全体でにぎることで、軽い力でも簡単に切れる。	傾斜のついた内側の目盛を上から見れば、計量・調整できる。

(6) 外出への対応

　関節リウマチは、通院による治療で症状のコントロールが可能です。また、通院時だけではなく、社会生活上、仕事や買い物など外出することもあります。立位や歩行時には関節の動きが制限されることが多いので、歩行が自立していてもバランスをくずさずに移動できているか、移動時の動作を注意して観察します。また、膝関節、股関節に変形がある場合や症状の進行によっては、杖や車いすなどの福祉用具を使用することもあります。

　関節の痛みや変形などのため、靴を脱いだり、はいたりする動作がしにくかったり、靴の形状によっては痛みが出てしまうこともあります。変形した足の骨が靴に当たり出血や炎症を起こすこともあります。介護福祉職は素足の観察や靴下に血液などが付着していないかなど、日常生活の場面での観察を行います。同時に、関節の保護、変形の防止などを重視した靴選びが大切です。

　介護福祉職は利用者の生活環境に応じた靴選びについて、義肢装具士など多職種とも相談しながら支援していきましょう。

(7) 心理的な支援

　リウマチの症状はよくなったり悪くなったりと変化するので、生活に対して前向きな気持ちになれないなど精神活動にも影響します。また、心身のストレスや日常生活習慣は、関節への負担に影響します。ストレ

スをためないよう、適度な運動と安静のバランスをとり、関節に負担をかけない環境を整える支援が求められます。

（8）多職種と連携した支援

　たとえば、医療の局面から医師、看護師のかかわりが必要なことはもちろんですが、利用者の基本的な動作の回復を図るよう運動療法を行う理学療法士、関節の変形などでADLに支障がある場合、自助具の選択や作成などを行う作業療法士、口腔内の清潔を保つためのケアを行う歯科衛生士、栄養を管理する管理栄養士、薬の正しい服用について説明、指導を行う薬剤師、利用者や家族が抱える経済的、心理的、社会的問題の解決や調整により社会復帰に向けての支援をする医療ソーシャルワーカー（MSW）など、利用者の日常生活を支援するため多職種との連携は欠かせません。

　介護福祉職は日常生活動作のなかで、利用者が不便を感じている点はどのようなところなのかを知ることが大切です。生活を考えるうえで、環境を整えることはとても重要です。介護支援専門員、理学療法士、作業療法士などの多職種と連携し、協力しながら生活環境を整え、自助具の活用などによって、関節に負担をかけない動作方法の助言などを行うことが、利用者の生活の豊かさにつながっていきます。
　そして、環境の調整によって、利用者の生活が豊かなものとなっているのか、介護福祉職はその後の暮らしぶりを注視していく必要があります。

6 事例で学ぶ——関節リウマチに応じた生活支援の実際

事例

　Hさん（78歳、女性）は25年前に関節リウマチを発症しました。1人暮らしを続けていましたが、半年前に浴室で転倒した際に右手首を骨折しました。その後、リハビリテーションを目的に介護老人保健施設に入所しました。最近は手指や手首の痛みが強く、食事や入浴にも不便を感じているようです。また手指、膝や足の関節に変形があり、移動時に転倒の心配も

あります。Hさんは、痛みが治まっても「リウマチは治らないし、あとは寝たきりになるだけだから……」とリハビリテーションを行おうとしません。

　介護福祉士は、Hさんが毎日を少しでも前向きに生活することができるように、Hさんの気持ちを確認しました。また、日々の生活の様子を観察し、多職種と今後の介護の方向性について検討することにしました。

介護福祉士の対応

　介護福祉士は、Hさんの日常生活について、次の点を確認しました。
① 　朝起きたときの関節のこわばりや痛みの程度
② 　身じたくや入浴の場面で不便な点はないか
③ 　食事の場面で不便な点はないか
④ 　排泄の場面で便器への移乗や手すりの使用ができているか
⑤ 　不安などの精神症状や夜間の睡眠状態
⑥ 　関節リウマチの薬の飲み忘れはないか

　Hさんに日常生活での不便について確認した結果、次のような状況が明らかになりました。

・朝起きてからすぐに起き上がることができない。何とか起き上がり、トイレに行きたいが、関節の変形で移動にも時間がかかる。今は、何とか排泄に間にあう状況。関節の痛みがあり、便器に腰を降ろすにも、排泄するにも、立ち上がるにも時間がかかる。
・食事の際には、カップの取っ手をつかむことがむずかしく、飲むのに苦労する。また、スプーンや箸が使いづらく食事をすることに疲れる。
・転倒により骨折した経験から、また転ぶのではないかという不安もあり、あまり動きたくない。リハビリテーションをしてもよくならないからやりたくない。
・入浴では、からだを洗うにも足の指の変形があり、足の指のあいだを洗うのに苦労する。また、洗髪や背中を洗うにも腕が十分に上がらないので、きれいに洗うことができなくなっていることが不満。
・関節の痛みなどで薬をシートから取り出しにくいときなどは、服用しないことがある。
・関節の痛みが強くなっているので、これから先、病気のことが心配で夜、なかなか寝つけない。

多職種との連携

　Hさんに現在の状況を確認し、介護福祉職間で情報を共有しました。

第7節 【難病】悪性関節リウマチに応じた介護

　Hさんは、関節の痛みがあり、ADLが低下していることに不安を抱いているようです。介護福祉士は医師、看護師、理学療法士、作業療法士、義肢装具士、介護支援専門員等の多職種とともに、対応方法について検討しました。
　その結果、関節の安静と運動のバランスをとることが重要であることをHさんに理解してもらえるよう、医師から説明することになりました。
　また、日常生活場面では、関節に負担のかからない動作や自助具の活用方法を理学療法士、作業療法士と相談しました。たとえば、カップを手のひらでかかえるように持って飲むことやにぎりやすいスプーンや箸を使って、少しでも食事が楽しめるようにしました。
　介護福祉士は夜間の睡眠状況の確認とともに、病気や転倒に対する不安に対しては、Hさんの不安な気持ちに耳を傾け、寄り添いながら支援していくことを確認しました。また、体調のよいときには、Hさんが楽しみにしている散歩にいっしょに出かけ、気分転換をはかることとしました。
　入浴時は、きれいに洗うことがむずかしいところを把握し、その部分は自分で洗えるよう助言したり道具を工夫したりして介護福祉職が支援します。薬をシートから取り出しにくい場合は、看護職と相談し、薬を一包化してもらうようにしました。
　その後、Hさんは、医師から治療の1つである内服薬の服用は大切であり、きちんと服用することや、動かないでいると日常の生活動作能力が低下していくので、リハビリテーションを続けていくことの重要性について説明を受けました。Hさんは、リハビリテーションが病気の進行をおさえることにつながることがわかり、また、自助具の活用により日常生活での不便さが緩和されたこともあって、前向きな気持ちになれたようで、笑顔が多くみられるようになりました。

　介護福祉職は、医療職をはじめとして多職種と連携をとりながら、利用者の症状にあわせて、自分でできることを続けられるように環境を整え、日常の生活を安全に過ごすことができるよう対応していきます。
　その対応や工夫が利用者の生活をよりよいものにしていくことにつながります。とくに、運動能力を低下させないためのリハビリテーションや福祉用具の選定、住宅改修などの決定では、理学療法士、作業療法士、介護支援専門員などの専門職との連携は欠かせません。
　利用者の生活を支援する介護福祉職は、生活上の課題についていち早

く気づき、多職種と連携して利用者の安心、安全な生活を支える役割があります。

◆ 参考文献

- 神崎初美・三浦靖史編『最新知識と事例がいっぱい リウマチケア入門――リウマチ治療はここまで変わった！』メディカ出版、p.55、2017年
- 日本老年行動科学会監『高齢者のこころとからだ事典』中央法規出版、2014年
- 『国際福祉機器展H.C.R福祉機器選び方使い方 副読本』福祉広報協会、2018年
- 医療情報科学研究所編『病気が見える vol.6 免疫・膠原病・感染症 第2版』メディックメディア、2018年
- 杉山孝博『イラストでわかる 高齢者のからだと病気』中央法規出版、2013年
- 太田喜久子編著『老年看護学――高齢者の健康生活を支える看護 第2版』医歯薬出版、2017年

第8節

【難病】筋ジストロフィーに応じた介護

学習のポイント
- 筋ジストロフィーについて医学的・心理的側面から理解する
- 筋ジストロフィーの人の生活上の困りごとを理解する
- 筋ジストロフィーの人への支援において、多職種連携のなかで介護福祉士が果たすべき役割を理解する

関連項目 ⑭『障害の理解』▶第3章第5節「難病」

1 筋ジストロフィーの理解

(1) 筋ジストロフィーの分類・症状

骨格筋に何らかの異常が生じると、日常生活にさまざまな障害をきたします。筋肉自体に病変があるものを筋疾患といい、遺伝性のものと、非遺伝性のものがあります。筋ジストロフィーは、骨格筋の壊死・再生を主病変とする**遺伝性筋疾患**の総称で、筋萎縮や脂肪・線維化が生じ、筋力が低下して運動機能など各機能障害をもたらします。いくつかの病型に分類されますが、筋萎縮の発生する局所や発症年齢、初発症状、進行速度、予後などの点でそれぞれに違いがあります。日本における筋ジストロフィーの患者数は、2万5400人と推定されており、2015(平成27)年より難病に指定されている疾患です。

筋ジストロフィーには、デュシェンヌ(Duchenne)型、ベッカー(Becker)型、肢帯型、顔面肩甲上腕(FSH)型、福山型(先天性)などがあります(表3-15)。なかでも、デュシェンヌ型筋ジストロフィーは、もっとも発症頻度が高く、**Gowers徴候(登はん性起立)❶**(図3-25)や**動揺性歩行❷**、腓腹筋の肥大を特徴とします。また、進行が速く10歳前後で歩行不能となり、30歳代で死亡することが多い病型です。ベッカー型は、発症が7歳以降で進行が緩徐であるほかは、デュ

❶Gowers徴候(登はん性起立)
膝に手をついて自分のからだをよじ登るような立ちあがり方をすること。

❷動揺性歩行
上体を左右にゆさぶって歩く歩き方のこと。

表3−15 筋ジストロフィーの代表的なタイプ

病型	デュシェンヌ型	ベッカー型	肢帯型	顔面肩甲上腕型	福山型（先天性）
発病	3〜5歳ごろ、男、易転倒性、走ることができない、階段が上りにくい、小児重症型、もっとも発症頻度が高い。	7歳以降、男、動揺性歩行、歩行困難、階段昇降困難	10〜20歳、デュシェンヌ型の約半分、3タイプあり。	10〜30歳、口笛が吹けない、ストローで吸えない、上肢挙上困難、翼状肩甲骨	生後9か月以内、重度の筋力低下、精神遅滞、半数にけいれん、眼症状（近視、網膜剥離）、歩行可能者は10％以下、日本人に特異的に多い。
症状・合併	Gowers徴候、動揺性歩行、腓腹筋肥大、階段昇降困難、10歳前後で歩行不能、側弯、関節拘縮顕著、発達障害	運動後のふくらはぎの筋痛、腓腹筋の肥大、15歳でも歩行可能	動揺性歩行、易疲労性、上肢挙上困難、転びやすい	懸垂困難、開眼困難、頬のふくらみがない、表情がとぼしい、左右非対称の筋罹患、網膜症、神経性難聴	単語を話すことはできるが文章は話せない、2歳前後で座位まで獲得、3〜4歳の座った状態で手と足を使って移動することが最高到達運動能、眼症状、表情がとぼしい、早期からの関節拘縮、軽度の仮性肥大
進行	速い	緩徐	不定	緩徐	速い

図3−25 Gowers徴候（登はん性起立）

床から立ち上がる際に、まず床に手をついて、お尻を高くあげ、次に膝に手をあてて、手の力を借りて立ち上がる。

シェンヌ型に類似しています。肢帯型、顔面肩甲上腕型は、発症が10歳代以降で筋萎縮は限局性で進行も緩やかです。

筋ジストロフィーでは、病型や進行にともない運動機能の低下がみられます。

筋力低下と運動機能障害はゆっくり進行し、筋力が低下すると関節をしっかり動かせないため、拘縮・変形が生じます。デュシェンヌ型や福山型など小児期発症の型では、成長期に座位を保つことが困難で脊椎・胸郭変形が生じやすくなります。呼吸不全は一般的に運動機能障害が進行してから生じますが、一部の疾患では肺活量が保たれていても血中の酸素濃度が低い、歩行可能な時期から呼吸不全が生じる、などの症状があります。

このように、機能障害や合併症はその型によって特徴があり、骨格筋障害が軽度でも心不全や嚥下障害などほかの機能障害がみられることがあります。また、運動能力低下以外にも図3－26で示すように、さまざまな二次的障害や合併症があり、疾患ごとの特徴があります。

（2）治療・予後

デュシェンヌ型筋ジストロフィーでは進行を遅らせるステロイド剤の有効性が確立されており、さらに日本で初めての治療薬[3]が承認されました。しかし、筋ジストロフィーのほとんどの病型において根本的な治療法はなく、リハビリテーションによる機能維持、脊椎変形に対する手術治療、補助呼吸管理や心臓ペースメーカーなどの対症療法にとどまっています。

病型により予後は異なりますが、呼吸不全、心不全、不整脈、嚥下障害等は生命予後に大きな影響を及ぼします。定期的な機能評価や合併症の有無、適切な介入が生命予後を左右するといえます。

（3）日常生活上の留意点

筋ジストロフィーでは、疲労や筋肉痛が生じない範囲であれば、基本的に日常生活の制限はありません。ただし、現実には、利用者個々に多くの介助を要します。利用者1人ひとりの状態や疾患に対する理解が不足していることであやまった判断にもとづく行動をすることのないように、日常生活上の基本的な留意点を理解しておきましょう。また、利用者個々の留意点は、医療職に確認をしておく必要があります。

1 感染予防

感染予防は大切な注意点です。ステロイド剤を使用する場合、ステロイド剤使用開始前に麻疹・風疹、おたふく風邪、水痘などの生ワクチン接種や、適宜インフルエンザなどの予防接種をすませることも大切で

---

[3] 治療薬
2020（令和2）年5月、デュシェンヌ型筋ジストロフィーの一部に効果があるとされる、日本初の筋ジストロフィー治療薬（ビルトラルセン、ビルテプソ）が発売された。

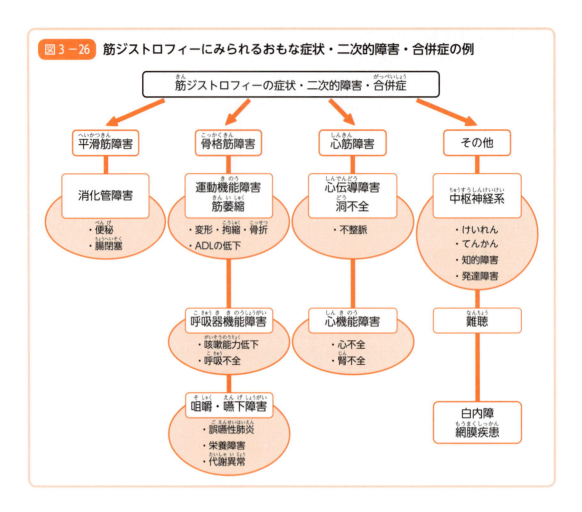

図3-26 筋ジストロフィーにみられるおもな症状・二次的障害・合併症の例

す。筋ジストロフィーの人は咳をする力が弱いため、呼吸器感染をこじらせやすく、痰が取りきれないことも考えられます。

2 専門医への定期的な受診

合併症は早期発見と早期対処が原則であり、専門医療機関を定期的に受診し、機能評価や合併症の検査を受けることが大切です。

呼吸筋が弱くなることによって呼吸不全をきたした場合、人工呼吸器が必要になります。呼吸不全や心不全、嚥下機能障害の強い人では歯科治療にも特別な配慮が必要な場合があります。

2 生活上の困りごと（観察の視点）

疾患の型や進行度によって生活の不自由さに違いがあることを理解したうえで、細やかに観察を行い（**表3-16**）、必要に応じて医療職へ報

第8節 【難病】筋ジストロフィーに応じた介護

表3-16 筋ジストロフィーのある人の観察と支援ポイント

	観察のポイント	支援のポイント
視点	観察を通して生活場面のどの部分に困難さがあるか把握し、医療職への報告と必要な支援（福祉用具の活用を含む）を考える。場面ごとのADLと動きの程度の関連を確認する。	その日・その時の心身の状況に適した支援を実施する。 ・直接の介助 ・福祉用具の活用
食事	・嚥下機能（つっかえ、むせ） ・食器をつかむ手指の力 ・座位姿勢の保持 ・食事補助具の使用状況 ・体重の推移　・疲労感	・環境整備（スプーンホルダーなど、食事補助具の活用を含む） ・正しい姿勢
清潔・入浴	・関節可動域（背中に手を回す、からだをひねる、洗髪動作、足のあがり） ・使用物品の適合性（タオル、石けん等） ・座位の保持　・浴槽の出入り ・脱衣室・浴室間の移動 ・衣服の着脱（細かい動作の確認）	・疲労感・安全面からできるだけ介助を行う ・事故防止 ・移動のしやすさ ・洗えない部分の介助 ・清潔保持の方法の選択 ・安定した座位姿勢の保持
排泄	・トイレまでの移動　・ドアの開閉 ・姿勢の変換、保持 ・衣服の上げ下ろしの状態 ・排便・排尿のリズム	・排便姿勢の保持 ・排泄のリズムにそった介助 ・外出先での介助
移動・外出	・筋力低下、筋萎縮の状況 ・どのような場面で不自由さを感じているか（歩行、立ち上がり、移乗、歩行不能、ADLの場面） ・希望する介助方法	・移動の介助（電動車いす、リフターなど） ・自宅内の移動環境の整備（段差、ドアの開く方向、通路の幅） ・関節可動域への配慮　・家の中での移動 ・車いす・ベッド間の移乗
整容・身じたく	・歯みがき（口の開閉、歯ブラシの持ち方と歯ブラシの種類） ・洗面（タオルをしぼる力、顔をふく動作） ・衣服の着脱に関連する関節の可動域 ・衣服の処理	・筋力低下により手の届かない部分の介助 ・衣類の整理、洗濯
休息・睡眠・安寧・安楽	・睡眠・休息時の体位 ・熟睡感・疲労感 ・皮膚の状態（発赤、びらん等）	・褥瘡の予防 ・体位の工夫 ・安楽への配慮（小枕、座布団）
心理・社会面	・社会参加（趣味・関心事） ・将来への不安 ・家族の負担 ・社会資源の活用状況	・他者との交流・コミュニケーション ・関係機関との連携 ・レスパイトケア ・社会資源の活用

告します。同時に、医療職からも情報を得て、日常生活上の留意点を共通認識し、支援につなげていきます。

(1) コミュニケーション

円滑なコミュニケーションは、その人のQOL（Quality of Life：生活の質）を向上させるばかりでなく、その人の生きる意味までも左右することがあります。症状が進行した筋ジストロフィーでは、コミュニケーション障害を引き起こす場合も多く、家族や他者とコミュニケーションができるかどうかはきわめて重要な課題となります。

(2) 食事

食事では、摂取量やバランスよい摂取がされているかなど、基本的なことに加えて観察すべき点がいくつかあります。筋ジストロフィーでは、疾患の進行や食事摂取動作が困難であること等の影響を受けて、体重が減少する場合がある一方、活動量の減少やステロイド薬の使用で体重が増加する場合もあるので、体重の推移を見ていくことも大切です。

また、食事がしやすい姿勢であるか、肘・手首・指先の動き、食事補助具の使用状況や疲労感等の観察を行います。手指機能は長く維持されやすいため、食事動作の自立度は進行期においても高いです。

(3) 清潔・入浴

入浴は疲労感をともない、浴室内がすべりやすいため、とくに運動機能の低下がある人は転倒して骨折することがあります。入浴では安全面を考慮し、早くから全介助を行いますが、関節可動域や座位姿勢の保持、移動動作等に着目して観察し、「できる部分」と「できない部分」を明らかにしていきます。

(4) 排泄

排泄では、トイレまでの移動やドアの開閉、トイレ内での姿勢、衣服の上げ下ろしができるかどうかなど、利用者の可能性について観察します。また、排便・排尿のリズムや排泄のタイミングを把握します。買い物や旅行など外出する際には、とくに配慮すべきことについて情報を得ておく必要があります。

（5）移動・外出

　疾患の進行とともに移動動作が困難になることが多くなってきます。筋力低下の部位・程度と、どの生活場面でどのような不自由さがあるのかを確認します。

　歩行不能となってからも心肺機能に問題がなければ、自律的な運動を制限する必要はありません。たとえば、車いす上での生活が主体となっても、さまざまな工夫により運動やスポーツへの参加は可能です。転倒しやすい状況では**プロテクター**❹や生活場面の環境整備、介助等により事故を防ぐことが大切です。なお、運動を避けることが必要な場合もあるので、医療職との連携が大切になります。

（6）整容・身じたく

　歯みがきや洗面、衣服の着脱などは、1つひとつに細かな動きがあります。関連する関節や指先の動きを観察し、不自由さを明らかにしていきます。

（7）休息・睡眠、安寧・安楽

　疾患の進行とともに自力で安楽な体位を保つことが困難になります。睡眠・休息時の体位が安楽なものであるか、熟睡感があるか、疲労感はないかなどを明らかにしていきます。また、褥瘡の好発部位に発赤や、びらん、違和感、痛みなどがないか観察します。

（8）心理・社会面

　利用者の生活の場がどこであれ、心理・社会面について知ることは、より重要です。

　筋ジストロフィーは病型によって症状の進行に違いがありますが、筋力低下をはじめとして、さまざまな機能を徐々に喪失することによって、今後の病状の変化やこれからの過ごし方など、本人や家族の将来への不安が強くなっていくと考えられます。また、機能低下にともなって家族が介護をする時間や量が多くなり、介護に対する負担感や疲労感が強くなっていきます。

　趣味や関心事、将来への思い、家族の負担、社会資源の活用状況等について情報を得ることは、地域社会における生活者の観点から、支援していくうえで大切にしなければならない側面です。

---

❹**プロテクター**
人間のからだの安全をはかるために用いられる器具の総称。頸部の屈筋が弱い筋ジストロフィーでは、後方に転倒すると後頭部を地面にたたきつけられることがあるため、保護帽を使用し頭部を保護する。

（9）多職種間の連携

　筋ジストロフィーは筋力低下や筋萎縮をきたしやすいという特徴があり、さらに、病型や進行の度合いによって日常生活上の不自由さや困難さはそれぞれに個別性があります。留意点等も含めて医療職からの情報提供をはじめ、理学療法士や管理栄養士等との連携も重要であり、関係者間の情報共有が利用者の生活を支えるうえで欠かせません。合併症や二次的障害の予防・早期発見のためにも医療職との連携を密にする必要があります。

3　支援の展開

　介護福祉職は、人間としての尊厳や自律を支援するという倫理観に基づいて、利用者の日常生活全般にわたってかかわっていきます。障害の程度にかかわらず、その人らしさを根底におきながら、自己選択・自己決定を支援することが重要になります。

（1）コミュニケーションの支援

　どのような場面でも介護福祉職は、利用者とのコミュニケーションを大切にして介助にあたります。
　呼吸不全が進行し、多くの機能が低下している状況では、臥床時間が増えてきます。そのような状況下でこそ、利用者がどのようなニーズをもっているのかを知ることは重要なことであり、利用者の状況にあったコミュニケーション手段を利用者・家族、関係者とともに考えていく必要があります。

（2）食事の支援

　食事は障害が進んでも自立度が高く、機能が維持されるため、できるだけ環境面を含めた支援を検討していく必要があります。一方で、嚥下機能の低下がある場合は、誤嚥の危険性をともない肺炎のリスクもあります。歩行が不能になっても座位姿勢をとることができれば食事摂取が可能ですので、誤嚥しないように、望ましい食事の姿勢を保つことが必要になります。
　「食べる」という行為は、栄養摂取のみならず、楽しみや喜びとして

第 8 節 【難病】筋ジストロフィーに応じた介護

の重要な側面をもっています。食事そのものだけではなく、楽しい食事のための環境づくりも必要です。

（3）清潔・入浴の支援

入浴は、疲労しやすいうえ、安全性の面からも、早期から自立よりも介助を行うことが必要です。一部介助の場合は安定した座位姿勢が保持できるよう支援し、事故のないよう、常に目配りが必要です。

（4）排泄の支援

排泄では、座位姿勢が排便のしやすさに影響するため、姿勢に注意が必要です。姿勢を保持するために、両上肢を乗せる前台などを使用して疲労を防ぎ、安全に配慮します。平滑筋が障害されると消化管に影響をきたし便秘になる場合があります。排泄リズムの把握とケア、便秘予防に留意し、状況によっては医療職の指示をあおぐ場合もあります。

（5）移動・外出の支援

① 適度な運動

筋力低下を主症状とすることから、筋疲労には十分注意が必要です。逆に、介助のしすぎは、筋力を使う機会を逃すことになり、廃用[5]性の筋力低下につながります。「介助が必要なとき」と「自力で可能なとき」をよく確認して、臨機応変に対応することが大切です。

② 歩行・立ち上がり動作

歩行や立ち上がりが可能な利用者は、動きやすさや安全を考えながら、上・下肢、体幹の関節など、利用者自身がさまざまな工夫をして固定したうえで、バランスを取りながら移動の動作を行っている場合があります。介助する際には、利用者が希望する介助方法を十分把握したうえで、転倒の危険性があることを念頭に、事故防止に留意しながら行います。

③ 歩行不能になった場合

歩行が困難になった場合は、車いす、電動車いす、介助用車いす等を使用します。車いすは生活の重要な移動手段となりますので、利用者の状態にあったものを利用者・家族、医師、リハビリテーション専門職、福祉用具相談員等と相談しながら選択・決定していきます。また、歩行ができなくなった場合、体重が増加することがあるため、栄養管理も重

[5] 廃用
廃用とは、長い間使わなかったために、器官や筋肉の機能が失われたり萎縮することを意味し、長期間の臥床や活動の低下で二次的に生じる機能低下を廃用症候群という。

要となります。

歩行が困難になると、車いすや電動車いすを使用し、座位が困難になるとベッド上で過ごすことが多くなります。また、寝返り動作が困難になると、食事や読書などのポジショニングや夜間の体位変換への配慮も必要になってきます。

(6) 整容・身じたくの支援

自分で整容や身じたくができるか否かは、関節可動域や拘縮・変形の状況で左右されます。筋ジストロフィーは、筋力低下や筋萎縮を主症状とすることから、整容や身じたくでの不自由さを感じる人は多いと考えられます。歯みがきや衣服着脱の動作、身だしなみを整えること、衣類の整理、洗濯など、その人に必要な介助を行います。

(7) 休息・睡眠、安寧・安楽の支援

疾患が進行すると座位が困難になり、ベッド上や車いすで過ごすことが多くなります。その場合、利用者が安定して安楽な姿勢で過ごすことができるよう、体位の工夫や福祉用具の活用などについて、利用者・家族、関係する専門職と相談しながら決定していきます。また、体重減少や栄養状態の悪化とともに褥瘡の可能性が高まります。皮膚の観察や体位の工夫がより求められます。

(8) 福祉用具の活用と介護福祉職・関係者間での工夫

障害の程度によって必要な介助は異なってきますが、状況に応じて福祉用具を活用します。福祉用具はさまざまな改良・開発がされてきており、それらをうまく活用することによって利用者のQOL向上を期待することも可能です。たとえば、その人の特性にあわせたシーティング車いす❻やコミュニケーション手段としてのパソコン、吸引器に装着できる歯ブラシ、入浴に関するもの、体圧分散寝具、姿勢保持に関するもの等、多岐にわたっています（図3−27）。また、福祉用具のみならず、利用者が今使っているものをより使用しやすいように工夫することも必要です。

利用者の特性にあったものを選択・工夫し、多職種と連携しながら安全・安楽な状況で活用していきます。

---

❻ シーティング車いす

シーティングとは、いす・車いすを利用して生活する人を対象に、座位に関する評価と対応を行うこと。座面や足置きの高さを調節したり、タオルやクッションを使って最適な座位姿勢に設定・調整していく。とくに筋ジストロフィーにおける車いすは、骨盤・胸部・頸部がシーティングされた車いすが求められ、専門医や理学療法士、作業療法士、車いす製作業者等、チームでかかわっていく。

図3-27 福祉用具の活用

このような支えを導入することで机上の上肢操作が自由となる。

このようなアームサポートを利用すると、食事や着替え、趣味活動を維持できる。

4 事例で学ぶ──筋ジストロフィーに応じた生活支援の実際

事例

　Jさん（18歳、男性）は、60歳の父親、58歳の母親と3人暮らしです。3歳のときにデュシェンヌ型筋ジストロフィーと診断されました。
　10歳で歩行不能となり、大腿、上腕、躯幹筋の萎縮が著明で、股関節、膝関節の拘縮や変形、脊柱の側弯もあります。
　現在は、電動車いすを使用し、日常生活のほとんどで介護が必要です。座位保持はできますが、疲労感があり、外出からの帰宅後はベッドで休んでいることが多くなりました。食事は準備をするとスプーンホルダーを使用し自分で摂取しています。先月風邪をこじらせて肺炎を起こし、一週間入院しました。最近、息苦しさやむせがみられるようになってきました。
　Jさんは一人っ子で、家ではいつも母親といっしょに過ごしています。父親は会社員で、週末はいっしょにドライブやパソコンゲームをしたりして過ごしています。Jさんは努力家で感情をあらわすことがあまりなく、おだやかな性格です。
　母親は、家事やJさんの介護のほとんどを行っており、最近はよく眠れないこともあって、疲れている様子です。そこで居宅介護サービスを利用

することになりました。

Jさんと家族に確認すること

Jさんの支援を考えるうえで大切になる次の内容を確認しました。

① 動きの確認・症状

　関節の動き、起き上がり、寝返り、首の動き、口の開閉、息苦しさ、咀嚼・嚥下の状態

② 日常生活の状況

　場面ごとの日常生活動作と不自由さ

・食事：現在使用しているスプーンの使い心地、摂食の不自由さはないか、食欲、咀嚼・嚥下の状態、口腔内の状況
・清潔・入浴：全介助であるが自力で行っている内容、疲労感
・排泄：排泄動作と介助の範囲、排尿・排便の状況
・移動・外出：自宅内での移動の状況と介助の範囲、外出の状況（移動手段、場所と頻度、留意点）、過ごしやすい住環境であるか
・整容・身じたく：関節可動域と衣服着脱・整容面の不自由さ、可能な項目と介助の範囲
・休息・睡眠、安楽・安寧：夜間熟睡できているか、睡眠時の体位、息苦しさの程度と息苦しさの場面、座位を保持できる時間

③ 心理・社会面

・レスパイトケア[7]
・希望：今後の生活の場、余暇活動（社会参加）、就労の意向、友人との交流、外出の意向

介護福祉士の対応

Jさんと母親に確認した結果、次のような状況が明らかになりました。

・ほとんどの生活場面で介助が必要である。
・肺炎を起こして以来、息苦しさや疲労感が強くなり、外出後はとくに疲労感が強い。
・食事は、スプーンを使って自力摂取できるが、口まで運ぶことがむずかしく、こぼすことがある。

これらの状況を確認し、介護福祉士は居宅介護事業所に戻り、サービス提供責任者に支援の実施内容と観察の結果（①）、同時に得られた情報（②③）についても報告をしました。

① 支援の実施内容と観察結果

---

[7] レスパイトケア

レスパイト（respite）とは、「小休止、息抜き、休養」という意味である。レスパイトケアは、訪問看護や訪問介護のケアも含まれるが、一般的には、ショートステイ（短期入所事業）をさしていることが多い。家族介護者が不在になる場合や、休養が必要なとき、社会参加の際などに利用可能なサービスである。

昼食の介助を行った。食べ物を口まで運ぶのに時間がかかり、途中でこぼれるため、介助を行った。食事はおいしかったと言うが、途中疲れたとの発言があった。

できるだけ自分で食べたいという希望があるため、筋力や疲労感も考慮しながら負担の少ない摂取方法やスプーンの工夫などが必要と考えられる。

② できるだけ自宅で生活をしていきたいと思っており、両親も本人の望みどおりにしたいと考えている。本人は時々は外出して買い物をしたいし、ドライブもしたい、友達とも会いたいと思っている。

③ いつもそばにいてくれる母親に感謝しており、自分のためにずっと家にいるので、たまには外出してリフレッシュしてほしいと思っている。母親の疲労が強くなっているので、休養や気分転換をしてほしいと思っている。

心身機能の状態から、生活上どのような活動制限・参加の制約があるのか、阻害しているものは何かを明らかにし、アセスメントしたことを整理していきます。Jさんは、日常生活のほとんどにおいて介護が必要ですが、Jさんの自己決定にもとづいた介護の展開という、介護の原点を忘れてはいけません。常にJさんとその家族の同意が得られてこそ行われるのが、Jさんへの個別介護であるからです。そこから、介護の視点は何か、どんなことを目標としたらよいのかを考えていきます。

多職種連携のポイント

地域包括ケアシステム体制のなかで、Jさんの自宅で生活したいという希望にそった支援を行っていく必要があります。今後、症状の進行が予測されるなかで、買い物やドライブ、友達との交流など、Jさんが望む生活の継続のためには、ボランティアも含めた関係者間での情報共有・連携がさらに重要となってきます。

また、家族の介護負担軽減や不安の解消等も重要な支援になります。介護者の在宅でのレスパイト時間の確保やレスパイトケア・入院、当事者団体とのつながりなどが、今後の検討事項になります。

長期にわたる在宅療養を支えるためには、相談支援事業者や行政、医療、教育、就労など多様な分野の関係者の専門性を尊重しながら、連携を密にすることが支援の質の向上につながります。

◆ 参考文献

- 阿部康二編著『神経難病のすべて――症状・診断から最先端治療・福祉の実際まで』新興医学出版社、2007年
- 加倉井周一・清水夏繪編『神経・筋疾患のマネージメント――難病患者のリハビリテーション』医学書院、1997年
- 日本神経学会・日本小児神経学会・国立精神・神経医療研究センター監、「デュシェンヌ型筋ジストロフィー診療ガイドライン」作成委員会編『デュシェンヌ型筋ジストロフィー診療ガイドライン2014』南江堂、2014年
- 貝谷久宜、月刊「難病と在宅ケア」編『筋ジストロフィーのすべて』日本プランニングセンター、2015年

演習3−1　本人や家族の手記による障害のある人の理解

障害のある人や家族の手記を読んでみよう。
（参考）
- ジャコモ　マッツァリオール、関口英子訳『弟は僕のヒーロー』小学館、2017年
- 瀬戸紗智子『ママの心が病んでから』ぶどう社、2006年
- 倉科透恵『泣いて笑ってまた泣いた』ラグーナ出版、2015年
- 佐々英俊・高松紘子『ニッポン聞き書き選書2　ウィー・アー・クレイジー!?「統合失調症患者」が語る胸のうち』寿郎社、2004年
- 東田直樹『自閉症の僕が跳びはねる理由』KADOKAWA、2016年
- 川口有美子『シリーズケアをひらく　逝かない身体──ALS的日常を生きる』医学書院、2009年

演習3−2　高次脳機能障害のある人の理解

遂行機能障害のある人が、1人で電車に乗って出かける場合、具体的にどのような支援があれば、無事に目的地に行くことができるか考えてみよう。
①どのような困りごとが発生する可能性があるか。
②その困りごとを解決するには、どのような支援が必要か。

演習3-3　発達障害のある人の理解

　発達障害（たとえば、自閉症スペクトラム障害）のある人のライフステージごとの課題と必要な支援について、考え、まとめてみよう。
　①乳・幼児期（0～4歳ごろ）
　②児童・学童期（4～12歳ごろ）
　③思春期（13歳ごろ～）
　④青年期～中年期（22～35歳ごろ）
　⑤中年期～壮年期（36～65歳ごろ）
　⑥老年期（65歳ごろ～）

演習3-4　パーキンソン病・関節リウマチのある人の理解

　パーキンソン病や関節リウマチの人にとって有効な自助具を実際に使ってみよう。
（参考）
- ソックスエイド（p.287）
- ゴムハンドル（p.287）
- マジックハンド（p.287）
- さまざまな調理具（p.285）

 **演習3-5　筋ジストロフィーのある人の理解**

自分では、からだを動かすことができない状況を体験してみよう。
① 2人1組になり、「利用者」と「介護者」を決める。
②「利用者」は、好きな体勢でベッドに横になる。そのまま、視線以外はまったく動かさずにじっとする。どのくらいでがまんの限界がくるか。
③ がまんしきれなくなったら、「介護者」にからだのつらい部分を伝えて、ポジショニングをしてもらう。このときも、自分で動かないようにする。
④ 役割を交替して、同じように体験する。
⑤ 利用者役、介護者役として感じたことを話し合ってみよう。

索引

欧文

ADHD	236、237
ADL	13、266
ALS	249
APD	114
ART	148
ASD	234、237
ASIA評価	13
Brunnstrom Stage	13
CAPD	112
CD4リンパ球	147
COPD	93
C型肝炎	160
FIM	13
Gowers徴候	293
HD	112
HIV感染症	147
HOT	96
HPN	137
ICD	81
L-ドーパ	265
m-ECT	210
MRA	277
NST	145
on-off現象	266
PD	112
PPN	137
QOL	19、266
RA	280
S状結腸ストーマ	124
TPN	137
wearing-off現象	266
Zancolli分類	13

あ

悪性関節リウマチ	277
朝のこわばり	283
アダムス-ストークス（Adams-Stokes）症候群	80
アッシャー（Usher）症候群	
	72
安静時振戦	263
意思決定支援	192
意思疎通支援	69
医師法第17条、歯科医師法第17条及び保健師助産師看護師法第31条の解釈について	128
イレウス	136
陰性症状	199
インフォームドコンセント	34
ウエアリングオフ現象	266
植込み型除細動器	81
うつ病	209
埋め込み式カテーテル法	137
運動ニューロン	249
運動療法	97
エイズ	147
エイズブロック拠点病院	155
栄養サポートチーム	145
エコラリー	241
壊疽	118
遠隔手話サービス	54
援助依頼	33
炎症	279
炎症性腸疾患	123
横行結腸ストーマ	124
黄疸	163
オウム返し	241
大島の分類	171
太田ステージ	238、239
オストメイトの会	131
音声機能障害	56
音声パソコン	39

か

回腸	134
回腸ストーマ	124
潰瘍性大腸炎	123
下行結腸ストーマ	124
仮性球麻痺症状	251
仮性認知症	210
カタトニア	245
片麻痺	13
寡動	263
仮面様顔貌	263
簡易ななめ昇降便座	257
肝炎	159
感音性難聴	47
感覚過敏	242
間欠的導尿	123
間欠導尿	26
肝硬変	160、162
冠状動脈	75
肝性昏睡	160
肝性脳症	166
関節リウマチ	280
肝臓	158
肝臓機能障害	158
肝動脈	158
観念奔逸	210
肝庇護薬	161
顔面肩甲上腕型筋ジストロフィー	293
記憶障害	220、222
気管	91
気管支	91
気管支喘息	94
起座呼吸	78
吃音	56
気分障害	209
急性肝炎	159
急性腎障害	109
急性腎不全	109
狭心症	77
狭心痛	83
強制泣き	251
強制笑い	251
強迫行為	245
虚血性心疾患	77
起立性低血圧	264

筋萎縮性側索硬化症……… 249	座位保持装置………… 179	食事療法（慢性腎臓病）……… 111
筋固縮……………………… 263	酸素濃縮装置………… 103	食道静脈瘤……………… 160
筋ジストロフィー………… 293	シーティング車いす……… 302	食物繊維………………… 273
空書………………………… 50	視覚障害………………… 31	自律……………………… 175
空腸……………………… 134	刺激伝導系……………… 75	自律神経過緊張反射……… 18
クレーン………………… 241	自己免疫疾患…………… 281	腎移植…………………… 114
クローン病………… 123、136	自傷他害………………… 205	心気妄想………………… 213
クロック・ポジション……… 42	自助具…………… 285、287	心筋梗塞………………… 77
経管栄養法………… 137、142	姿勢反射障害…………… 263	神経因性膀胱…………… 123
経静脈栄養法…………… 137	死戦期呼吸……………… 83	神経伝達物質…………… 262
頸髄損傷………………… 15	持続的携行式腹膜透析…… 112	神経変性疾患…………… 249
下剤調整………………… 211	持続的導尿……………… 123	人工肛門………………… 124
血液透析………………… 112	肢帯型筋ジストロフィー…… 293	人工呼吸療法…………… 96
言語障害………………… 56	肢体不自由……………… 12	人工ペースメーカー……… 80
現実見当識……………… 213	失語…………………… 222	人工膀胱………………… 124
腱反射…………………… 250	失行…………………… 222	人生の最終段階における医療・ケアの決定プロセスに関するガイドライン……………… 90
抗HIV薬………………… 153	失語症…………………… 56	
抗うつ薬………………… 210	失認…………………… 222	
高カリウム血症………… 115	質問癖………………… 242	
高次脳機能……………… 219	指定難病……………… 277	腎性浮腫………………… 114
高次脳機能障害………… 219	自動腹膜透析…………… 114	心臓……………………… 75
交通バリアフリー法……… 27	自閉症スペクトラム障害 …………… 234、237	腎臓…………………… 108
後天性免疫不全症候群… 147		心臓機能障害…………… 75
後頭葉…………………… 220		腎臓機能障害…………… 108
高齢化率…………………… 2	社会的行動障害……… 222	心臓弁膜症……………… 80
高齢者、身体障害者等の公共交通機関を利用した移動の円滑化の促進に関する法律……… 27	弱視……………………… 32	心肺停止………………… 83
	遮光眼鏡………………… 31	心不全…………………… 78
	シャワーチェア………… 23	心房細動………………… 80
口話………………………… 50	シャント………………… 112	遂行機能障害……… 221、222
誤嚥……………………… 16	シャントスリル………… 115	水分出納バランス……… 127
誤嚥性肺炎……………… 16	重症心身障害…………… 170	睡眠導入薬……………… 203
小刻み歩行……………… 264	修正型電気けいれん療法… 210	すくみ足………………… 263
呼吸………………… 91、93、99	十二指腸………………… 134	スクリーンリーダー……… 39
呼吸器…………………… 93	就労支援員……………… 36	スタンダード・プリコーション …………… 150
呼吸器機能障害…………… 91	手話……………………… 50	
呼吸困難………………… 100	手話通訳者……………… 55	ステロイド療法………… 136
呼吸リハビリテーション…… 97	消化器ストーマ………… 124	ストーマ………………… 124
こだわり行動……… 242、244	上行結腸ストーマ……… 124	ストーマ装具の交換について …………… 129
混合性難聴……………… 47	上行性感染……………… 130	
昏迷状態………………… 212	硝酸薬…………………… 78	ストーマ傍ヘルニア…… 127
	小腸…………………… 134	すり足歩行……………… 264
## さ	上腸間膜動脈閉塞症…… 135	スワンネック変形……… 281
	小腸機能障害…………… 134	精神運動興奮…………… 205
罪業妄想………………… 210	衝動性………………… 236	精神障害者保健福祉手帳… 204
在宅酸素療法…………… 96	触手話…………………… 67	静水圧作用……………… 84
在宅中心静脈栄養法…… 137	食事用装具……………… 21	脊髄損傷…………… 12、15

舌下錠 …… 78	透析療法 …… 111	ばち状指 …… 94
前頭葉 …… 220	頭頂葉 …… 220	発達障害 …… 232、233
喘鳴 …… 81	糖尿病性腎症 …… 33、110	発達障害者支援センター …… 245
躁うつ病 …… 209	登はん性起立 …… 293	発達障害者支援法 …… 233
躁病 …… 209	動脈硬化 …… 78	パニック …… 244
塞栓症 …… 80	動揺性歩行 …… 293	バビンスキー徴候 …… 250
側頭葉 …… 220	ドーパミン …… 262	針刺し事故 …… 149
ソフト食 …… 176	特別支援学校 …… 32	パルスオキシメーター …… 96
	読話 …… 50	半側空間無視 …… 16、226
た	突進歩行 …… 264	パンヌス …… 281
体外式カテーテル法 …… 137	ドライウエイト …… 115	被害妄想 …… 201
体循環 …… 76	頓用薬 …… 203	非加熱血液製剤 …… 147
大腸がん …… 123		微小妄想 …… 213
大脳新皮質 …… 220	**な**	筆談 …… 50
ダウン症候群 …… 191	軟骨 …… 280	皮膚・排泄ケア認定看護師 …… 133
多職種連携 …… 6	難聴 …… 47	標準予防策 …… 150
多動 …… 210	難聴者 …… 49	貧困妄想 …… 213
多動性 …… 236	肉芽組織 …… 281	フードブロッケージ …… 128
多弁 …… 210	二次的な障害 …… 64、233	腹膜透析 …… 112
胆囊 …… 158	日常生活用具給付等事業 …… 40	福山型筋ジストロフィー …… 293
チアノーゼ …… 98	二分脊椎 …… 123	浮腫 …… 82、163
地域包括ケアシステム …… 6	尿毒症 …… 111、115	不整脈 …… 80
遅延エコラリー …… 241	尿路ストーマ …… 124	不注意 …… 236
知的障害 …… 190	尿路変向 …… 124	フラッシュバック …… 235、244
注意欠陥多動性障害 …… 236、237	尿路変向術（尿路変更術） …… 123	ブリスタ …… 67
注意障害 …… 221、222	認知行動療法 …… 210	プロテクター …… 299
中心暗点 …… 31	認認介護 …… 5	ペースメーカー …… 82、85
中心静脈栄養法 …… 137、142	脳性麻痺 …… 14	ペースメーカー手帳 …… 86
中枢性麻痺 …… 13		ベーチェット病 …… 136
中途失聴者 …… 49	**は**	ベッカー型筋ジストロフィー …… 293
聴覚障害 …… 46	パーキンソン症状 …… 264	ヘレン・ケラー …… 66
腸管（型）ベーチェット病 …… 136	パーキンソン病 …… 262	弁置換術 …… 80
腸軸捻転症 …… 136	肺 …… 92	膀胱 …… 121
重複障害 …… 63	肺炎 …… 95	膀胱がん …… 122
腸閉塞 …… 136	肺炎球菌感染症 …… 95	膀胱・直腸機能障害 …… 121
聴力レベル …… 47	肺がん …… 95	ホーエン・ヤールの重症度分類 …… 265
直腸 …… 121	肺結核 …… 95	補高便座 …… 257
手書き文字 …… 67	肺循環 …… 76	歩行誘導（視覚障害） …… 37
デュシェンヌ型筋ジストロフィー …… 293	肺水腫 …… 114	歩行誘導（盲ろう重複障害） …… 69
伝音性難聴 …… 47	肺胞 …… 92	ボタンホール変形 …… 281
電気的除細動 …… 80	ハウリング …… 49	補聴器 …… 49、52
電気フライヤー …… 41	白杖 …… 37	発作性夜間呼吸困難 …… 78、83
電話リレーサービス …… 54	バクテリアル・トランスロケーション …… 138	保有視覚 …… 32
統合失調症 …… 198	曝露事故 …… 154	

ま

- 末梢静脈栄養法 ……………… 137
- 慢性肝炎 …………………… 159
- 慢性糸球体腎炎 ……………… 110
- 慢性腎臓病 ……………… 110、111
- 慢性腎不全 …………………… 110
- 慢性閉塞性肺疾患 ……………… 93
- 無症候性血尿 ………………… 122
- 無動 ………………………… 263
- メンタルマップ ……………… 34
- 盲学校 ………………………… 32
- 網膜色素変性症 ……………… 44
- 盲ろう者 ……………………… 49
- 盲ろう重複障害 ……………… 64
- 門脈 ………………………… 158

や

- 薬物療法（気分障害） ……… 210
- 夜盲 …………………………… 31
- ユニバーサルデザインフード
  …………………………… 272
- 指点字 ………………………… 67
- 指文字 ………………… 50、67
- 陽性症状 ……………………… 199
- 要約筆記 ……………………… 50
- 浴室用リフト ………………… 24
- 浴槽内昇降機 ………………… 256
- 4大陰性徴候 ………………… 250
- 4大症状（パーキンソン病）
  …………………………… 263

ら

- レスパイトケア ……………… 304
- 労作性呼吸困難 ……………… 94
- ろう者 ………………………… 49
- 老老介護 ……………………… 5
- ロービジョン ………………… 32

『最新 介護福祉士養成講座』編集代表 (五十音順)

秋山 昌江（あきやま まさえ）
聖カタリナ大学人間健康福祉学部教授

上原 千寿子（うえはら ちずこ）
元・広島国際大学教授

川井 太加子（かわい たかこ）
桃山学院大学社会学部教授

白井 孝子（しらい たかこ）
東京福祉専門学校副学校長

「8 生活支援技術Ⅲ（第2版）」編集委員・執筆者一覧

編集委員 (五十音順)

櫻井 恵美（さくらい えみ）
東京福祉大学社会福祉学部講師

柴山 志穂美（しばやま しおみ）
神奈川県立保健福祉大学保健福祉学部准教授

白井 孝子（しらい たかこ）
東京福祉専門学校副学校長

執筆者 (五十音順)

石原 美和（いしはら みわ）……………………………… 第2章第10節
神奈川県立保健福祉大学保健福祉学部教授

糸嶺 一郎（いとみね いちろう）……………………………… 第3章第2節1～4
茨城県立医療大学保健医療学部准教授

岩崎 京子（いわさき きょうこ）……………………………… 第2章第12節、第3章第1節
社会福祉法人足立邦栄会相談支援センターみずき管理者

亀井 真由美（かめい まゆみ）……………………………… 第3章第4節
東京都立東大和療育センターリハビリテーション科

柴山 志穂美（しばやま しおみ）……………………………… 第3章第3節
神奈川県立保健福祉大学保健福祉学部准教授

白井 孝子（しらい たかこ）……………………………… 第1章、第2章第6節・第11節
東京福祉専門学校副学校長

髙橋 美岐子（たかはし みきこ）……………………………………………… 第3章第8節
日本赤十字秋田短期大学介護福祉学科特任教授

中村 博文（なかむら ひろふみ）……………………………………… 第3章第2節5〜8
茨城県立医療大学保健医療学部教授

早川 京子（はやかわ きょうこ）……………………………………………… 第3章第5節
京都華頂短期大学非常勤講師

深澤 茂俊（ふかさわ しげとし）…………………………………… 第2章第2節・第4節
元・神戸親和女子大学教授

藤田 美子（ふじた よしこ）…………………………………………………… 第2章第1節
特別養護老人ホームあだちホーム介護主任

増田 いづみ（ますだ いづみ）……………………………………… 第3章第6節・第7節
田園調布学園大学人間福祉学部准教授

森 千佐子（もり ちさこ）…………………………………………… 第2章第7節・第8節
日本社会事業大学社会福祉学部教授

山下 喜代美（やました きよみ）…………………………………… 第2章第5節・第9節
東京福祉大学社会福祉学部准教授

渡辺 正夫（わたなべ まさお）………………………………………………… 第2章第3節
元・船橋市立船橋特別支援学校校長

最新 介護福祉士養成講座 8

生活支援技術Ⅲ 第2版

2019年3月31日	初 版 発 行
2022年2月1日	第 2 版 発 行
2025年2月1日	第2版第3刷発行

編　　集	介護福祉士養成講座編集委員会
発 行 者	荘村　明彦
発 行 所	中央法規出版株式会社
	〒110-0016　東京都台東区台東3-29-1　中央法規ビル
	TEL 03-6387-3196
	https://www.chuohoki.co.jp/
印刷・製本	サンメッセ株式会社

装幀・本文デザイン	澤田かおり（トシキ・ファーブル）
カバーイラスト	のだよしこ
本文イラスト	小牧良次・土田圭介・藤田侑巳
口絵デザイン	株式会社ジャパンマテリアル

定価はカバーに表示してあります。
ISBN978-4-8058-8397-6

本書のコピー、スキャン、デジタル化等の無断複製は、著作権法上での例外を除き禁じられています。また、本書を代行業者等の第三者に依頼してコピー、スキャン、デジタル化することは、たとえ個人や家庭内での利用であっても著作権法違反です。
落丁本・乱丁本はお取り替えいたします。

本書の内容に関するご質問については、下記URLから「お問い合わせフォーム」にご入力いただきますようお願いいたします。
https://www.chuohoki.co.jp/contact/